国家出版基金项目
NATIONAL PUBLICATION FOUNDATION

"十二五"国家重点图书出版规划项目

林业应对气候变化与低碳经济系列丛书

◆

总主编：宋维明

森林旅游低碳化研究

◎ 陈秋华　陈贵松　等著

中国林业出版社

图书在版编目（CIP）数据

森林旅游低碳化研究／陈秋华，陈贵松等著．－北京：中国林业出版社，2015.5
林业应对气候变化与低碳经济系列丛书／宋维明总主编
"十二五"国家重点图书出版规划项目
ISBN 978-7-5038-7933-3

Ⅰ．①森…　Ⅱ．①陈…②陈…　Ⅲ．①森林旅游－节能－研究　Ⅳ．① F590.7

中国版本图书馆 CIP 数据核字（2015）第 060323 号

出 版 人：金　旻
丛书策划：徐小英　何　鹏　沈登峰
责任编辑：刘香瑞
美术编辑：赵　芳

出版发行　　中国林业出版社（100009　北京西城区刘海胡同 7 号）
　　　　　　http://lycb.forestry.gov.cn
　　　　　　E-mail:forestbook@163.com　电话：(010)83143515、83143543
设计制作　北京天放自动化技术开发公司
印刷装订　北京中科印刷有限公司
版　　次　2015 年 5 月第 1 版
印　　次　2015 年 5 月第 1 次
开　　本　787mm×1092mm　　1/16
字　　数　327 千字
印　　张　16.5
定　　价　56.00 元

林业应对气候变化与低碳经济系列丛书

编审委员会

总主编　宋维明

总策划　金　旻

主　编　陈建成　陈秋华　廖福霖　徐小英

委　员（按姓氏笔画排序）

王　平	王雪梅	田明华	付亦重	印中华
刘　诚	刘　慧	刘先银	刘香瑞	杨长峰
杨桂红	李　伟	吴红梅	何　鹏	沈登峰
宋维明	张　兰	张　颖	张春霞	张彩虹
陈永超	陈建成	陈贵松	陈秋华	武曙红
金　旻	郑　晶	侯方淼	徐小英	程宝栋
廖福霖	缪东玲			

出版说明

郑明

　　气候变化是全球面临的重大危机和严峻挑战，事关人类生存和经济社会全面协调可持续发展，已成为世界各国共同关注的热点和焦点。党的十八大以来，习近平总书记发表了一系列重要讲话强调，要以高度负责态度应对气候变化，加快经济发展方式转变和经济结构调整，抓紧研发和推广低碳技术，深入开展节能减排全民行动，努力实现"十一五"节能减排目标，践行国家承诺。要正确处理好经济发展同生态环境保护的关系，牢固树立保护生态环境就是保护生产力、改善生态环境就是发展生产力的理念，更加自觉地推动绿色发展、循环发展、低碳发展，决不以牺牲环境为代价去换取一时的经济增长。这为进一步做好新形势下林业应对气候变化工作指明了方向。

　　林业是减缓和适应气候变化的有效途径和重要手段，在应对气候变化中的特殊地位得到了国际社会的充分肯定。以坎昆气候大会通过的关于"减少毁林和森林退化以及加强造林和森林管理"（REDD+）和"土地利用、土地利用变化和林业"（LULUCF）两个林业议题决定为契机，紧紧围绕《中华人民共和国国民经济和社会发展第十二个五年规划纲要》和《"十二五"控制温室气体排放工作方案》赋予林业的重大使命，采取更加积极有效措施，加强林业应对气候变化工作，对于建设现代林业、推动低碳发展、缓解减排压力、促进绿色增长、拓展发展空间具有重要意义。按照党中央、国务院决策部署，国家林业局扎实有力推进林业应对气候变化工作并取得新的进展，为实现林业"双增"目标、增加林业碳汇、服务国家气候变化内政外交工作大局做出了积极贡献。

　　本系列丛书由中国林业出版社组织编写，北京林业大学校长宋维明教授担任总主编，北京林业大学、福建农林大学、福建师范大学的二十多位学者参与著述；国家林业局副局长刘东生研究员撰写总序；著名林学家、中国工程院院士沈国舫，北京大学中国持续发展研究中心主任叶文虎教授给予了指导。写作团队根据近年来对气候变化以及低碳经济的前瞻性研究，围绕林业与气候变化、森林碳汇与气候变化、低碳经济与生态文明、低碳经济与林木生物质能源发展、低碳经济与林产工业发展等专题展开科学研究，系统介绍了低碳经济的理论与实践和林业及其相关产业在低碳经济中的作用等内容，阐释了我国林业应对气候变化的中长期战略，是各级决策者、研究人员以及管理工作者重要的学习和参考读物。

2014 年 7 月 16 日

总　序

刘年生

　　随着中国——世界第二大经济体崛起于东方大地，资源约束趋紧、环境污染严重、生态系统退化等问题已成为困扰中国可持续发展的瓶颈，人们的环境焦虑、生态期盼随着经济指数的攀升而日益凸显，清新空气、洁净水源、宜居环境已成为幸福生活的必备元素。为了顺应中国经济转型发展的大趋势，满足人民过上更美好生活的心愿，党的十八大报告首次单篇论述生态文明，首次把"美丽中国"作为未来生态文明建设的宏伟目标，把生态文明建设摆在总体布局的高度来论述。生态文明的提出表明我们党对中国特色社会主义总体布局认识的深化，把生态文明建设摆在五位一体的高度来论述，也彰显出中华民族对子孙、对世界负责任的精神。生态文明是实现中华民族永续发展的战略方向，低碳经济是生态文明的重要表现形式之一，贯穿于生态文明建设的全过程。生态文明建设依赖于生态化、低能耗化的低碳经济模式。低碳经济反映了环境气候变化顺应人类社会发展的必然要求，是生态文明的本质属性之一。低碳经济是为了降低和控制温室气体排放，构造低能耗、低污染为基础的经济发展体系，通过人类经济活动低碳化和能源消费生态化所实现的经济社会发展与生态环境保护双赢的经济形态。低碳经济不仅体现了生态文明自然系统观的实质，还蕴含着生态文明伦理观的责任伦理，并遵循生态文明可持续发展观的理念。发展低碳经济，对于解决和摆脱工业文明日益显现的生态危机和能源危机，推动人与自然、社会和谐发展具有重要作用，是推动人类由工业文明向生态文明变革的重要途径。

　　林业承担着发挥低碳效益和应对气候变化的重大任务，在发展低碳经济当中有其独特优势，具体表现在：第一，木材与钢铁、水泥、塑料是经济建设不可或缺的世界公认的四大传统原材料；第二，森林作为开发林业生物质能源的载体，是仅次于煤炭、石油、天然气的第四大战略性能源资源，而且具有可再生、可降解的特点；第三，发展造林绿化、湿地建设不仅能增加碳汇，也是维护国家生态安全的重要途径。因此，林业作为低碳经济的主要承担者，必须肩负起低碳经济发展的历史使命，使命光荣，任务艰巨，功在当代，利在千秋。

党的十八大报告将林业发展战略方向定位为"生态林业"，突出强调了林业在生态文明建设中的重要作用。进入 21 世纪以来，中国林业进入跨越式发展阶段，先后实施多项大型林业生态项目，林业建设成就举世瞩目。大规模的生态投资加速了中国从森林赤字走向森林盈余，着力改善了林区民生，充分调动了林农群众保护生态的积极性，为生态文明建设提供不竭的动力源泉。不仅如此，习近平总书记还进一步指出了林业在自然生态系中的重要地位，他指出：山水林田湖是一个生命共同体，人的命脉在田，田的命脉在水，水的命脉在山，山的命脉在土，土的命脉在树。中国林业所取得的业绩为改善生态环境、应对气候变化做出了重大贡献，也为推动低碳经济发展提供了有利条件。实践证明：林业是低碳经济不可或缺的重要部分，具有维护生态安全和应对气候变化的主体功能，发挥着工业减排不可比拟的独特作用。大力加强林业建设，合理利用森林资源，充分发挥森林固碳减排的综合作用，具有投资少、成本低、见效快的优势，是维护区域和全球生态安全的捷径。

本套丛书以林业与低碳经济的关系为主线，从两个层面展开：一是基于低碳经济理论与实践展开研究，主要分析低碳经济概况、低碳经济运行机制、世界低碳经济政策与实践以及碳关税的理论机制及对中国的影响等方面。二是研究低碳经济与生态环境、林业资源、气候变化等问题的相关关系，探讨两者之间的作用机制，研究内容包括低碳经济与生态文明、低碳经济与林产品贸易、低碳经济与森林旅游、低碳经济与林产工业、低碳经济与林木生物质能源、森林碳汇与气候变化等。丛书研究视角独特、研究内容丰富、论证科学准确，涵盖了林业在低碳经济发展中的前沿问题，在林业与低碳经济关系这个问题上展开了系统而深入的探讨，提出了许多新的观点。相信丛书对从事林业与低碳经济相关工作的学者、政府管理者和企业经营者等会有所启示。

2014 年 7 月 9 日

前　言

　　伴随着全球经济的快速增长，能源消耗与环境污染带来的环境问题引起了世界范围的广泛关注，低碳经济正是在全球气候变暖对人类生存和发展的严峻挑战的背景下提出。因此，降低碳排放、实现绿色发展已经成为全球共识，发展低碳经济成为人类面对全球气候问题的战略性选择。面对我国资源约束趋紧、环境污染严重、生态系统退化的严峻形势，党的十八大确立了生态文明建设的突出地位，号召大力推进生态文明建设，必须树立尊重自然、顺应自然、保护自然的生态文明理念。

　　在这样的背景和条件下，研究森林旅游低碳化具有深刻的意义。我国森林旅游经过 30 余年的发展，已形成以森林公园、湿地公园、林业自然保护区为主体，以荒漠旅游区、野生动物园、林业观光园、树木园等为辅助的景区结构体系。截至 2013 年年底，全国建立各级森林公园 2948 处，各级湿地公园 723 处，各级林业自然保护区 2163 处，全国森林旅游景区数量超过 7000 处；全国森林旅游景区接待游客超过 7.4 亿人次，约占 2013 年国内旅游总人数的 22.7%，森林旅游直接收入 679 亿元，创造社会综合产值 5300 亿元。由此可见，当前我国森林旅游市场需求规模巨大。同时，旅游者对森林旅游产品的需求也开始出现结构性变化，已经从传统的观光旅游向休闲养生度假旅游转变。然而，在这一转变过程中，森林旅游各环节都会存在"高碳"排放等问题，使得脆弱的森林生态环境不堪重负，若不能解决这些负面问题，必将影响森林旅游的健康持续发展。因此，当前对森林旅游如何实现低碳化的研究非常迫切。本书就是在"低碳经济"发展和生态文明建设的趋势下，提出森林旅游低碳化，认为森林旅游低碳化是中国森林旅游业可持续发展的重要形式，是森林旅游业应对全球气候变化的必然选择，是作为我国建设生态文明的重要任务和推动绿色低碳发展的重点领域。

　　本书是在作者多年从事森林旅游研究和积累了丰富的理论与实践经验的基础上，参考了当代森林旅游和低碳经济研究方面的最新成果，并结合中国森林旅游发展的实际撰写完成的。全书共分为 3 篇 12 章。第 1 篇第 1 章详细介绍了低碳旅游的发展缘起、概念及其系统架构；第 2 章着眼于当前中国森林旅游发展的概况，着重分析了森林旅游低碳化的必要性和可行性。第 2 篇第 3 章阐述了低碳经济下森林旅游要素系统的运行及其变化；第 4 章与第 5 章分别从森林旅游低碳化保障性要素和主体性要素两方面阐明了森林旅游要素低碳化的必要性及其实现路径。第 3 篇第 6 章从利益相关者的视角研究了森林旅游关键利益相关者低碳化行为并在此基础上构建了森林旅游低碳化的运作模式；第 7 章构建了森林旅游低碳化评价指标体系；第 8 章研究了森林旅游景区规划低碳化的具体路径；第 9 章分析了影响游客行为碳排放量的因素，并相应提出森林旅游低碳化游客管理的模式与方法；第 10 章就森林旅游资源和环境低碳化管理的思路进行有益地探讨；第 11 章从组织准备、质量策划、质量控制、质量保证、质量评价与改进等方面阐述了森林旅游景区低碳质量管理体系；第 12 章从消费者行为学的视角入手，找出影响森林旅游低碳化消费的因素，提出了森林旅游低碳化消费的实现途径和低碳化营销策略。

本书是我国第一部研究森林旅游低碳化的专著，全书的创新点主要体现在以下两个方面：①第一次系统地研究了森林旅游保障性要素和主体性要素低碳化的模式及其实现路径；②第一次系统地研究了森林旅游低碳化管理的相关问题。

本书为福建省社科研究基地生态文明研究中心、福建省高校人文社科研究基地乡村旅游研究中心联合研究成果。由中心主任、福建农林大学旅游学院陈秋华教授主持撰写和统稿，陈贵松、陈小琴、刘森茂、方碧珊、纪金雄、修新田、李欠强、郑小敏、洪小燕、王馨等老师参与了资料收集和部分章节撰稿，李有绪、张芳等博士生和硕士生参与了资料收集和整理工作，这部著作是集体智慧的结晶。

本书在撰写过程中参考和借鉴了国内外旅游学界众多专家学者的相关研究成果，还得到北京林业大学校长宋维明教授及其经济管理学院院长陈建成教授的亲自指导以及中国林业出版社有关领导和编辑的大力支持，在此一并表示感谢。限于作者知识水平，书中错漏难免，衷心希望读者批评指正。

陈秋华

2014 年 12 月

于福建农林大学观音湖畔

目　　录

第3篇　管　理　篇

第1篇
理论篇

第1章   低碳旅游概述

1.1   低碳经济的概念与发展路径

1.1.1   低碳与低碳经济的提出

在漫长的农业社会，温室气体(以二氧化碳为主)浓度一直稳定在$280cm^3/m^3$，随着世界工业经济的发展，化石能源开发和利用的规模不断扩大，碳排放量大幅度增加，地球大气层中的温室气体浓度发生了深刻的变化，并开始影响人类生存的自然生态系统。全球气候变暖在近百年来呈加剧上升趋势，人口的剧增、人类欲望的无限上升和生产生活方式的无节制，使得二氧化碳排放量愈来愈大，世界气候面临越来越严重的问题，已经严重危害到人类的生存环境。联合国政府间气候变化专门委员会(IPCC)第三次评估报告指出，近50年的全球气候变暖主要是温室气体排放量过大，形成增温效应造成的。温室气体主要包括二氧化碳(CO_2)、甲烷(CH_4)、氧化亚氮(N_2O)、氢氟碳化物(HFCS)、全氟化碳(PFCS)、六氟化硫(SF_6)等六种，其中以二氧化碳为主。由于非二氧化碳温室气体的浓度致暖与二氧化碳有着固定的函数关系，因此，人们将非二氧化碳的温室气体排放量折算成二氧化碳排放当量，以实现所有温室气体排放量之间的可加性。

1965年，美国白宫的一份关于环境问题的报告就提到了全球气候变暖可能会带来的后果。1972年罗马俱乐部发表了《增长的极限》报告，该报告第一次对高能耗、高污染的传统工业文明和高碳经济的发展方式进行了深刻反思。1979年第一次世界气候大会上，气候变化首次作为一个引起国际社会关注的问题提上议事日程。1988年夏天，联合国环境规划署在多伦多召开会议，成立了"政府间气候变化专门委员会"。"低碳"正式得以在联合国层面、在国际主流社会受到重视。1992年通过的《联合国气候变化框架公约》明确提出了控制大气中温室气体浓度上升、减少二氧化碳排放是国际社会共同的责任和义务，初步建立了全球应对气候变化的体系规则；1997年通过了具有法律约束力的《京都议定书》，旨在限制发达国家温室气体排放量以抑制全球变暖；2003年英国政府发表了题为"我们未来的能源：创建低碳经济"的《能源白皮书》，首次提出了"低碳经济"概念；2007年的《巴厘岛路线图》要求发达国家在2020年前将温室气体减排25%~40%；2008年的G8峰会提出的2050年将全球温室气体排放量减少至少一半的长期目标。各国都在探寻节能减排的途径与手段。尽管2009年联合国气候大会达成的《哥本哈根协议》没有法律约束力，但发展低碳经济正成为世界各国寻求经济复苏、实现可持续发展的重要战略选择。2007年9月8日，中国国家主席胡锦涛在亚太经合组织（APEC）第15次领导人会议上，郑重提出了四项建议，明确主张"发展低碳经济"。2009年11月，国务院常务会议提出2020年单位GDP的二氧化碳排放比2005年下降40%~45%，并作为约束性指标纳入国民经济和社会发展中长期规划。2011年12月11日，德班气候大会通过决议，决定实施《京都议定书》第二承诺期并启动绿色气候基金等。

在全球气候变暖的趋势下，世界环境问题越来越严峻，气候的变迁证实"碳"的高排放需要支付极高的社会成本。因此，世界各国开始把目光聚集在低碳的理念上，降低碳排放，实现绿色发展成为全球共识。当人们在探索碳减排的途径和方法时，发现"碳减排"不仅涉及传统的产业结构、工业结构和能源结构的问题，而且涉及人类传统的生产方式、生活方式和消费方式等问题，从本质上触动了人类经济发展方式变革的问题。"低碳经济"是在全球气候变暖对人类生存和发展的严峻挑战的背景下提出的。

1.1.2 低碳经济的内涵与特征

低碳（low carbon），意指较低（更低）的温室气体排放。低碳经济是指在可持续发展思想的指导下，通过技术创新、制度创新、产业转型、新能源开发等多种手段，尽可能地减少煤炭石油等高碳能源的消耗，减少温室气体的排放，达到经济社会发展与社会环境双赢的一种经济发展形态。低碳经济是以低能耗、低污染、低排放为基础的经济模式。向低碳经济转型的低碳化进程具有两个方面的含义，一是能源消费的碳排放的比重不断下降，即能源结构的清洁化，这取决于资源禀赋，也取决于资金和技术能力；二是单位产出所需要的能源消耗不断下降，即能源利用效率不断提高（潘家华等，2010）。可见，低碳经济实质是高能源利用效率和清洁能源结构问题，核心是能源技术创新、制度创新和人类生存发展观念的根本性转变，其目的是应对能源、环境和气候变化挑战和促进人类的可持续发展。低碳经济是一种新的发展理念和发展模式，涉及能源、环境和经济系统的综合性问题，核心内容包括低碳产品、低碳能源、低碳技术的开发利用，基础是建立低碳能源系统、低碳技术系统和低碳产业结构，建立与低碳发展相适应的生产方式、消费模式和鼓励低碳发展的国际国内政策、法律体系和市场机制。

低碳经济的核心特征，是"低碳排放""高碳生产力"和"阶段性特征"。

在国际气候制度和气候变化的学术研究中，对"低碳排放"的理解有不同的角度，一是基于国际公平原则，从国家总量上承担减排义务，因此低碳排放应当是一国排放总量的绝对减少；二是基于人际公平原则，认为碳排放是国家或个人实现人文发展的基本权利之一，主张降低发达国家的奢侈浪费碳排放，保障发展中国家满足基本需求的碳排放；三是基于资源投入与产出的成本效益原则，将碳作为一种隐含在能源和物质产品中的要素投入，衡量一个经济体消耗单位碳资源所带来的相应产出，即：如果温室气体排放量的增加小于经济产出的增量，则可称为低碳排放。

碳生产力是指单位二氧化碳排放所产出的 GDP（国内生产总值）。由于碳生产力取决于人均碳排放与人均 GDP 两个指标，所以收入水平的高低和碳生产力的大小并没有直接的联系。根据世界资源研究所的数据，2005 年发达国家中碳生产力水平最高的是挪威，为 5656 美元/t（二氧化碳），美国为 2104 美元/t；发展中国家中印度为1998 美元/t，中国为 956 美元/t。值得注意的是，一些非常贫穷的小国，如乍得的碳生产力达到 107527 美元/t，为全球最高。阿富汗和马里分别排在世界第二和第三位。可见，作为衡量低碳经济发展状态的指标之一，碳生产力指标比较适合经济发展水平（或人文发展水平）比较接近的国家之间对比。在农业社会，几乎没有化石能源的消费和碳排放，社会生产力并不高，但单位碳排放的经济产出可能非常高。由于社会发展水平整体低下，显然不是人类社会发展进程中所寻求的低碳经济。而在另一方面，工业化进程消耗大量化石能源，排放大量温室气体，虽然积累了大量的物质财富，但对人类长远未来可能带来灾难性的后果，也不是我们所追求的目标。

由于各国所处的发展阶段不同，所承担的减排义务存在差异，因此各国的碳排放具有阶段性特征。这种阶段性特征可以用碳排放弹性指标（碳排放增长速度和 GDP 增长率的比值）来表示。由于低碳经济的目标是低碳高增长，因此碳排放弹性主要考察的是在经济增长为正的前提下，碳排放增长速度对于经济增长速度的下降程度。对于发展中国家而言，因为人文发展的基本需要尚未得到满足，因此在经济总量增加的同时促进碳排放的相对下降就可被视为低碳发展；对于已经实现高人文发展目标的发达国家而言，面对未来日益有限的全球排放空间，应当履行减排义务，在维持高人文发展水平的前提下，实现碳排放总量的绝对降低。

1.1.3 低碳经济的发展路径

按《京都议定书》规定，中国作为发展中国家没有承诺温室气体减排的义务。但作为负责任的大国，中国应在减缓气候变化行动中发挥作用，即在保证中国到2020年全面建设小康社会、基本实现工业化以及到21世纪中叶基本实现现代化的社会经济发展目标的前提下，采取转变经济增长模式和社会消费模式，实现低碳发展。具体可采取以下途径：

（1）优化能源结构，提高能源效率。发展低碳经济受到不同国家的地理、能源结构和环境资源的影响。世界主要国家都将提高能源效率作为应对气候变化能源战略的核心目标之一。发达国家的能源战略都将各种新能源的采用，低碳燃料的研发，传统化石燃料的清洁以及先进的发电技术等作为实现低碳经济的关键领域。对中国而言，煤炭是主要能源，发展低碳经济与西方国家主要采用石油的做法和形式不同，技术和实现的途径也有差异。首先，应降低煤炭在我国能源结构中的比例，提高煤炭净化比重；其次，要提高能源效率，重点改善城市的能源消费结构和效率；再次，要全力发展低碳和无碳能源，促进能源供应的多样化。

（2）强化科技创新，推进低碳技术。低碳技术既是提升一国未来经济社会综合竞争力的关键，也是摒弃一国高碳发展老路和老的高碳技术模式，实现一国经济跨越式发展的途径。在目前境况下，我国获得低碳技术有两个途径：一是通过清洁发展机制（CDM）引进发达国家的成熟技术，这种方式的优点在于成本低廉，但往往不能获得国外的核心技术。第二种途径是自主研发，即通过原始创新和集成创新，重点攻关中短期内可以获得较大效益的低碳技术，尤其是针对提高重化工行业能耗的新技术，并由此建立起自己的低碳技术创新体系。对我国而言，发展低碳经济和低碳能源技术的实质是可再生能源的开发和化石能源的洁净、高效利用。也就是说，我国目前发展低碳能源技术的重点应当是煤炭的洁净高效转化利用和节能减排技术。

（3）优化产业结构，推进清洁生产。首先要调整工业结构，推进高碳产业向低碳逐步转型；其次要积极发展低碳装备制造业，要提升内燃机、环保成套设备、风力发电、大型变压器、轨道交通配套装备、船舶制造等装备制造业的研发设计、工艺装备、系统集成化水平，积极发展小排量、混合动力等节能环保型汽车，加快低碳装备制造业和节能汽车产业发展步伐；再次是要大力发展高新技术产业。

（4）建设低碳城市，推广节能减排。专家预测，到2020年，中国的城市化率将达到58%~60%，城市人口将达到8亿~9亿。随着城市化进程的加快，大量农村人口涌入城市，城市能源消费量将大幅增加。2010年，中国的能源消费总量达32.5亿t标准煤，其中煤炭消费量占68%，原油消费量占19%。与此同时，2010年中国的SO_2排放量达2185.1万t、COD(化学需氧量)排放量达1283万t、废水排放量达617亿t、工业固体废弃物量达24亿t，而这些消耗和废物的产生主要发生在城市地区。中国城市的代谢量统计表明：城市消耗的钢铁占全国的86%，铝材占全国的88%，铜材占全国的92%，水泥占全国的75%，能源占全国的80%；城市排放的CO_2占全国的90%，SO_2占全国的98%，COD占全国的85%。显而易见，城市是我国环境的主要污染源。要解决城市环境问题，必须走低碳经济发展的道路。首先，应转变发展模式，走城市低碳新路。城市应坚持把节能减排作为低碳经济约束性指标，在煤炭、石油、冶金、建材、化工、交通等六大高耗能行业强制推行低碳经济技术，按照"减量化、再利用、资源化"原则大力发展循环经济，改变城市能源供给，加速从"碳基能源"向"低碳能源"和"氢基能源"转变，以彻底实现城市的低碳和零碳发展，走城市可持续发展之路。其次，应注重开发"城市矿山"问题。所谓"城市矿山"是指城市中各种可以回收利用的废弃电器、电子产品以及其他废弃物资。"城市矿山"的资源单位含量往往比自然界中矿山的资源单位含量更为丰富。自然界的矿产资源总有枯竭之时，而"城市矿山"却可以循环利用。开发"城市矿山"不仅可以大大减少因开采原生自然资源和冶炼矿石时所需要的能源消耗，还能减轻CO_2等温室气体排放。再次，要开发低碳居住空间，提供低碳化的城市公共交通系统。在建筑设计上引入低碳理念，如充分利用太阳能、选用隔热保温的建筑材料、合理设计通风和采光系统、选用节能型取暖和制冷系统。城市交通工具是温室气体主要排放者，发展低碳交通是未来的方向，要大力发展以步行和自行车为主的慢速交通系统，鼓励大中城市发展公共交通系统和快速轨道交通系统，限制城市私家汽车作为城市交通工具。最后，要强化资源型城市的经济转型。从重经济增长轻环境保护转变为保护环境与经济增长并重；从环境保护滞后于经济发展转变为环境保护和经济发展同步；从主要运用行政办法保护环境转变为综合运用法律、经济、技术和必要的行政办法解决环境问题，摒弃以牺牲环境为代价换取经济增长的做法，实现经济社会与环境保护统筹协调发展。

(5)开发碳汇潜力，推进生物固碳。碳汇(carbon sink)，一般是指从空气中消除CO_2的过程、活动和机制。主要是指森林吸收并储存CO_2的多少，或者说是森林吸收并储存CO_2的能力。所谓固碳(sequestration)也叫碳封存(carbon sequestration)，指的是增加除大气之外碳库的碳含量的措施，包括物理固碳和生物固碳。物理固碳(physical sequestration)是将CO_2长期储存在开采过的油气井、煤层和深海里。生物固碳(biological sequestration)是利用植物的光合作用，通过控制碳含量以提高生态系统的碳吸收和碳储存能力，所以植物是固定大气中CO_2最便宜且副作用最少的方法。生物固碳技术主要包括三个方面：一是保护现有碳库，即通过生态系统管理技术，加强农业和林业的管理，从而保持生态系统的长期固碳能力；二是扩大碳库来增加固碳，主要是改变土地利用方式，并通过选种、育种和种植技术，增加植物的生产力，增加固碳能力；三是可持续地生产生物产品，如用生物质能替代化石能源等。

(6) 加强法律体系建设，推进低碳制度创新。首先，要转变经济发展模式，以高能源效率和清洁能源的低碳经济模式替代传统的高消耗、高排放、高污染的经济增长方式，推进低碳制度的创新；其次，要建立适合我国发展低碳经济的政策法规体系，推进低碳经济的相关政策法规逐步纳入国家的规划和政策体系中。

1.2　低碳旅游的发展

低碳经济是在 20 世纪 90 年代人类为应对全球气候变暖提出的一种全新的发展理念与发展模式，其宗旨是以低能耗、低污染、低排放，防止全球气候变暖；实质是提高能源利用效率、开发清洁能源、追求绿色 GDP，是人类社会继农业文明、工业文明之后的又一次重大进步，是人类生存发展观念的根本性转变。2009 年哥本哈根会议以后，低碳这一概念开始受到了前所未有的关注，低碳经济模式也开始成为全球 226 个国家和地区的正式选择，向低碳经济转型已经成为世界经济发展的大趋势。低碳旅游是顺应低碳经济的发展而产生的，其概念最早在 2009 年 5 月世界经济论坛"走向低碳的旅行及旅游业"的报告中正式提出。在我国，低碳旅游的实践在民间已经开始，但一直没有正式提出。2009 年 12 月国务院发布《关于加快发展旅游业的意见》，提出推进节能环保，实施旅游节能节水减排工程，明确提出倡导低碳旅游方式。这是我国第一次正式提出低碳旅游的概念，对旅游饭店、景区景点的节能减排提出要求，为我国低碳旅游的发展提供政策支持。

旅游业向来被称为"无烟工业"，但是随着旅游经济的不断发展，一些地方旅游资源的过度开发，旅游者、旅游企业的不当行为使碳排放超标，对环境造成了严重破坏。整个旅游部门人为因素对全球气候变暖的贡献率目前已经占到了约 5%~14%。根据世界旅游组织 2008 年发表的一份技术报告，如果旅游业仍维持现有的发展方式和增长速度的前提下，到 2035 年全球旅游者数量将增加 179%，旅游部门 CO_2 的排放量将增加 152%，整个旅游部门的温室气体排放对全球变暖的贡献率将增加 188%。很明显，旅游部门目前这种对全球变暖贡献率不断增大的趋势，与未来国际社会对气候变化的控制战略是背道而驰的 (蔡萌等，2009)。曾风靡一时的生态旅游，对生态环境的保护起到了一定的推动作用，但由于其在实际操作中存在诸多困难而远未达到预期的效果。随着低碳经济时代的到来，对旅游中的碳排放问题提出了更为迫切的要求，探索和发展一种新的有利于环境保护又具有可操作性的旅游形态成为目前理论界和实践领域面临的一个重大课题。低碳旅游的出现给这个问题的解决带来了一线曙光。在2009年12月国务院颁发的《关于加快发展旅游业的意见》中，特别提出"倡导低碳旅游方式"。

1.2.1　低碳旅游的概念

低碳旅游是低碳经济背景下产生的新名词，由于低碳旅游刚刚兴起，因此，对低碳旅游的内涵目前还在探讨之中，已有学者对其定义加以界定。

(1)低碳旅游最直接的含义，就是在旅游活动中计算 CO_2，尽量降低 CO_2 排放的旅游，并用自己的行动弥补其所释放的"碳"(富筱琦，2009)。

(2)低碳旅游，贯穿到旅游的整个过程，它不仅对旅游资源的规划开发提出了新要求，而且对旅游者和旅游全过程提出了明确要求。它要求通过食、住、行、游、购、娱的每一个环节来体现节约能源、降低污染，以行动来诠释和谐社会、节约社会和文明社会的建设(刘啸，2009)。

(3)低碳旅游，是指以减少 CO_2 排放的方式，保护旅游地的自然和文化环境，包括保护植物、野生动物和其他资源；尊重当地的文化和生活方式；为当地的人文社区和自然环境做出积极贡献的旅游方式。低碳旅游是一种理念，更重要的是一种措施。它改变着中国人的生活方式，因此它是一种全新的旅游观念，可以认定"低碳旅游"是一种更深层次的环保旅游(黄文胜，2009)。

(4)低碳旅游是指在旅游发展过程中，通过运用低碳技术、推行碳汇机制和倡导低碳旅游消费方式，以获得更高的旅游体验质量和更大的旅游经济、社会、环境效益的一种可持续旅游发展新方式(蔡萌和汪宇明，2010)。

上述学者从不同角度对低碳旅游的诠释，包含以下共同特征：①低碳旅游是以节约资源、保护环境为目的的旅游方式；②低碳旅游发展的核心理念是以更少的旅游发展碳排放量来获得更大的旅游经济、社会、环境效益，保证经济高效运行、社会和谐发展和环境有效改善；③低碳旅游在保证公众旅游需求得到有效满足的同时，有意识地减少温室气体排放活动，这是低碳旅游区别于其他旅游方式的显著特点；④低碳旅游是一种全新的旅游方式，引领健康时尚的旅游潮流，彰显高尚文明的生活理念(史云，2010)。

低碳旅游是低碳经济在旅游业的渗透和衍生，是可持续发展战略的重要举措，是对传统旅游粗放经营模式的根本性扬弃，强调在旅游产业各级链条上采用低碳技术、碳汇机制，通过旅游者的碳补偿和低碳消费方式，缓解全球气候变暖的趋势，将环境的破坏程度减到最小，资源和能源的消耗程度降到最低，保证经济发展所依赖的各种资源，改善人居环境，提高居民生活质量，实现旅游、环境、资源、经济和社会的良性循环和可持续发展。在此给出低碳旅游的定义：低碳旅游是在不降低游客旅游体验的同时，有意识地减少温室气体排放，以保护目的地的自然与人文环境的旅游发展方式。

1.2.2　旅游在低碳经济发展中的优势

（1）旅游业是相对低碳产业，是应对气候变化、节能减排的优势产业。众所周知，碳排放主要来源于工业，特别是重工业。中国统计年鉴数据显示，自 1990 年以来，我国工业能源消耗占全社会能源消耗的比例基本稳定在 70%，工业是耗费能源和资源的最主要产业。尽管统计年鉴中没有旅游业或服务业统计项，但建筑业、交通运输、仓储和邮政业以及批发、零售业和住宿餐饮业几项能源消耗总比例也不过 11%，显然这几项总和是远大于旅游业能源消耗的。参照单位工业增加值能耗公式，按旅游增加值占 GDP 比重为 4.3% 来初步估算单位旅游业增加值能耗，结果为 0.202，约为全国单位 GDP 能耗的 1/6 和单位工业增加值能耗的 1/11，因此旅游业是低耗能产业。我国工业污染约占总污染的 70%，农业污染占到总污染的近三分之一，因此，旅游业是低耗能产业，又是低污染产业、低碳产业，是应对气候变化及节能减排的优势产业（石培华和吴普，2010）。

（2）旅游业自身具有一定的减排空间，可以成为降碳和节能减排的重要领域。尽管旅游业是低耗能、低污染产业，是"无烟工业"，但这并不表示旅游业是零碳排放产业，相反旅游业本身也存在着大量的碳排放。旅游业二氧化碳排放主要来源于交通，特别是空中飞行、住宿以及主题公园娱乐、滑雪等耗能排放大的旅游活动和产业环节。据世界旅游组织最新研究显示，2005 年，来自旅游交通和住宿业的二氧化碳排放总量分别为 1192Mt 和 284Mt。旅游业对全球温室气候排放负有 5% 的责任，除去飞行，贡献值为 3%；2035 年以前，来自旅游业的二氧化碳排放量约以 2.5% 的年均速度增长；至 2035 年，旅游业交通及住宿业二氧化碳排放量将分别达到 2436Mt 和 728Mt。另外，在旅游业发展和旅游消费过程中许多奢侈消费环节也助长了碳排放。如普通居民一般一天用水 100~300L，但星级宾馆用水则达到每天 500~2000L，超豪华宾馆则更高。又如随着气候变暖，冬季雪期缩短、雪量减少，滑雪等旅游项目不得不依赖人工造雪技术。

（3）旅游业是窗口行业，有助于推动低碳教育、传播低碳理念。旅游业是开展对外交流的窗口行业，从旅游业可以反观国家的文明和形象。通过旅游，可以向世界展示中国的低碳行动，树立一个履行承诺、负责任的大国形象。同时旅游者通过旅游，亲身体验低碳生活，更加理解低碳的重要性，对于在全社会推广低碳教育、传播低碳理念具有重要意义。

（4）旅游业作为服务产业的重要组成部分，旅游发展与环境质量关系密切。首先旅游业作为服务产业的重要组成部分，占用资源少，且众多资源可以永续利用，具备碳排放少的突出优势；其次，多年的实践证明，旅游发展与环境密切相关，而且会促进环境的改善，有助于承担我们的碳责任，减少碳债务。因为旅游体现的就是环境和文化，保护环境、挖掘文化是旅游发展的内在动力，并由此形成了深层次的利益机制。通过发展旅游，促进环境的保护，进一步促进环境的提升和改善，从多年的发展经验来看，是完全可以达到的；再次，会形成新型碳机制，即通过发展旅游，对其他产业产生良性替代，形成产业补偿，从而达到既节能减排又促进发展的双重目标。总而言之，旅游业作为全球经济中发展势头最强劲和规模最大的产业之一，发展低碳经济具有天然的优势，可以成为中国低碳经济发展中的先锋和亮点。

1.2.3　国内外低碳旅游理论研究与实践

国外对低碳旅游相关的研究开展较早，文献相对丰富。许多国家对低碳旅游的发展都很关注，相关的官方统计数据十分详实。而且，国外对低碳旅游的研究基本采用定量研究的方法，内容主要集中于旅游中能源利用、旅游部门或旅游过程中碳排放的测定、碳排放税的征收对旅游的影响等方面。

2009年5月刘啸在《中国集体经济》上发表的《论低碳经济与低碳旅游》是最早以低碳旅游为题的文章。作者提出低碳旅游就是借用低碳经济的理念，以低能耗、低污染为基础的绿色旅游，并且由于低碳旅游具有清晰的理念和目标，应该成为旅游业持续发展的目标。此后，从2009年9月开始，由于低碳理念的持续升温，有关低碳旅游的报道和研究文章急剧增多。在中国知网总库平台检索以低碳旅游为题名的文章，截至2014年9月，期刊文献总数有425篇，以《中国旅游报》为主的各大报纸的新闻报道有143篇，会议论文有16篇，优秀硕士论文有38篇。

国内有关低碳旅游的研究主要可以分为三类：

（1）新闻报道类：这类文章主要向游客介绍低碳旅游的概念和相关知识，同时宣传目前已经建设或正在建设中的低碳景区情况，引导旅游者选择低碳旅游的方式。

（2）实例分析类：这类文章初步阐述了低碳旅游的概念和内涵，重点介绍了低碳旅游的成功案例，并从中总结成功经验，提出低碳旅游发展的建议。由于低碳旅游目前还在探索之中，国内外成熟的案例并不多见，因此这类文章的数量最少，只有黄文胜在文章中介绍了台北坪林和四川巴马的低碳旅游经验。

(3)研究探索类：蔡萌和汪宇明(2010)探讨了低碳旅游内涵，围绕旅游吸引物、旅游设施、旅游体验环境以及旅游消费方式等旅游发展的过程要素，提出了低碳旅游的主要实现路径；刘啸(2010)针对北京郊区的实际情况，提出了低碳旅游发展的理想模式。

在实践方面，政府层面对低碳旅游早已重视，非政府组织、旅游企业以及旅游者个人也有响应，全社会低碳旅游的意识渐渐提升。九寨沟各宾馆从 2007 年起，逐步取消一次性生活用品。2009 年 3 月，作为旅游中介的携程旅行网推出国内旅游行业首个"碳补偿"项目，著名影星周迅以零代言费全力支持，捐出 238 棵树苗来抵消自己 2008 年航空里程的碳排放。2009 年 6 月，10 位上海市民组团"低碳"游北极，并为自己在行程中产生的所有"碳"买单。由上海世博会事务协调局、上海市环保局等机构发起的"穿越长三角——'绿色出行看世博'联合行动"于 2009 年 10 月 13 日从上海出发，宣传低碳理念，推崇绿色出行。2010 年由"综合开发研究院(中国·深圳)"发起，并会同内地、香港、澳门、台湾多家旅游权威机构共同主办的以"发展低碳旅游、促进合作共赢"为主题的"2009 两岸三地旅游行业发展高峰论坛"在深圳隆重召开。随着相关活动的推广和舆论宣传的跟进，将会有越来越多的组织与个人加入低碳旅游的阵营。

创建全国低碳旅游实验区是"生态景区中国行"大型活动的重要内容，其致力于旅游从业者与游客的低碳环保宣传和工作实践，搭建低碳环保企业与旅游单位的合作平台，在旅游景区和旅行机构推广低碳环保技术的实际应用，目前已有 50 家景区成功达标。在 2011 年 11 月 20 日召开的全国旅游行业节能减排推介会上，首批 50 家全国低碳旅游实验区全部参会，"全国低碳旅游示范区"创建工作也拉开帷幕。此次推介会是北京第六届文博会推介版块的主打内容。两日后，国务院新闻办公室发表《中国应对气候变化的政策与行动(2011)》白皮书，重点提及了全国低碳旅游实验区创建工作。

在南非德班气候大会上，中国政府提出了十二五期间降碳 17% 的工作目标，低碳旅游将紧密围绕这一目标任务，积极推进"实验区"和"示范区"的创建工作，进一步争取国内外支持，大力弘扬低碳旅游理念，加强经验交流，推广低碳技术，创造降碳业绩。

1.3 可持续旅游、生态旅游、绿色旅游与低碳旅游的关系

1.3.1 低碳旅游、生态旅游与可持续旅游的关系

根据世界旅游组织（WTO）的定义，所谓可持续旅游，是指"在维持文化完整、保持生态环境的同时，满足人们对经济、社会和审美的要求"的旅游方式，"它既能为当代人提供生计，又能保护和增进后代人的利益，并为其提供同样的机会"。可持续旅游的核心思想是强调"旅游发展环境的持续性""旅游发展效益的福利性"以及"旅游发展机会的公平性"。从低碳旅游、生态旅游和可持续旅游三者之间的关系来看，低碳旅游和生态旅游作为两种现代旅游发展方式，都属于可持续旅游的范畴，它们都以可持续旅游思想为导向，以实现旅游产业的可持续发展为终极目标。生态旅游着眼于维护旅游生态环境的独立性和持续性，目的在于通过营造良好的旅游生态环境为旅游者及当地居民提供福利，并强调旅游发展机会的公平性。低碳旅游则立足于对旅游发展中碳排放量的控制，其中包含了对维系旅游持续性所应付出的责任；低碳旅游主张通过旅游发展模式的创新，降低旅游产业对全球气候变暖的"贡献率"，谋求整个行业甚至全人类的福祉；低碳旅游还强调旅游发展过程中满足所有国家、所有个人的基本生活需要与碳排放权利，也包含了对旅游发展机会公平性的关注。简而言之，生态旅游和低碳旅游是实现可持续旅游的两种途径，都不排斥开发，相反，它鼓励通过制度创新，依托新型能源，运用低碳技术的开发建设。

从范围来看，生态旅游是"生态旅游者"通过"生态交通"到"生态旅游资源"目的地的旅游。一种旅游方式必须要突破"生态旅游者""生态交通"和"生态旅游资源目的地"三层限制才能称得上是生态旅游。然而无论是在学术界还是在现实世界，对于三者的界定存在着明显的分歧，因而生态旅游的范围是十分模糊的。由于这三种条件缺一不可，也使得真正算作生态旅游的旅游方式并不多。而低碳旅游涉及旅游活动的全过程，所有有助于减少能源消耗、温室气体排放的旅游方式都可以被称作低碳旅游。因此，低碳旅游的鉴定指标清晰，并且其范围要明显广于生态旅游的范围。低碳旅游把生态保护融入整个旅游过程当中，将旅游所担负的社会责任分解到全过程。低碳旅游的理念和目标都很清晰，即旅游不仅是要享受健康的环境，也有义务创造健康的环境。

从实现手段来看，生态旅游侧重"维持"和"保护"，通过对"有限资源"的"有限开

发"，制造"有限废弃物"来实现旅游产业的可持续发展，因此，生态旅游是一种较为"被动"的"适应"自然环境的旅游发展方式，它在一定程度上是排斥旅游规划与开发的。而低碳旅游则主要依靠政府的低碳环境创设、旅游企业的低碳管理创新和旅游者的低碳生活方式转变来实现，这些方法与手段包含着一种"主动出击"和"积极改造"的意味，当然这种"出击"与"改造"也是建立在不损害自然承载力的既定条件之上。

从以上分析可以看出，低碳旅游比生态旅游更具可操作性和实用性，而生态旅游更具有实践指导意义，它实际上是一种理念，表达人类对旅游发展的一种价值取向的追求，而两者同样以旅游可持续发展为终极目标（张明等，2011）。

1.3.2　绿色旅游与低碳旅游的关系

日益加剧的能源危机和环境恶化导致了绿色旅游和低碳旅游的相继出现，两者彼此相异又交互重合。绿色旅游起源于国外。20 世纪 60 年代以后，西方工业化进程的加快和世界经济的高速发展导致了资源的掠夺性开发和无节制耗费，砍伐森林、破坏草原、水土流失、沙漠化等生态问题越来越突出，环境污染、人口剧增、交通堵塞的状况激发了公众的疏散欲、回归欲和静寂欲，回归大自然成为时代的心声。都市人群开始向往返璞归真的田园生活，到清新恬静的田园乡村度假，亲近自然、了解自然和回归自然，绿色旅游应时而生。"绿色旅游"一词在 20 世纪 80 年代就传入我国，但目前还没有明确统一的概念表述。学者们普遍认为绿色旅游具有以下特点：

（1）绿色旅游是以原生自然环境为基础的旅游活动，让人类亲近自然、认识自然、欣赏自然、融入自然，满足了人类回归自然的强烈愿望，通过与自然的和谐相处获取美好的旅游体验；

（2）绿色旅游不同于传统的自然旅游或观光旅游，旅游过程强调环保意识，人类应当以一种对社会、对环境负责任的态度，合理利用资源，保护自然环境；

（3）绿色旅游强调可持续的价值观，贯彻和实施可持续发展思想，保持旅游和环境的可持续发展。

2009 年年底在哥本哈根举行的一场气候峰会，改变了自工业文明伊始就奠定的高能耗、高投入、高污染的经济发展模式，开启了一种全新的旅游形式——低碳旅游。作为不同时代"环境危机倒逼改革"的产物，低碳旅游与绿色旅游既相互区别又相互联系。

1.3.2.1　低碳旅游与绿色旅游的不同点

（1）侧重点不同。低碳旅游的焦点是"碳"，着眼于对温室气体排放量的控制，即在旅游过程中采用各种行之有效的措施以减少"碳"的排放，实现"低碳"，甚至是争取

"零碳"；绿色旅游的核心在于"绿"，强调的是旅游产品和服务的"绿色"特征——环保和健康。在绿色旅游过程中提供绿色产品、实施绿色管理，提倡绿色消费，建议绿色行动，开展绿色营销，培育绿色文明，以此来实现旅游与环境、资源和经济的协同发展。

（2）对旅游目的地的环境要求不同。这是两者的根本区别所在。绿色旅游目的地首要的特点就是资源的田园性，即清新古朴的田园风情，浓郁亲和的乡村意象，包括鲜活恬淡的乡村生活和原汁原味的乡土文化；其次是资源的原生性，强调旅游目的地资源的本真性，是自然天成而不是经过人为设计的度假村或主题公园等；最后就是生态环境的脆弱性，即易遭受环境污染，因此特别注重环保意识。相对而言，低碳旅游目的地范围要宽泛得多，对环境没有严格的要求，不刻意强调自然旅游资源，宗教圣地、古迹遗址等文化资源也包括在内；可以是浑然天成的自然景观，也可以是人造景点，目的地可以开展任何形式的旅游活动，比如红色旅游、工业旅游、乡村旅游、体育旅游甚至是会议旅游等。

（3）游客构成不同。几乎每一种旅游形式都有其特定的目标群体。绿色旅游的游客主体是逃离城市喧嚣、向往田园风情、追求内心平静的都市人群。从人口特征来看，多数是社会的中产阶层——"三高"人群（收入高、学历高和职位高），具有环保意识，出游规模小、频次高；还有少部分是高龄银发群体，这个群体当中，一部分是久居城市的"空巢"老人，因厌倦了城市生活而向往美丽的乡村环境；另一部分是当年的知青，以怀旧为目的，故地重游，追忆往昔，感怀岁月。而低碳旅游的游客遍布社会各个阶层，不存在年龄、职业、收入、教育等状况的差别，只要能够出游，都可以有意识地在旅游过程中减少碳足迹和增加碳补偿，减少旅游发展对环境的消极影响。

（4）参与主体不同。绿色旅游最重要的一个原则就是当地居民的参与，这是由绿色旅游资源的特性决定的。为了成功开展绿色旅游，社区居民的参与是最基本的前提，也是开发顺利进行和利益均衡分配所必须的。特别是在农村、渔塘、牧场，当地居民本身就是一种"活态"旅游吸引物，能够为游客营造一种真实的旅游氛围，强化旅游体验效果，对目的地形象的提升具有重要作用。对于低碳旅游来说，在开发或经营过程中不一定需要当地社区居民的参与，尤其是一些资源禀赋较高的自然遗产地（比如张家界），或稀缺性资源（比如敦煌莫高窟或布达拉宫），不存在所谓的社区居民，而对于西递、宏村那样的文化遗产地，社区居民既是遗产的重要组成部分，也是遗产的享有者和经营者，承担着节能减排、保护环境、促进社区经济发展的多重责任。

1.3.2.2　低碳旅游与绿色旅游的相同点

（1）相同或相近的起源背景。绿色旅游和低碳旅游虽然出现时间有先后之别，但两者都是由于面对日益严重的环境危机而在旅游业采取的一种应对机制或行动策略，是保证旅游业健康、可持续发展的必然选择。

（2）目标一致。绿色旅游追求的目标是节约资源、保护环境、实现可持续发展，以支撑长期的、充满活力的经济运行体制，实现环境、旅游和经济的可持续发展；低碳旅游是国家"节能减排"的重要抓手，提倡通过各种低碳技术的革新、清洁能源的开发和旅游消费方式的转变来实现资源利用的高效低耗，缓解气候变化对资源、环境的压力，实现旅游和经济的平稳发展。

（3）相同的指导原则。两者都是以可持续发展思想作为指导原则，强调在旅游过程中通过对旅游资源的合理开发和利用，实现旅游业的长期稳定和可持续发展。

（4）相似的旅游实现路径。①旅游设施：旅游设施是旅游供给系统的重要组成部分，低碳旅游和绿色旅游在基础设施建设和专项设施建设上都有相似之处。如：开发清洁能源技术，建设食宿接待设施。②旅游产品：两者都注重低碳、绿色、环保产品的开发，生产未被污染或有助于健康的产品，包括绿色天然食品和土特产品，设计富有地方特色的手工艺品，以减少产品在包装、运输和流通过程中产生的碳排放量，尽量减少或禁止一次性产品的供应，将对环境的危害程度减小到最低限度。③旅游消费：旅游消费是综合消费、最终消费、多层次消费和可持续消费，可以有效拉动经济增长。低碳旅游和绿色旅游并不是通过抑制消费来缓解环境压力，而是鼓励消费和扩大消费，只是在消费观念和消费结构上有别于传统的消费模式。消费观念上崇尚节俭，反对盲目消费和奢侈消费，提倡合理消费、适度消费和绿色消费，减少消费增长造成的环境污染和资源浪费；消费结构上更加注重文化消费和精神消费，提高旅游者的文化素养，保持身心和谐。④旅游营销：在营销观念上，两者都从过去单一注重经济利润转变为对环境保护的重视，树立低碳理念，遵循合理利用、减量投入原则，积极构建绿色营销体系，从绿色设计理念出发，制作易于回收、重复使用的旅游宣传品，搭建网络营销平台，提供高效便捷的旅游服务，以实现节约资源的目的（史云，2010）。

1.4 低碳旅游系统

旅游业是一个综合性很强的系统，它由直接或间接相关的多重业务和行业构成。在国际上流行的旅游功能系统框架中，增加支持系统后，我们认为旅游系统构架应包括四个部分，即供给系统、需求系统、支持系统和管理系统。低碳旅游是一种可测量、可持续旅游发展的新方式，也是一个系统工程，促进低碳旅游的全面发展需要运用系统论的观点和方法来研究在旅游各子系统中如何实现低碳。

1.4.1　低碳旅游供给系统

1.4.1.1　低碳旅游目的地

低碳旅游目的地是指能为旅游者提供低碳旅游吸引物和低碳服务的区域。气候变化和环境问题对旅游业发展至关重要，旅游的发展与环境密切相关，环境与气候是旅游目的地的重要吸引物。低碳旅游作为增强旅游目的地发展的一种手段，不仅注重环境的保护与产业的可持续发展，也强调对旅游全过程资源的节约利用与低碳管理，同时低碳旅游的适应性、可操作性和可控性等特点都更有利于增强旅游目的地竞争力。例如，以自然观光体验为特色的四川九寨沟景区、以循环经济为基础的北京蟹岛生态园和以低碳理念打造的上海世博园等都具有低碳的属性，是典型的以低碳为特色的旅游目的地。

1.4.1.2　低碳旅游产品

低碳旅游产品的吸引力是旅游者购买的主要动力所在，它的核心在于"低碳"。是环保和节约的象征。低碳旅游产品既包括低碳旅游景区景点、低碳接待条件、低碳设施设备、低碳能源结构体系等内容，也包括低碳旅游运营管理、低碳文化等软环境。低碳旅游产品与一般旅游产品的最大区别在于促进旅游经济发展的同时，更加强调节能减排、绿色环保。低碳旅游服务标准的规范和服务体系的构建，更有利于增强低碳旅游产品的魅力。例如：河南省淅川县所推行的低碳积分兑奖计划、颁发中国绿色碳基金碳补偿标识、对低碳行为的赞美和表扬，以及购买低碳旅游产品将获得更好的服务等方式，都能增强低碳旅游产品的吸引力。

1.4.1.3　低碳旅游体验场景

旅游消费的是一种享受景观、空间和服务的过程，因此旅游者要消费旅游产品，就必须到达旅游目的地亲身体验。不论观光旅游体验、文化旅游体验、生态旅游体验还是其他方式的旅游体验，旅游目的地一定要有相应的体验场景来满足旅游者的体验需求。对于低碳旅游而言，吸引旅游者参与低碳旅游的关键在于低碳旅游能使他们获得特殊的旅游体验。这种特殊的旅游体验，需要以旅游场景为载体。低碳旅游场景的构建是以低碳旅游资源为载体，清洁能源供给系统为基础，创意的景观效果为特色，再配合宜人的自然气候环境和人为的低碳旅游文化氛围创意，构造出使旅游者体验的全新感受。低碳旅游场景是吸引和激发旅游者参与低碳旅游的关键所在，它能使旅游者在游览、参观的过程中受到感染，融入并沉浸于场景之中，让旅游者在愉悦的体验环境中接受低碳教育和放松身心。

1. 4. 1. 4　低碳旅游目的地形象

随着旅游产品竞争的不断升级，旅游目的地之间的竞争在很大程度上是形象、品牌之间的竞争。传统旅游目的地通过打造低碳旅游景区，能较早地获取低碳旅游的市场份额，建立低碳旅游目的地品牌形象。以低碳环保为己任的旅游目的地，更能获得旅游消费者的好感和认同，其知名度和美誉度也将获得提升。旅游企业通过发展低碳旅游，不仅能增强旅游目的地的竞争力，还能对其他旅游企业起到示范带动作用。

1.4.2　低碳旅游需求系统

1. 4. 2. 1　旅游客源地需求

旅游客源地是旅游者开始旅游和结束旅游的地点，是低碳旅游产品的需求市场。旅游者在客源地通过旅游信息的收集、分析和比较等，做出是否出行的旅游决定。一方面，随着旅游经历的日益丰富，旅游者将更加理性，更多的旅游者也会趋于选择环保、健康和绿色的旅游产品。另一方面，旅游者出行的条件和旅游者出行的动机与旅游者出行率呈正相关趋势。通过宣传和引导低碳旅游消费理念能影响旅游者出行的动机和逐步转变旅游者非低碳的旅游消费习惯，这将增强低碳旅游的市场需求。

1. 4. 2. 2　旅游可持续发展需求

自然环境不仅是旅游资源的重要组成部分，也是影响游客体验质量的重要因素。旅游业的盈利能力有赖于旅游目的地能否保持其旅游吸引力。可持续旅游发展理念正是源于人们对环境问题的关注，而低碳旅游理念主要源于人们应对气候变暖、节能减排和旅游业可持续发展的要求。虽然两者都提倡保护环境和关注可持续发展，但低碳旅游操作性更强，因为低碳和节能环保的效果是可测量、可对比的。低碳旅游所倡导的节能减排、环境友好、循环高效等理念，实现了可持续的旅游产品生产、经营和消费。

1. 4. 2. 3　低碳旅游经济效益需求

我国低碳旅游的发展虽然赢得各方喝彩，却难以在短时间内唤起市场的广泛响应。这主要源于当前发展低碳旅游的成本过高。但从长远看，旅游企业运用低碳技术、低碳经营理念等能降低经营成本，增强企业的核心竞争力。此外，随着低碳经济的不断发展，碳汇、碳交易市场等逐步完善，以"低碳或负碳"为特点的旅游目的地可以通过碳交易市场获得碳补偿，这既实现了旅游业的节能减排增效，也实现了旅游发展的综合效益。不难看出，旅游业具有借鉴和运用低碳经济的发展成果和相关经验的先天优势。一方面，旅游业使用清洁能源、运用低碳理念打造低碳景区或改造旅游设施等，能更加有力地推动旅游业的节能减排与低碳发展；另一方面，旅游业低碳化的发展对低碳产品的需求又将进一步促进低碳经济的更好发展。

1.4.2.4 旅游业节能减排的需求

以我国目前经济发展能源消耗的速度，现有的资源难以满足我国社会、经济发展的需求，这就要求开源和节流（节能）。低碳经济能实现保护与发展双赢，既发展经济，又保护环境。虽然旅游业与其他产业相比具有低碳产业经济的属性，但是旅游业仍具有巨大的节能减排空间。以2005年旅游业碳排放为基准，世界旅游及旅行理事会（WTTC，2009）明确指出，到2020年旅游业理想的碳减排目标为5%~30%，2035年实现旅游业碳减排的50%。旅游业作为我国的战略性支柱产业和"窗口"产业，有责任和义务推进旅游业的节能减排工作。

1.4.3 低碳旅游支持系统

1.4.3.1 政府的积极支持

发展低碳旅游是一项投资大、回收周期长的风险性综合产业，政府作为低碳旅游发展倡导者与协调者，应从制定优惠政策条件和完善低碳旅游发展的基础条件来构建低碳旅游的发展平台。在政策方面，政府通过财政、税收、金融、产业扶持、土地、工商管理等方面的引导来为低碳旅游的发展创造良好的政策条件。此外，由于低碳旅游的发展会涉及各个不同的政府部门、行业等，需要政府之间加强沟通和协调，处理好各方因发展低碳旅游而产生的利益矛盾，为低碳旅游的顺利发展创造更好的条件，是政府义不容辞的责任与义务。总之，在对旅游企业的低碳项目发展上，政府应在政策上给予优惠、资金上给予支持、技术上给予扶持。

1.4.3.2 融资环境支持

影响低碳旅游发展的融资环境受到多种因素的影响与制约。总的看来，主要包括融资软环境与硬环境两个方面。首先，在发挥政府引导作用的同时，充分发挥市场化配置资源的作用。根据当地的实际条件，通过以零税收、低税收等优惠条件，引导和促进企业、社会和个人参与低碳旅游项目的开发和建设。其次，政府要加强对低碳旅游产业中的龙头企业的培育和扶植，利用龙头企业吸纳和消化资源，激活已有的资源，使其转化为生产力。最后，职能部门应制定、完善低碳旅游发展的投资优惠政策，创造良好的投资、融资环境，增强低碳旅游项目吸引资金的能力。

1.4.3.3 碳交易市场支持

我国应尽快建立碳交易市场，与国际碳交易市场接轨，发挥市场机制在减排上的基础作用。自《京都议定书》规定了温室气体排放指标商品化的三个机制后，碳交易市场开始活跃起来。2007 年全球碳交易量达到 27 亿 t，2008 年上半年全球碳交易市场相当于 2007 年碳交易总量。全球已经有 4 个交易所专门从事碳金融的交易，而且碳交易量逐年上升。使用碳市场交易，能降低我国节能减排的成本，推进我国产业结构的不断优化。对低碳旅游业而言，生态环境的保护及发展生态林业、生态农业、循环经济等方式都能增加固碳总量，旅游业在这方面所做的努力和增加的投入，可以通过碳交易市场获得环保补偿。

1.4.3.4　高科技的支撑

低碳旅游的发展少不了现代高科技的支撑和融入，低碳旅游产品的开发与包装、营销等都需要科技的支撑。现代旅游更强调"以人为本"的理念，低碳旅游也需处处体现人文关怀、人与自然和谐相处的理念，而低碳旅游的营销、旅游电子商务，以及旅游活动的设计、旅游安全的管理等各个方面都需要高科技的支持（周连斌，2011）。低碳旅游全面推广的关键在于运用低碳技术对旅游业进行改造，例如低碳旅游交通、低碳旅游商品、低碳旅游住宿等。而清洁能源技术和碳吸收技术等又对旅游业的节能减排起到关键性的作用。

1.4.4　低碳旅游管理系统

1.4.4.1　旅游企业的管理

旅游企业是旅游经济系统中最具有生机与活力的组织单位，它既是低碳旅游的投资者、实践者，也是受益者。旅游企业在低碳旅游管理方面需要注意以下几点：首先，树立低碳旅游管理的理念，强调旅游企业的社会责任和环境责任，牢固树立保护环境、节能减排的观念意识，将低碳理念贯穿旅游产品的研发、生产、经营和销售的全过程。其次，规范旅游企业低碳行为，积极参与低碳认证，树立良好的企业形象以及参与国际竞争的重要举措。再次，加强对企业内部员工的培训和教育，让他们在引导游客、控制游客行为等方面发挥作用。最后，优质的旅游产品肯定也包括优质的旅游服务，提供优质低碳旅游产品服务也能增强旅游企业的竞争力。

1.4.4.2　旅游行业的管理

低碳旅游发展的管理体制，主要包括政府对低碳旅游发展的管理体制和政府的行政管理体制。具体而言，政府一方面应加强对低碳旅游行业发展的规范管理，同时也要把握好管理的度。例如推进旅游行业部门的改革，应充分发挥政府对低碳旅游企业的引导和帮扶作用。此外，由于在旅游目的地存在旅游资源管理体制庞杂现象，同一旅游区域内的资源往往受多头管理、各自为政局面的影响，这不利于建立高效有力的低碳旅游发展的管理体制。所以加强对低碳旅游行业管理，规范其发展，特别是对旅游饭店业、旅游交通业、旅行社业、景观业等行业部门的监督和管理势在必行。

1.4.4.3　旅游营销宣传

由于低碳旅游在我国还处于初级阶段，开发低碳旅游产品的成本相对较高，市场竞争力较弱，加强低碳旅游的营销宣传就显得非常必要。政府旅游主管部门以及旅游企业在低碳旅游产品营销时，应加强对低碳旅游消费理念的宣传，传递低碳旅游目的地信息。通过促销让旅游者不断尝试低碳旅游产品消费服务，认识到低碳旅游消费给消费者本人和社会、环境所带来的好处。以利益刺激为基础，加强低碳旅游促销活动与低碳旅游产品的普及，促使旅游者消费习惯逐步得以转变。

1.4.4.4　旅游竞合管理

低碳旅游的发展是选择以竞争为主，还是以协作为主，还是两者兼而有之，这将直接影响到低碳旅游发展的战略布局和发展方向。在综合分析低碳旅游发展内外环境的前提下，我国低碳旅游的发展应该选择竞争与协作并存的战略。一方面，通过整合内部资源，以突出低碳旅游产品的特色以及提高管理和经营水平等方式来实现增强低碳旅游目的地竞争力；另一方面，由于当前低碳旅游在与传统旅游产品的竞争方面还存在价格相对较高、游客旅游体验可能会受到影响等问题，在竞争中处于不利地位。所以，加强低碳旅游产品与传统旅游产品协同发展，才更有利于实现低碳旅游产品与传统旅游产品共赢的局面。

第 2 章　森林旅游低碳化的提出

2.1　森林旅游与森林旅游业的概念

2.1.1　森林旅游的概念

随着现代城市化和工业化的加快，城镇人口增长过速，造成交通拥挤、住房紧张、空气污染，使人们产生了压抑感，愈来愈多的城镇居民向往大自然。20 世纪 60 年代，西方出现了"生态觉醒""回归大自然"的呼声，使得森林旅游蓬勃发展成为一种新兴的绿色产业和独具特色的旅游业。森林以其特有的魅力，吸引着越来越多的人们到森林里游憩、观光、野营、避暑、疗养、登山、森林浴（图 2-1）、狩猎、滑雪、摄影、考察、观赏野生动植物、探险等。

关于森林旅游，目前没有一个权威性或约定俗成的概念界定，多数是学者们根据自身研究需要提出的定义。如森林旅游的涵义是指在森林为背景的郊野环境中进行游览、观光、休息、文娱、射猎、采集等等以野趣为主要活动内容的长途旅行或远足（张华龄）；森林旅游是以良好的森林景观和生态环境为主要旅游资源，利用森林及其环境的多种功能开展旅游活动（钟林生，1998）；森林旅游是人们为了消遣、观光、商务、会

图 2-1　森林浴

议、探亲、访友等非就业目的，离开常住地到森林区域旅游和暂时居留而引起的现象和关系的总和（陈鑫峰，1999）。还有人认为森林旅游是在林区内依托森林景观资源发生的以旅游为主要目的的多种形式的野游活动，这种野游无论是直接利用森林还是间

接利用森林，都属于森林旅游的范畴；森林旅游是以良好的森林景观和生态环境为主要旅游资源，利用森林及其环境的多种功能，开展旅游活动，如观光、度假、避暑、保健疗养、登山、漫步健身、森林浴、露营、烧烤、探奇等。

从以上定义可知，森林旅游具有以下几方面内涵：

（1）对森林资源的依赖性。森林旅游资源是一种特殊的森林资源，是林业特有的资源优势。在特定条件下形成的以森林为主体的森林旅游资源能吸引旅游者，可以提供令人身心舒适的户外游憩环境。由于森林旅游具有一定的空间局限性，主要是在森林旅游地范围内依靠森林旅游资源开展，因此，对森林旅游资源具有较强的依赖性。森林旅游资源是森林旅游发展的前提和必要条件；森林旅游资源规模的大小和丰富程度，直接影响着森林旅游市场规模的大小；森林旅游资源的类型决定着森林旅游的类型与旅游项目设置；森林旅游资源质量的优劣决定着森林旅游的发展前景。

（2）具有较强的体验性。虽然人们也在森林环境中游览、观光，但其观赏要求不同于观赏人文历史资源，侧重的是在观赏的同时能够融入大自然之中，呼吸新鲜空气、放松心情等，森林旅游者更注重的是旅游过程中与环境的融合及心灵上获得的享受，因此，森林旅游是一种体验性旅游。

（3）是一种健身性旅游。通常情况下，森林环境中可开展多种形式的参与性的旅游活动，旅游者可通过旅游活动在精神上感到放松、愉悦，从而有利于身心健康。而森林旅游与其他旅游类型不同的是森林环境本身就具有健身的功效。主要表现在有些森林植物能分泌杀菌物质，杀死多种细菌；森林植物能吸收有害气体和吸附空气中的尘埃；森林空气中氧气含量高，含有较多的负离子，能改善人体神经功能，促进新陈代谢，可使血压和心率下降，使人感到心旷神怡、精神振奋，并且还能增强人体的免疫功能。因此，森林旅游是一种健身旅游。

总之，森林旅游是对在特定的自然环境下形成的森林生态景观的观赏过程，是对孕育人类文明的大自然之回归，是生活在现代文明社会中的人们对森林野趣之寻觅。森林世界环境幽雅、空气清新、物种丰富、景色宜人，是人们消除疲劳、治愈病痛、疗养休息、避暑消暑的理想之地。

2011年，国家林业局、国家旅游局联合发布关于《加快发展森林旅游的意见》，国家林业局、国家旅游局决定加强战略合作，共同把发展森林旅游上升为国家战略。该《意见》提出森林旅游产业的总体发展目标：到2020年，各类森林旅游景区总数达到8000处，构建起以森林公园为主体，湿地公园、自然保护区旅游小区、森林植物园（树木园）、林业观光园等相结合的森林旅游发展体系，形成较为完善的森林旅游基础设施和服务接待能力，开发一批特色鲜明的森林旅游专项产品，推出一批国内国际一流的森林旅游景区。全国年森林旅游人数达到 14 亿人次，创社会综合产值达 8000 亿元，将森林旅游培育成林业支柱产业，满足城乡居民森林旅游的需求，促进森林旅游健康持续发展。2014 年，国家林业局印发了《全国森林等自然资源旅游发展规划纲要（2013~2020 年）》，围绕全国林业发展布局和国家旅游发展重点区域，科学规划，将联合开展创建"全国森林旅游示范区"活动，打造一批特色鲜明、竞争力强的森林旅游品牌，选择一批有竞争力、有影响力的森林旅游产品进军国际市场。今后从事森林旅游开发和经营的门槛将降低，并有望享受国家及地区相关产业政策的扶持，森林旅游发展前景十分光明。

2.1.2　森林旅游业的概念

通常人们认为旅游业主要包括旅行社和以饭店为代表的住宿业、餐饮业、交通运输业、游览娱乐业、旅游用品和纪念品销售行业，旅行社、饭店和旅游交通构成旅游业的三大支柱产业。除此而外，还包括那些为人们的家庭旅游、日常休闲和一日游等旅游活动提供服务与保障的其他生产性及服务性行业。如为人们的日常休闲提供服务的户外绿地、城市主题广场、运动健身中心、游泳场馆及其配套服务设施；承担人们一日游的城市公园、博物馆、美术馆、会展中心、城郊农家乐及交通网络系统、购物、饮食场所等。可见旅游业的涵盖范围十分广泛，几乎囊括第三产业中的所有行业和与之相配套的研究、规划和支持系统。这也使得旅游业不像工业、农业那样是一个界限分明的独立产业，旅游业的产品构成涉及多种行业，这正是其综合性特点的反映。尽管这些产业或行业的主要业务和产品有所不同，但对人们的旅游活动而言却存在一致性。

森林旅游业是旅游业的重要组成部分，旅游业中的绝大多数产品或服务都或多或少地与森林旅游业相关，但二者不是完全相等的概念。森林旅游业包含于旅游业之中。森林旅游的载体是森林资源及其环境，不是任何旅游活动都可以成为森林旅游的内容，旅游与森林旅游是一种内涵相互交叉的关系。森林旅游业是以森林旅游者为对象，为森林旅游活动创造便利条件，并在森林旅游期间直接为其提供所需旅游产品和服务的综合性产业(董智勇，2002)。

2.2　森林旅游的发展

2.2.1　森林旅游发展概况

2.2.1.1　世界森林旅游兴起的原因

在古代出现旅游以后，其中随之出现了到森林里休闲观赏或以森林为背景的游览观光等类型的旅游。近代产业革命时期，森林旅游也在大旅游业发展的促进下，有一定程度的发展。然而，森林旅游业的真正兴起与大规模发展，还是20世纪第二次世界大战以后的事情。

（1）出游条件更完备。随着社会经济的发展，人们的收入增加，闲暇时间增多，出外旅游有了物质基础。再加上交通方便，社会相对稳定，创造了出外旅游的客观条件。

（2）大众对森林环境的需求增加。近几十年来，城市发展很快，人们向城市聚集。然而城市环境喧闹、沉闷，于是人们向往大自然，喜欢到大森林去呼吸新鲜空气，欣赏大自然的风光。尤其在大城市出生和长大的青年人群，对高山大水和森林都十分陌生，因而更加希望到大森林去欣赏和探险。

（3）森林旅游区的建立与快速发展。首先，森林旅游区的开辟与建设。国家公园、自然保护区、森林公园等类型旅游区的开辟与建立，使游人到森林里旅游能在旅行、食宿、医疗、救险等方面得到应有的服务，因而旅游者更能安心舒畅地进入森林游乐与休闲。其次，森林旅游区的快速发展。供森林旅游的各类森林旅游区，只要具有相当面积、良好的生态环境和真山真水，并不要求用高额投资建设高标准的设施和组织庞大的服务队伍。因而投入小，回报可观，所以森林旅游区发展很快。

2.2.1.2　世界森林旅游的发展

森林旅游受到了世界各国政府的高度重视。森林旅游区在一些国家称为国家公园、自然公园或自然保护区、国家林地等。在森林旅游区建设中，世界各国和各地区的发展很不平衡，发展中国家体现得尤其明显。目前发达国家以国家公园为主体开展的森林旅游最为昌盛。由于发达国家公园数量多、种类多样、管理好、服务周到，所以游客络绎不绝，大大促进了森林旅游的发展。

美国是森林旅游起步较早的国家，早在1872年就建立了世界第一个国家公园——黄石公园。20世纪50年代末，森林旅游在美国就已经有了相当的规模。当时大批的美国公民到森林里去漫步、烧烤、野营、野餐、登山、骑马等，这些活动影响了森林法的执行。1958 年，美国组成森林游憩评价委员会，对这些情况进行了认真系统的调查。1960 年美国国会通过了"森林多功能利用及永续生产条例"。美国林务局把森林经营划分为五大目标，即森林游憩、放牧、木材生产、保护集水区、保护野生动物。美国森林游憩活动的开展，给美国林业带来了巨大的生机，提高了林业的地位。美国有森林面积 2.26 亿 hm²，占国土面积的 32%。其中 28% 的森林为国有林。全国共有 30 多个联邦机构拥有土地并提供森林旅游活动服务。旅游项目主要包括：健身疗养、度假休息、露营、观鸟、登山、避暑、骑马、滑雪、游泳、漂流、观光、科学考察和研究大自然等。1965 年，美国政府批准了"水土保护基金条例"，又叫 LWCF 条例，规定为发展森林游憩提供基金。1974 年，美国国会通过了"资源规划条例"，把自然资源划分为七类，即户外游憩资源、荒野资源、野生动物和渔业资源、放牧资源、木材资源、水体资源和人类与社会发展资源。其中，户外游憩资源排在首位。1985 年，美国成立了"户外游憩总统委员会"。为了加大旅游开发力度，美国政府还于 1987 年制定并实施了"美国伟大的户外游憩战略"。据统计，美国 1990 年到国家公园和森林公园旅游达 11.7 亿人次，年均每人森林旅游 4.7 次（吴楚材，2010）。

为了发挥森林的多种功能，日本政府制定了限制性采伐措施，加强了对森林游憩林的管理。1957 年制定的《自然公园法》明确指出其目的是为了保护自然风景地，充分利用自然风景资源，为国民提供一个保健、休养及科普教育的优美场所。截至 2004 年 4 月 1 日，已选定游憩林 1254 处，共 40.9 万 hm²。为配合森林旅游，各交通部门开设了"森林浴列车""森林浴旅行"专线等。日本每年约有 8 亿人次开展森林旅游活动，年均参加森林旅游 7 次（吴楚材和吴章文，2010）。

新西兰也是世界上开展森林游憩较早的国家之一。从 1919 年第一任林务局长倡导森林游憩至今，已有 91 年的历史。在这 91 年中，可分为 4 个阶段，即：1919～1939 年为创始阶段；1939～1942 年为停滞阶段；1942～1975 年为创建和发展阶段；1975 年至今为发展成熟阶段。现在，新西兰有 65% 的森林用于森林游憩活动，它的森林经营也一直遵循美国的多用途管理模式。1983 年，新西兰出版的《林务局的游憩政策》一书，列出了森林游憩的主要目标和内容为：①允许公众进入和享受国有森林；②为公众提供广泛的游憩机会；③提高新西兰公众对新西兰林业和森林的意识和理解；④维持和美化森林景观；⑤发展森林游乐区。这些政策，使新西兰的森林游憩稳步健康发展（吴楚材，2010）。

英国，森林旅游门票收入 10 倍于木材产值。瑞典全国 80% 以上的人可乘小轿车出外旅游，出现了"消遣林"的新概念。德国提出"森林向全体市民开放"的口号，每年森林游憩者达10亿人次。发展森林旅游较早的拉丁美洲,森林旅游已占到整个旅游收入的90%以上。1879年,澳大利亚在悉尼市南部建立了第一处国家公园——皇家国家公园,目前澳大利亚有国家公园255处,面积1791万 hm^2。

至于发展中国家,由于种种原因,国家公园建设管理和森林旅游的开展很不平衡。亚洲南亚地区国家公园较多,历史较长,经营管理较好,拥有热带雨林和大象等野生动物,公园的旅游业也比较发达。非洲有许多大型国家公园,以保护野生动物为主,兼有游览功能。由于历史较长,经营管理较好,向全世界开放旅游,成为一些国家重要的经济支柱。以肯尼亚为例,该国目前拥有国家公园22处,面积295万 hm^2,占国土面积5.1%。但是,独联体一些国家和南美洲不少地区,在发展国家公园和森林旅游方面比较滞后。

森林旅游已在全世界形成了一股热潮,并成为人们休闲娱乐的一种时尚。有专家预测,在21世纪的最初20年里,森林旅游人数将以2位数的速度增长,全球旅游总人数中,有一半以上的旅游者要走进森林。由此可见,森林旅游有着巨大的发展潜力和广阔的发展前景,加快森林旅游的发展,是新世纪旅游发展的客观要求。

2.2.2 中国森林旅游发展概况

我国优越的地理位置孕育了类型丰富多样的自然资源。我国从北到南跨越的五大气候带,适生着不同种类的森林植物,形成了中国森林类型多样、森林植物种类繁多、绚丽多彩的特色,在世界植物宝库中占有重要地位。全国由北向南依次分布有寒温带针叶林、温带针叶与落叶阔叶混交林、暖温带落叶阔叶林、亚热带常绿阔叶林、热带季雨林和雨林等多种森林类型。我国森林景观资源十分丰富,为发展森林旅游创造了得天独厚的条件。

中国的森林旅游业起步较晚,1980年8月,林业部发布《风景名胜区国营林场保护山林和开放旅游事业的通知》。1981年6月,国家计划委员会在北京召开国家旅游局、林业部等有关单位参加的开展森林旅游狩猎座谈会,积极倡导林业部门开展森林旅游。1982年我国第一个国家森林公园——张家界国家森林公园的建立,标志着我国现代森林旅游业的兴起。1992年初,林业部先后两次分别在北京和大连召开森林公园暨森林旅游工作会议,并发出关于进一步加快森林公园建设的通知。截至2013年年底,全国建立各级森林公园2948处,总面积1758万公顷,其中国家级森林公园779处,面积1214.33万公顷。各级湿地公园723处,总面积390.3万公顷,其中国家级湿地公园429处,面积229.5万公顷。各级林业自然保护区2163处,总面积12486.5万公顷,其中国家级自然保护区325处,面积7866.78万公顷。2013年,全国森林旅游景区接待床位总数超过 150 万张，接待餐位总数超过 250 万个。全年接待游客超过 7.4 亿人次，约占 2013 年国内旅游人数的 22.7%；森林旅游直接收入 679 亿元；创造社会综合产值 5300 亿元，约占 2013 年国内旅游消费的 20% 多。2013 年，森林公园、湿地公园、林业自然保护区从事森林旅游管理和服务的人员数量超过 20 万人，其中导游和解说人员近 3 万人。我国森林旅游人数正以每年 18% 左右的速度递增，可以看出，我国森林旅游已具备一定规模。随着政策的倾斜，森林旅游有望成为资本投资的新目标和降低碳排放的新战场。森林旅游业迎来了前所未有的发展机遇。

经过 30 多年的发展，我国森林旅游发展取得重大成果，森林旅游产业发展初具规模，主要体现在森林旅游景区的建设和完善上。森林旅游景区是森林旅游资源的载体，是发展森林旅游业的物质基础。我国开展森林旅游的场所主要有：森林公园、自然保护区、湿地公园和风景名胜区等。森林旅游因其既遵从了自然保护的原则，又迎合了人们回归自然的心理需求，较好地处理了森林风景区保护和发展的矛盾。它在为林区生态环境保护管理带来资金，使当地社区居民在经济上获益的同时，也促进了当地社区居民对生态保护的支持，从而使得森林资源的可持续利用得到良性循环。森林旅游业又因其投入少、附加值高、创汇能力强，对相关行业的带动性大，带来的就业机会多等诸多优势而被政府与开发商看好。国内、国际客源的逐年增加和巨大的社会需求使得森林旅游得以蓬勃发展，成为旅游业中增长最快的新的经济生长点。

2.3　森林旅游开发的影响

2.3.1　森林旅游开发的正面影响

森林旅游是森林资源开发与保护的最佳结合点。森林旅游在充分保护森林植被的情况下，有效利用森林的多种功能，充分实现森林生态、社会、经济效益的最佳统一，发展前景十分光明。森林旅游业是一项综合的经济事业，它包含着社会、文化、教育等多种领域。因此，森林旅游的发展必然要影响国民经济中各有关部门和行业的发展，同时又要受到它们的制约。

2.3.1.1　森林旅游对经济发展的影响

(1)带动国民经济和地区经济全面发展。我国森林旅游资源多位于山区，交通闭塞，经济落后。发展森林旅游使林区原来单一的生产木材或造林，变为为游人提供六要素等服务的社会经济结构。游人住宿、餐饮、游览、娱乐、乘坐交通工具和购买纪念品、土特产品等，给林区增加收入，并带动相关行业发展。随着森林旅游资源的不断开发利用，这些地区的经济发展出现了前所未有的前景。农民参与旅游业，可使家庭收入提高，其直接收益来自旅游者的旅游花费。这些花费也就是各相关部门的旅游收入，其中一部分通过一定的渠道又回馈给地方或社区，这对于改善地方的收入与居民的生活是非常有益的，这样的利益对当地居民来说意义重大。如湖南省张家界市，自1982年张家界森林公园建立以来，在30来年的时间里迅速发展成一个具有现代化机场、火车站和服务功能齐全的旅游城市，城镇乡村的居民人均收入进入湖南前十强，乡镇企业和工业也得到了相应的发展。以张家界森林公园为中心的四周城乡工农业的发展，也带动了全湘西经济的发展。

（2）旅游扶贫致富，平衡地区经济发展，缩小地区间差别。森林旅游资源富集的地区，往往是自然和社会文化相对原始及社会经济相对贫困的地区。因此，通过旅游资源开发，促进贫困地区脱贫致富，提高生活质量，成为开发森林旅游的主要目的之一。森林旅游开发扶贫是以资源为基础，以生态环境为条件，对贫困地区进行扶贫开发的特殊形式。由于旅游产业的联动效应强，又是以生态环境保护、实现可持续发展为目的的产业，因而通过旅游开发扶贫，对具有丰富旅游资源和一定开发条件的贫困地区，进行有计划地开发，不仅能带动贫困地区人民的脱贫致富，加快贫困地区经济发展，缩小贫困地区与发达地区的差距，而且能进一步加强环境保护的意识，增加对生态环境的保护力度，有利于实现社会经济的可持续发展。

（3）优化产业结构，增加劳动力就业。旅游业能广泛地带动其他行业和部门的发展，如食品加工业、建筑业、农业、商业等，还能优化土地、劳动力、资金、物资等各种资源的配置。其中，旅游业的发展推动土地资源的合理配置所产生的经济效益相当显著。当资源的组合、积累到一定的规模时，不但产业总量扩张，并且会引起不同产业间结构的演变和重组。森林旅游区及其依托地，过去大多以农林为主，虽然有些副业，却因各种原因（如交通落后）没有大的发展。随着森林旅游的开展，农民利用低效田开展多种经营为游客服务，使土地利用价值提高，形成了新的产业结构。森林旅游业不仅本身吸引数量不小的人员就业，而且必然直接、间接带动一系列相关产业的发展。在我国，超过95%的森林公园地处山区或者偏远林区，近50%位于贫困地区或者生态脆弱地区，森林旅游业的发展不仅与当地的社会经济发展息息相关，也为所在地居民尤其是农民提供了广阔的就业渠道。森林旅游业本身及其所带动的服务性行业的技术要求相对低，广大农村剩余劳力和城镇待业青年、下岗职工易于适应。森林旅游及其相关服务业在劳动密集型行业中劳力、手工劳动所占比例最高，因而其岗位平均工资及上岗培训费也低。与其他行业比，同样数量的资金，用于发展旅游可创造更多的就业岗位，尤其在经济相对欠发达的山地、丘陵地区的乡村。

（4）促进税收和外汇收入的增加。森林旅游直接、间接带动的服务业、商贸业及生产相关产品的企业交纳得到税收。发展中国家与发达国家相比，经济基础薄弱，国民收入水平低，失业和待业率高，为了谋求经济发展，对外汇的需求量很大。但限于生产水平和能力，所需外汇主要依赖于原材料或初级产品的出口来获得，用以推动经济的发展，实现国民经济从传统的农业经济向现代的工业经济转化。因此，很多国家把发展旅游业作为推动本国经济发展的重要手段。从世界范围来看，目前森林旅游的主要客源地是经济发达国家和地区，他们收入较高，旅游花费也大，接待这些旅游者可以为国家赚取巨额外汇。

2. 3. 1. 2　森林旅游对社会文化的作用和影响

（1）提供就业机会，保障社会稳定。旅游业是一种综合性的服务行业，它要满足游客多方面的需求，势必要发展与旅游业直接或间接相关的各行各业，这就为人们提供了大量的工作岗位。另一方面，旅游业又属劳动密集型产业，在旅游接待工作中，需要大量的劳动力。贫困地区发展森林旅游业，能使当地资源价值得到充分发挥，增加当地农民参与就业的机会。随着旅游业的发展，不仅需要一大批直接为游客提供服务的售货人员、导游人员、管理人员以及大量的建筑工人、农副产品供应者、环卫人员、手工艺人等，而且还需要间接为旅游业服务的劳动者。

（2）促进民族传统文化的传承与保护。随着旅游业的开展和接待外来旅游者的需要，当地一些原先几乎被人们遗忘了的传统习俗和文化活动又重新得到开发和恢复；传统的手工艺品因市场需求又重新得到发展；传统的音乐、舞蹈、戏剧等又重新受到重视和发掘；长期濒临损毁的历史建筑又重新得到维护和管理等。所有这些原来几乎被抛弃的文化遗产不仅因旅游资源的开发利用而获得新生，而且成为其他旅游接待国或地区所没有的独特文化资源。

（3）推动科学技术和文化信息的交流。科学技术的发展和文化艺术的交流是旅游产生和发展的前提条件，同时旅游也是科学研究和技术传播与交流的重要手段。在旅游发展的各个阶段，都有人以科学考察为主要目的，为完成某项研究而参与旅游活动。许多主观上出于其他目的的旅游活动，客观上也起到了传播和交流技术、知识与文化的作用。

2. 3. 1. 3　森林旅游对生态环境的作用和影响

提高环境质量。良好的环境是发展森林旅游业的重要条件，也是森林旅游资源的重要组成部分。没有优质的森林旅游资源，森林旅游业也就无法存在，更谈不上扩充和发展。为了造就和维护良好的旅游环境来吸引游客，旅游接待地区应非常重视环境保护工作，使自然风光和珍稀动、植物都得到有效保护。

推动对各类自然资源的保护。自然资源包括野生动植物资源，是森林旅游资源的重要组成部分，也是森林旅游赖以生存和发展的基础。因此，加强对自然资源及野生动植物的保护是森林旅游的前提条件。另一方面，森林旅游作为一种可持续行为，其本身也是一种低冲击的活动方式，参与者一般有较高的知识水平。以环境伦理作为行为准则，在参与森林旅游活动之后，他们会主动地宣传并倡导自然保护的理念，从而推动全社会对自然资源及野生动植物的保护。

2.3.2 森林旅游开发的负面影响

2.3.2.1 森林旅游对经济发展的负面影响

（1）有可能引起旅游目的地物价上涨。就一般情况而言，外来游客的消费能力高于旅游目的地的居民，在经常有大量游客来访的情况下难免会引起旅游目的地物价上涨，这势必会损害当地居民的经济利益。此外，随着旅游业的发展，地价也会迅速上升，显然影响当地居民的住房建设与发展。

（2）有可能影响产业结构发生不利变化。随着森林旅游业的开展，在它所产生的巨大经济效益的驱使下，原先以农林为主的地区弃林弃田从事旅游业。这种产业结构不正常变化的结果是，一方面旅游业的发展扩大了对农副产品的需求，而另一方面农副业产出能力反而下降。农副产品的供不应求，在一定程度加剧了森林旅游区物价上涨。

（3）某些地区可能会因为过分依赖森林旅游业而影响国民经济的稳定。旅游业具有脆弱性特点，一般来讲，一个国家或地区不宜以旅游业作为自己的经济支柱，特别是对于像我国这样的人口大国，这一特点显得尤为突出。首先，森林旅游业由于其资源条件限制，具有很强的季节性特点；其次，森林旅游的开展涉及的行业很多，对它的影响也很大；第三，森林旅游需求一方面随时会受到旅游目的地各种政治、经济、社会乃至某些自然因素的影响，另一方面也取决于客源地居民的收入水平、闲暇时间和有关旅游的流行时尚。

这些因素发生的不利变化，都会导致旅游需求大幅度下降，从而给旅游目的地国家和地区带来严重的经济和社会问题。

2.3.2.2 森林旅游对社会文化的负面影响

（1）对林区民族文化的消极影响。林区风景资源中除了森林景观资源外，林区独特的民族文化也是非常重要的资源。这些异质文化特征是森林旅游中非常重要的"吸引力"。开发为森林旅游区后，旅游带来的影响首先是外来人口的迁入，尤其是服务业人口的迁入，所带来的外来文化会深刻影响到当地的文化并使其最终动摇原有的特征。例如新建建筑物的风格与当地居民的民居风格差别以及服饰文化、语言和价值观念等的差别，随着旅游资源的开发利用，这些差别都将不同程度地、不断地缩小，最终被同化而减少吸引力。虽然这种影响会不可避免地产生，但对于规划者和建设者而言，更应该设法采取措施延长这种被同化的时间，从而延长旅游产品的寿命。

（2）对当地林农精神和文化生活的消极影响。旅游带来的文明信息与经济收入将影响到林区林农的精神、文化与物质生活，尤其是境外游客的影响。旅游所带来的诸多污染对旅游目的地甚为有害。如黄色污染，主要有黄色书刊、录相及腐朽的生活方式等；暴力毒品污染，许多不法分子通过旅游方式来进行暴力走私活动。这些都会影响当地林农的生活和社会秩序。

2.3.2.3　森林旅游对生态环境的负面影响

（1）植被受到破坏。许多森林旅游区在短期利益的驱使下，只注重旅游基础建设的开发而忽视对自然生态环境的保护和改善，致使旅游区的自然植被在大量旅游服务设施、公路以及架空索道、电力线路等的建设过程中遭到不同程度的破坏。

（2）环境受到污染。由于我国大多数以森林景观为主体的旅游区都位于交通相对不便、经济相对落后的山区，这些地区的地方政府在客观上由于受到资金、技术等因素的限制，在主观上又受到生态环境意识淡漠的影响，致使这些地区的环境保护设施和旅游开发相比显得严重滞后。这样，大量游客的涌入在给旅游区带来丰厚经济收入的同时也带来了严重的环境污染，如汽车、摩托车、游人喧闹、娱乐项目带来噪声污染；机动车尾气、人的呼吸、煤燃烧、生活油烟、日用化学物品的挥发渗漏、垃圾腐烂、污水蒸发引起森林旅游区大气污染；生活污水、游人的废弃物和排泄物、生活垃圾、建筑垃圾、加工业垃圾引起水体与土壤污染等。

（3）小气候的改变。旅游区植被的破坏、水泥地等硬化地面增多、人流增多导致林区温度升高、空气湿度下降、地表水减少、空气质量变差，环境的污染必然引起当地的小气候也发生相应的改变。由于旅游区的温度升高、湿度下降以及空气质量变差及风力增大，它们正在逐渐丧失原有的空气清新、温凉宜人的小气候资源。

（4）水土流失、河流淤积增加。随着旅游区植被的减少和大量采石取沙、开山修路等基建开发，森林旅游区发生水土流失以及由此而引起的河流淤积增加在所难免，只是不同的旅游区由于基建规模和防护措施的不同，程度有轻有重而已。

（5）水文状况恶化。旅游区植被破坏和水土流失、淤积增加的出现必然导致相应的水文状况恶化，这种恶化主要表现为旅游区地表水减少，植被对水源的调丰补欠能力降低，以及由此引起的山洪次数增多和洪水水位呈逐年上升的趋势等几个方面。

(6)野生动植物的自然生活状况发生逆向变化。在旅游区，由于旅游基础设施的大量增加，人类过度采集野生动植物，游人的频繁活动使自然植被不断减少，导致该地区野生动植物的自然生活环境发生变化，它们的生活状况也随之改变。主要表现为：生物多样性减少，营养流或食物链中断，动物运动障碍，自然生境受破坏或片断化，动物生活周期受影响，动物生活习性发生变化，动植物病虫害增多等。

2.4 森林旅游低碳化的提出

森林旅游低碳化就是森林旅游低碳发展的过程，其主要表现为旅游企业能源效率的提高与能源结构的优化以及旅游者消费行为的理性。如前文所述，森林旅游开发仍以传统模式为主，注重硬开发，忽视软开发，技术含量较低，旅游消费中的浪费现象普遍，不仅增加了运营与消费成本，也增加了碳排放与排污工作量，对森林旅游地的经济、社会文化、生态环境都带来一定负面影响。当前，我国森林旅游收入正以每年20%以上的速度递增，在国家产业政策的扶持下，必将获得更快的发展。同时这也对森林旅游业提出了更高的要求。其中尤其值得重视的是，如何在森林资源保护和旅游开发之间寻找到一个最佳的结合点。因此，发展森林旅游需要考虑到资源的脆弱性、环境的敏感性和空间的承载性，确保森林资源不被破坏。按照《全国主体功能区规划》，我国森林旅游资源所在的自然保护区、国家森林公园、国家重点风景名胜区、国家地质公园等都属于"禁止开发区"，禁止进行工业化、城镇化开发。"禁止开发区"主要考核依法管理的情况、污染物"零排放"情况、保护对象完好程度以及保护目标实现情况等内容，不考核旅游收入等经济指标。低碳旅游应该成为今后森林旅游发展的方向。

2.4.1 森林旅游低碳化的必要性

2.4.1.1 林业应主动寻求在低碳经济发展中的作用

发展低碳经济，控制二氧化碳，节能减排十分必要，固碳也需重视。森林是陆地生态系统的主体，它在生长过程中，通过光合作用，将排放到大气中的二氧化碳吸收后以生物量的形式固定下来，有强大的碳汇功能。中国地域辽阔，气候差异显著，单位面积的生物产量差异甚大。在北方干旱和半干旱地区，由于缺水，每公顷山地的森林生物量只有6t碳；而在南方水热条件较好的山地，每公顷森林的生物量高达71t。中国的陆地面积960万km^2，百分之一的森林覆盖率大约有10万km^2，约1000万hm^2。

也就是说，中国增加 1% 的森林覆盖率，便可以从大气中吸收固碳 0.6 亿 ~ 7.1 亿 t。尽管从字面上看，中国的森林碳汇潜力巨大，但相对于中国的碳排放总量，仍显有限。因此，中国应改进森林管理，提高单位面积生物产量，扩大造林面积，大力增加森林碳汇。造林就是固碳，绿化等同于减排。通过扩大森林资源，减少温室气体排放，在目前来看是一种成本非常低的政策工具。森林不只是最大的陆地碳库，作为生物类材料还具有环保性，是一种低碳经济材料。林业生物质能源材料的生产既能固碳，又能减少对化石能源材料的需求，还能促进经济发展。从 2009 年哥本哈根会议最终公布的协议来看，林业成为其中唯一一个取得实质性进展的亮点，各国表示将通过 REDD +（减少森林砍伐和退化）、发达国家 300 亿美元经济援助及碳排放交易等机制，加快世界森林资源保护，特别是对发展中国家乱砍滥伐现象加以制约。在低碳经济背景下，中国林业发展应该基于社会多功能需求定位下主动适应，要在低碳经济中起引导性作用。

2.4.1.2　发展低碳旅游是中国森林旅游业可持续发展的重要形式

一方面，低碳旅游以减少二氧化碳的排放为核心，通过控制碳排放量来获取旅游经济、环境、社会等多重效益，其本身就属于可持续旅游的范畴，必然会促进旅游业的可持续发展。另一方面，我国旅游业发展带来的负面影响尤其是对生态环境的负面影响日益突出。旅游资源盲目开发，造成乱砍滥伐、水土流失等生态问题；旅游经营模式中造成的资源浪费也对环境造成了污染；公众环保意识缺乏更使得旅游活动中产生大量垃圾，碳排放量随之增加。这些无疑对旅游业的可持续发展构成了威胁。可见，发展低碳旅游是中国旅游业可持续发展的必然选择。

森林旅游过程包含"吃、住、行、游、购、娱"等六要素。森林旅游要借助轮船、火车、汽车等交通工具，每种交通方式都对大气造成一定程度的污染。饭店作为高消费场所，需要消耗大量的能源，同时排放大量的大气污染物，成为碳排放的重要污染源。一座中等规模饭店的燃煤锅炉，一年会排放 4200t 二氧化碳、70t 烟尘和 28t 二氧化硫。再如饭店的一次性牙刷、牙膏、拖鞋等日用品，质量差、使用率低、浪费严重，生产过程中和使用后都会给环境造成很大压力。在购物环节，厂商为吸引顾客眼球，土特产和纪念品的包装上大量使用难降解材料，既浪费资源，又对环境造成污染。旅游者乱扔的垃圾需要消耗大量的人力、物力和财力去处理，同时也产生碳排放。森林旅游各环节都有不同程度的污染，对森林环境造成巨大的破坏。优良的环境是森林旅游的重要吸引物，是森林旅游业的竞争力所在。为促进森林旅游业的可持续发展，势必要求节能减排，保护森林旅游赖以发展的环境。

2.4.1.3 发展低碳旅游是森林旅游业应对全球气候变化的必然选择

低碳经济基本涵盖了所有的产业领域,由于旅游业具有产业关联性强的特点,在发展旅游经济的长期过程中,旅游业的贡献不可小觑。旅游业以旅行社、旅游饭店、旅游景区、旅游车船公司、旅游商贸公司等为主要内容,对其他产业既有极大的依托性,又有极强的带动性。每一项旅游资源的开发和利用,每一个旅游项目的建成,都会带动许多相关产业的发展。因此,旅游业的低碳发展会带动其上下游产业的共同低碳化,从而可以在一定程度上促进低碳经济的发展。旅游业的发展与气候变化有着密切联系,简单来说,就是旅游业易受气候变化的影响。比如全球气候变暖可能导致某些地区的原有生态环境发生变化,从而改变旅游者的旅游目的地。气候变化给旅游业的发展带来许多不确定因素,在一定程度上阻碍了旅游业的良好发展势头。因此,旅游业应该致力于解决环境问题,积极发展低碳旅游,为减少碳排放量承担责任,维护和创造清洁健康的环境,从而实现旅游业的可持续发展。

2.4.1.4 发展低碳旅游是响应我国节能减排政策的最佳手段

随着全球能源危机和环境问题的加剧,我国更加重视"节能减排",并相继出台许多政策。而在减排的长期过程中,旅游业将大有作为。有分析预测,中国将在 2020 年超过法国、西班牙、美国而成为世界上第一旅游目的地。同时,我国在哥本哈根气候大会上承诺 2020 年单位国内生产总值二氧化碳减排 40%~45%,可见,旅游业的低碳发展是我国实现节能减排目标的重要手段,低碳旅游势在必行。对于旅游业的环保发展,国家也有相关政策支持。2008 年 11 月 4 日,国家旅游局正式发布了《关于旅游业应对气候变化问题的若干意见》,指出气候变化是长期渐进的过程,旅游业要积极适应气候变化趋势,充分把握可利用因素,因势发展,顺势发展。而发展低碳旅游正是旅游业应对气候变化问题的必然选择,是对该意见的最佳响应形式。此外,国务院通过的《关于加快发展旅游业的意见》提出推进节能环保,倡导低碳旅游方式。有关专家指出,该《意见》就是在减排的大背景下,国家为配合低碳经济发展而进行产业结构调整的一个信号,而旅游业将成为最大的受益行业。这表明发展低碳旅游无疑是响应我国节能减排政策的最佳手段(黄文胜,2009)。

2.4.2 森林旅游低碳化的可行性

2.4.2.1 森林旅游业更易于实现低碳化

多年来,森林旅游业不断地沿着"生态旅游""绿色旅游"和"可持续性旅游"的方向发展,已为低碳化的实施奠定了较好的基础。森林旅游的发展要以一定面积的森林资源为依托,将森林用于发展旅游,不但能够以较低成本达到减少排放和增加碳汇的

目的,而且带来就业与收入增加、扩大交流、社会进步等多种协同效应,是林业产业
体系中实现三大效益最明显的产业之一。此外,与木材加工、造纸等第二产业相比,
与伐树开荒、毁草耕田、放牧渔猎等传统农业相比,对资源的消耗和环境的破坏要小
得多,森林旅游业应当而且可以成为林业低碳经济发展的先锋产业。

2.4.2.2　具备发展低碳旅游的宏观政策基础

根据 IPCC 的预测,在未来 10~15 年,全球温室气体的排放量达到顶峰后将会逐
渐减少,直至 21 世纪中叶将降低到 2000 年的一半水平,但是,如果旅游部门能够采
取措施,改变现有的发展方式,最多可以减少约 68% 的温室气体排放量。因此,低碳
旅游发展空间巨大。2009 年 5 月,在"气候变化世界商业峰会"上,世界经济论坛向大
会呈递了《迈向低碳旅游业》的报告。这项研究报告是世界旅游组织与几个行业机构的
合作成果,也是旅游部门为应对气候变暖所采取的行动计划的一部分。报告呼吁各国
政府、行业利益相关者和旅游消费者应该共同提高旅行的低碳可持续性。

2009 年 11 月 25 日,国务院常务会议决定,到 2020 年我国单位国内生产总值 CO_2
排放比 2005 年下降 40%~45%,作为约束性指标纳入国民经济和社会发展中长期规
划,并制定相应的国内统计、监测、考核办法。这是中国政府向世界承诺的减排目
标。在实现这一减排目标上,旅游行业责无旁贷。作为产业关联度高、综合带动作用
突出的产业,旅游业对低碳要求做出积极响应,不仅有助于本行业健康发展,而且也
必然会为国家经济的可持续发展作出重要贡献。2009 年 12 月国务院通过了《关于加快
发展旅游业的意见》,提出要把旅游业培育成国民经济的战略性支柱产业和人民群众
更加满意的现代服务业,明确提出严格执行旅游项目环境影响评价制度,加强水资源
保护和水土保持,倡导低碳旅游方式。同时将旅游业从"重要产业"定位为"支柱产
业",就是在减排的大背景下,国家为配合低碳经济发展而进行产业结构调整的一个
信号。《意见》的出台为旅游业进一步发展展示了前所未有的机遇,旅游业必将成为最
大的受益行业。作为一个旅游大国,创建低碳旅游景区,推广和实施低碳旅游模式,
对保护地球资源是一种实质性的行动,对保持旅游业可持续发展更是一个难得的
机遇。

为进一步挖掘我国森林旅游的发展潜力,提升发展水平,2011 年国家林业局、国
家旅游局联合发布《关于加快发展森林旅游的意见》,国家林业局、国家旅游局决定加
强战略合作,共同把发展森林旅游上升为国家战略,作为建设生态文明的重要任务,
实现兴林富民的战略支撑点,推动绿色低碳发展的重点领域,促进旅游业发展新的增
长极。

2.4.2.3　拥有发展低碳旅游的实践基础

低碳旅游在世界范围内虽然是一个新事物，低碳旅游的概念才刚刚为大众所了解，但在实践层面，我国民间的低碳旅游也早已进行。开发绿色旅游资源，建设绿色旅游产品，开展绿色旅游经营，实行绿色旅游管理，培育绿色旅游消费，已经成为行业和市场的共识。我国台湾的坪林则早在1997年就创建了台湾首个低碳旅游示范区。坪林实施低碳旅游的四个原则是"走路骑车共乘好，自备餐具不可少，当季当地饮食好，只留回忆垃圾少"（黄文胜，2009）。

景区在交通、咨询、旅游活动、旅游者行为等方面做了许多新的努力。在九寨沟、云台山等不少旅游景区，多年以前就开始禁止机动车进入，改以电瓶车代替，以减少CO_2排放量。2010年新年伊始，川西燕子沟景区首推"低碳旅游"新概念，以降低温室气体排放，减轻原始森林在吸收碳排放方面的负担，努力打造中国西部第一低碳旅游景区。绿色出行在中国已经逐渐成为一种时尚，有越来越多的旅游者开始骑车旅游或徒步旅游。广西桂林阳朔有关部门组织的徒步游漓江（图2-2）、游阳朔；在福建省永安山地自行车公园骑行（图2-3）就受到了众多旅游者的追捧。有关资料显示，目前我国自行车旅游爱好者已超过10万人，经常参加徒步旅游活动的已达到千万人次以上。这些成功的低碳旅游的实践，给人们提供了进一步发展低碳旅游的经验。

图2-2　游客徒步游漓江

图2-3　自行车爱好者骑行在永安山地自行车公园

第 2 篇

要素篇

第3章 森林旅游要素系统

3.1 森林旅游要素的涵义

森林旅游要素的表达方式有多种，学者们基于生态环境保护、森林旅游需求、森林教育与科考价值等方面阐述了不同的森林旅游要素。而在此所表达的森林旅游要素是在传统旅游要素的基础上延伸而形成的，即以传统的旅游六要素理论作为基础来表述森林旅游要素。

3.1.1 旅游要素概念产生及发展

旅游是人们重要的生活需求之一，在物质条件得以满足的前提下，对社会、文化与环境的追求日益成为出游的首要动机。1991年，经济学家孙尚清在出版的《中国旅游经济发展战略研究报告》中首次提出了"食、住、行、游、购、娱"六要素概念（国家旅游局，1991），其范围涉及餐饮、酒店、交通、景区、商店、娱乐场所等旅游服务基础设施，同时也指旅游主体在游览过程中所参与的基本活动。此后，"六要素"成为旅游业众所众知的概念，出现在旅游教材与研究报告中，甚至在政府的相关规划报告中也大量出现。应当说，"六要素"的提出为旅游业产业链的架构提供了基本范式，指导了旅游业的兴起与发展。

随着旅游业的快速发展和人们对旅游认识的进一步加深，"六要素"的内涵与外延有了明显的变化，在"六要素"的基础上加上了教（教育）（廖晓静，2002）、学（学习）、健（健康）、信息、思（需求）（涂绪谋，2009）等，甚至用新的"六要素"替代传统要素，即"旅游资源、生态环境、经济基础、文化底蕴、文明状况、文明素质"等。学者们之所以对传统"六要素"进行深入讨论，是因为随着旅游活动的不断实践，原有的要素难以概括新的旅游活动内容，要素系统中的各要素相互支撑的体系产生了变化，如"游"的主要目的不再局限于景区，可以包括传统的支撑要素"食""住""行"，也可以包括"购""娱"。随着旅游消费者对旅游活动需求的变化，新的旅游业态的不断产生，使六要素理论难以指导新的旅游业态的建设与经营。

　　传统"六要素"是建立在大多数国家采用国际通用旅游定义中三要素理论的基础上，即出游的目的、旅行的距离、逗留的时间。之所以产生更多的旅游要素，首先是对出游目的认识进一步深化，也就是对旅游吸引物的不同理解，不仅关注旅游吸引物本身及其载体，而且更加关注吸引物对游客提供的有独特价值的精神产品与服务。其次是对旅游行为认识的进一步深化，游客的旅游行为由被动转变为主动，由不可选择转变为可选择，主动与可选择都体现了现代旅游活动中旅游者的主体地位的增强。其三是基于上述两种认识的变化给政府与企业在旅游产业规划、旅游项目建设、旅游产品设计、旅游活动安排等方面提出更多的要求。

3.1.2　森林旅游要素概念

　　森林旅游是旅游不同业态中的一种，是以森林景观作为旅游景点、景区或旅游目的地的观赏、休闲等方面的活动。或者进一步说，凡是在森林、森林环境或在林区进行的任何形式的旅游活动，无论其对象是自然生态系统或人文景观，也无论是单纯的游览、观赏、休息，或接受林区开展的普及森林生态系统的科学知识或关于保护工作的宣传教育，都是森林旅游(董智勇，2002)。

　　因为目前在理论上还很难找到一个完全替代六要素理论的体系，只是在传统的六要素内涵上做不同的解释与调整，因此森林旅游要素的主体构成仍然以六要素为基础。森林旅游要素是指支撑森林旅游或其他休闲活动的"食、住、行、游、购、娱"等条件的总和。

　　其中"食"是指森林旅游餐饮，包括森林旅游食品及其制作、森林旅游餐饮设施、森林旅游餐饮服务等；"住"是指森林旅游住宿，包括住宿设施与服务；"行"是指森林交通，包括森林旅游交通方式、交通工具与交通设施；"游"是指森林旅游游览的对象，包括森林旅游方式、景区的建设、景区经营与管理；"购"是指森林旅游购物，包括森林旅游商品的生产与销售、森林旅游购物设施与服务；"娱"是指森林旅游娱乐，包括森林旅游娱乐项目、森林旅游娱乐设施及其他载体、森林旅游娱乐服务。

　　森林旅游要素要与一般的旅游要素区分开来，其中最为关键的是森林旅游强调要建立旅游活动和森林生态保护、环境保护的联系。因此其各要素都要围绕着如何让游客具有生态保护意识，让生态环境保护行为贯穿于旅游活动中，这里并不否认一般的旅游活动也要树立起生态环境保护的意识，也要开展生态环境保护行为。但森林旅游要素在相应的开发、建设与经营中都要处处体现这种"保护"精髓，如酒店的建设就需要与森林景观相协调，可以"木屋"形式出现。

3.2　森林旅游要素系统及其运行

所谓系统是指实现规定功能以达到某一目标而构成的相互关联的一个集合体或装置，它有多元性、相关性、整体性等特性。森林旅游要素自身已经形成一个系统，要了解森林旅游要素系统的功能就必须让它在一个更大的系统中加以考虑。

3.2.1　森林旅游活动系统及其运行

森林旅游活动指的是森林旅游者的活动，而不是指森林旅游业的活动。所以森林旅游活动的系统构成涉及三个基本要素：森林旅游活动的主体——森林旅游者，森林旅游的客体——森林旅游资源，森林旅游活动的媒介——森林旅游业。这三者之间相互制约、紧密结合，构成森林旅游活动的系统。在这个系统中，森林旅游者处于主体地位，而森林旅游业则是森林旅游活动得以开展的媒介、条件和手段，即可以理解为上述的森林旅游六要素系统。因此本篇中所指的森林旅游要素是从森林旅游供给的角度考虑，而不是从森林旅游者的需求角度出发。

森林旅游活动系统的构成由三个层次的系统组成（图3-1）：一是主体系统；二是媒介系统，即森林旅游要素系统；三是客体系统。这三个层次系统的具体结构及运行如图3-2。

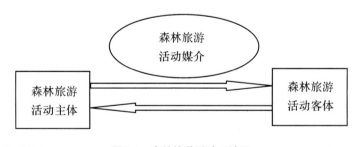

图3-1　森林旅游活动系统图

森林旅游者是森林旅游活动的主体，为森林旅游业提供了生存和发展的前提和可能。因此森林旅游业无论何时，都必须关注森林旅游者的需求，只有提供各种能满足森林旅游者需要的产品和服务，森林旅游业才能谈生存与发展。

随着森林旅游需求的不断扩大与发展，森林旅游活动的形式也在不断变化。如果没有供给方的支持与促进，需求方的因素只能带来森林旅游活动的自然发展，因此，

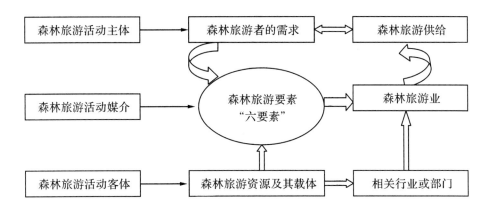

图 3-2　森林旅游活动系统层次图

森林旅游的真正发展实际上是需求与供给两方共同作用的结果。森林旅游业是以森林旅游者为对象，为其森林旅游活动创造便利条件并提供所需商品和服务的综合性产业。这一产业的界定标准是其服务对象，而不是具体业务或产品。

森林旅游资源既是森林旅游者的旅游活动的对象物，也是森林旅游业能够借以开展经营活动的凭借物，因此森林旅游资源可以被认为凡是能够形成对森林旅游者具有吸引力的自然、文化、社会等事物或其他任何客观事物。因此森林旅游资源是森林旅游活动的客体，但更为重要的是，它是森林旅游产业的资源或基础支撑条件。

3.2.2　森林旅游要素系统及其运行

如前所述，森林旅游要素系统与森林旅游业密切相关，森林旅游的"食、住、行、游、购、娱"等条件要素即构成了森林旅游业，这六要素相互作用、相互支撑，共同构成森林旅游活动的供给条件系统，如图 3-3。六要素是多元素有机的组合和新质量的生成。要促进森林旅游产业六要素构成之间的协调与优化发展，就需要先对六要素之间的产业链及其关联性有科学的认知。

一般而言，六要素中的"行"或"食"排在六个要素的最前面，把"购"或"娱"放在后面，这与六要素在旅游过程中出现的先后顺序有关。旅游六要素的序位基本上是根据产业链顺序的先后排出（翟辅东，2006）。在森林旅游要素体系中，六个要素的地位和作用各不等同。其中"游"是核心，是观光旅游的核心吸引力所在，"行、食、住"，是实现"游"要素的关联的三个保障要素，"娱"和"购"是"游"的关联的两个要素，它与"游"形成主体性要素。

随着森林旅游业的发展，各种类型的森林旅游活动产生，如游览观光型、休闲度

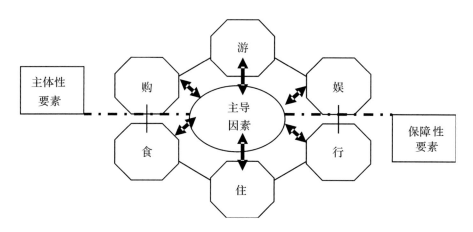

图 3-3　森林旅游要素系统图

假型、登山探险型、科学考察型、医疗保健型、专题活动型等，这些类型的森林旅游活动的产生与森林旅游六要素内部结构中所居的主导地位相关。主导因素就是牵动旅游产品发展的内在主动力。在游览观光类型中，"游"是主导因素，其他五个要素是为"游"配套的；在休闲度假类型中，"娱"换位为主导因素，这里的"娱"广义地包括休憩、休闲、游戏、健身等活动，在休闲度假产品中"游"的主导地位没有游览观光类型那样突出(表 3-1)。

表 3-1　森林旅游六要素主导因素变化举例表

森林旅游活动类型	主导因素	举例
游览观光型	游	森林公园游
休闲度假型	娱	休憩、消夏
专项型	游、行 住 食 行(游) 住、食、游 游(旅游资源) 购	森林探险 会议旅游 美食游 自驾车游 保健游 科考游 商务游

注：该表根据翟辅东的《旅游六要素的理论属性探讨》中要素主导因素变化表整理而得。

3.2.3　低碳经济下森林旅游要素的变化

低碳经济作为一种新兴的经济模式，具有其独特的技术特征，它依托于较高的技术发展水平和政府干预水平，是现有经济体系的一种重要重塑性力量，其对旅游价值链条的重塑问题，对社会、旅游企业和作为消费者的每一个人极其重要(潘福林和王奇，2011）。低碳经济会影响到人们的消费决策，具体包括森林旅游产品和服务的价值与成本评估、森林旅游的消费行为模式。旅游者消费决策的评价系统中将以森林旅游的低碳化为标准，基于此，将使得既有的森林旅游要素体系的架构发生变迁，从而影响到森林旅游要素的价值生成，表现为低碳类型的产品和服务在旅游市场需求的增加。

低碳经济下森林旅游要素系统不是单一的模式，对各种森林旅游类型基本上普遍地适用。相反，新的森林旅游要素体系中的主从关系将具有明显的差异性，如凸显低碳化的要素将成为主导（表3-2）。当然，这种主导要素的决定取决于森林旅游消费者对低碳化的理解和所采取低碳化方式的选择。这些变化将使森林旅游的要素系统从供应角度来说发生重大变化，任何要素的价值已不仅由要素产品本身的价值所决定，而更为关键的是在产品价值中蕴藏着由特定技术与相关制度所形成的低碳化价值。

表3-2　一般森林旅游景区与低碳化森林旅游景区的要素比较

要素	环节	一般森林旅游景区旅游要素	低碳化森林景区旅游要素
食	食品采购	大量肉蛋奶、四季食品、外地食品与反季节食品	以本地产品为主、外地产品为辅，以蔬菜等植物性产品为主，以肉类为辅，以季节性为主，反季节性为辅
	食品加工	食物油脂、盐、糖等加工材料使用过多，食物加工过细，加工过程繁琐	实行清洁生产
	饮食服务	一次性筷子、塑料袋、快餐盒、饮料吸管等，较少提供打包服务	引导客人合理食用肉、蛋、奶等食品，并提供打包服务
住	住宿物品	提供"六小件"物品，较少可天然分解的清洁剂和垃圾袋	游客自带生活用品，大量使用可天然分解的清洁剂和垃圾袋
行	景区外部交通工具	飞机、火车、汽车、轮船等环境污染相对较大的交通工具	公交车、地铁、轻轨、自行车、徒步等耗能少的环保型交通工具
	景区内部交通工具	旅游大巴、私家车能进入景区内部	有专用车道，提供新型环保交通，甚至采用动物类、木筏等交通工具
	机动车停车场	大都是大面积的地面铺砌混凝土	铺设草砖、草坪、草格等环保材料
游	景区建设管理	景区内各类景观设施、建筑大都求新求异，缺乏环保生态	景区内的各类设施与建筑大都采用本土性、环保型风格
	旅游线路	旅游线路大多单调，缺乏"低碳元素"	选择碳排放量低、生态环境好的景点形成线路

（续）

要素	环节	一般森林旅游景区旅游要素	低碳化森林景区旅游要素
购	旅游购物	旅游商品过度性包装，大量使用一次性塑料袋	游客购买季节性、适度包装的旅游商品，自带购物袋或提供重复使用的购物袋
娱	旅游娱乐	提供如烧烤等高消耗的娱乐项目	减少高耗的娱乐项目，定期维护娱乐设施，增加特色民俗活动等
建筑（各要素的基础）	规划设计	规划的主要根据在于舒适与享受	规划的主要根据在低碳环保与游客需求的均衡
	建筑装修	建筑材料选择太城市化、过度注重外部装饰	就地取材，体现本土特点，与景区的环境相融合
	设备系统	过分强调旅游者需求，缺乏能"节能减排"的设备设施，维护保养不力	大量使用"低碳"的设备设施，定期维护保养

第4章　森林旅游保障性要素低碳化

4.1　森林旅游住宿要素低碳化

4.1.1　森林旅游住宿要素组成

4.1.1.1　森林旅游住宿定义及其类型

住宿是旅游者在异地过夜的一项基本要求。一般而言，在森林旅游期间，旅游者如果在森林旅游目的地过夜，就要休息住宿以便第二天继续旅游活动。因此住宿业是森林旅游业中一样必不可少的基础产业。所以一切向森旅游者提供住宿的接待部门，包括各种旅店(宾馆、饭店)、餐馆、出租公寓、度假村、野营地、私人出租的房屋，以及森林旅游区提供的住宿接待场所等，都是森林旅游业的饭店(食宿)服务业。本书所论述的森林旅游住宿设施是指在森林旅游区及其周边区域内直接或间接地为森林旅游者提供食宿功能的各种场所。

国内许多森林旅游区内的住宿设施大多是由林场原有的设施改建或改造而成的，其从业人员大多数为原林场的职工。森林旅游区外或周边地的森林旅游住宿设施包括两部分：一是当地村民建立的许多农家旅馆与乡村旅馆；二是林业部门建立的林业宾馆。目前，已涌现出许多具有全国性，甚至国际性影响的森林公园，其中张家界、泰山、庐山、都江堰、九寨沟5处国家森林公园被列入世界遗产保护目录。开发较早、建设较为成熟的生态旅游区主要有张家界、香格里拉、西双版纳、长白山、澜沧江流域、鼎湖山、新疆哈纳斯等，这些生态旅游区(森林旅游区)中的森林旅游住宿配套设施都比较完善。目前，我国森林旅游住宿主要有下列几种类型。

(1)星级酒店。目前，在我国森林旅游景区中，星级酒店是绝大数森林旅游者和旅行社的选择，他们大都对住宿的安全和方便有较高的要求，而星级饭店在这方面有可靠的保证，因此成为旅游者的首选。例如：九寨沟国家森林公园的游客主要住宿在沟外的九寨沟宾馆(图4-1)；福建武夷山国家森林公园的游客大多数住在武夷山度假村中的星级酒店内。

图4-1   九寨沟新九寨宾馆

图4-2   黄山翡翠居农家乐

（2）乡村旅馆。在森林旅游区的周围，或是在相对偏远古朴的地区，还有众多的由当地村民自建或是采用自己居住的房子提供给旅游者住宿使用。这些乡村旅游设施经济实惠，又能给游客营造农家恬静的生活氛围，让游客更好地融入当地的生活。例如：在黄山风景区的旅游中，最受游客欢迎的就是乡村旅馆（图4-2）；在昆明西山区的团结乡，游客入住农家大都是为了体验那里的农家风情。

（3）特色民宿。在一些具有浓郁地方特色的民族性比较强的森林旅游区，还有一些具有当地风情的特色民宿，如傣族的吊脚楼（图4-3）、藏族的帐篷、内蒙的蒙古包等。这些民宿往往是当地少数民族居民自己的住房，游客为了体验原汁原味的民俗风情，而非常乐意入住。但是这种住宿条件往往简陋，且数量较少。

图4-3   傣族的吊脚楼

图4-4   森林小木屋

（4）森林小木屋。森林小木屋是非常流行的生态旅游住宿形式，它具有独特和优美的特点，能使游人有置身于自然的感觉。但中国目前还达不到其他国家的普及程度，发展规模较小，知名度也不高。它们只是普通宾馆的补充，服务设施比较简单。黑龙江伊春的五营森林公园、桃山狩猎场以及陕西秦岭自然保护区等地，都设有典型的森林小木屋(图4-4)。

（5）帐篷和吊床。这种住宿方式多数为一些探险类和科学考察类的旅游者所采用。一般在位置偏远、交通不便和条件简陋的旅游区才会使用。长白山自然保护区里的住宿服务可分为区内和区外两种形式，前者是指在山门以内沿旅游线路深入到保护区核心区，游人一般居住在瀑布以下不到一公里的宾馆里；而后者是指在山门以外的服务，游人只能租用帐篷在林间和草地过夜(图4-5)，还要遵守有关的规章制度。

图4-5　帐　篷

4.1.1.2　森林旅游住宿设施

森林旅游住宿设施主要由公用部门、管理部门、住宿部门、餐厅部门组成，还包括停车场、庭院和其他的附加设施。森林旅游的住宿设施和传统的旅游住宿设施有很多不同。在森林旅游目的地，住宿设施分散在整个旅游区，规模比较小，除了一些大型的宾馆，更多的是些家庭式的小旅馆，主要是当地居民经营的，服务于度假旅游者、生态旅游者等。

4.1.1.3　森林旅游住宿服务

森林旅游住宿服务是指森林旅游住宿单位的服务员利用森林服务设施为森林旅游者提供一系列的服务项目，包括住房服务、餐饮服务、娱乐服务、停车服务等。

4.1.2　森林旅游住宿要素低碳化的必要性

2008 年世界旅游组织发布的《气候变化与旅游：应对全球性的挑战》报告中提到，2005 年旅游业的二氧化碳排放量占全球总排放量的5%，达 13.07 亿 t，而在旅游业二氧化碳排放的总量中，住宿业占21%（杜丽丽，2011）。

住宿业二氧化碳排放量主要取决于每位游客住宿天数、每晚碳排放量。由于我国旅游住宿业统计数据尚不完备，只有星级饭店数据较为完整，因此，暂且仅估算我国星级饭店二氧化碳排放情况。

截至 2013 年年底，全国共有星级饭店 11687 家，其中五星级 739 家，四星级 2361 家，三星级 5631 家，二星级 2831 家，一星级 125 家(国家旅游局，2014)。酒店历来是耗能大户，调查显示，目前大多数的酒店服务产品仍停留在传统的"资源—产品—废物"粗放型运行模式，高投入、高能耗仍是运营主流。在旅游业的能源消耗研究中，单位能耗平均值取每床每晚 130MJ(Gossling，2002)。考虑到我国的现实情况，如大多数饭店节能意识不强，铺张浪费的现象还大量存在等因素造成实际的消耗量较高，本书采用单位能耗值为每床每晚 155MJ，据此估算我国旅游饭店能源消耗(石培华，2011)。

根据表 4-1 分析，2001 年以来能源消耗持续增长(2008 年除外)，尤其是 2007 年能源消耗量大幅度增长至 102.41PJ，2008 年有所回落，旅游饭店能源消耗量为 96.8PJ。2008 年我国旅游业星级饭店二氧化碳排放量为 15.36Mt。

表 4-1　我国星级饭店二氧化碳排放量和能源消耗量(石培华，2011)

年份	床位数(张)	客房出租率(%)	二氧化碳排放量(Mt)[a]	能源消耗量(PJ)
2001	1533053	58.45	8.04	50.70
2002	1729460	60.15	9.34	58.85
2003	1887740	56.14	9.51	59.96
2004	2366638	60.62	12.88	81.17
2005	2571664	60.96	14.07	88.69
2006	2785481	61.03	15.26	96.18
2007	2969434	60.96	16.25	102.41
2008	2934758	58.30	15.36	96.80

注：饭店每床每晚二氧化碳排放量数据采用 43.2gC/Mt(Schafer and Victor，1999；Cossling 2002)。

在森林旅游住宿设施中，旅游者住宿的主要形式还是星级饭店。目前，星级饭店的高碳排放量、高能耗，非常不利于森林旅游的可持续发展。要实现森林旅游低碳化，住宿要素低碳化非常必要。

4.1.3　发展低碳的森林旅游住宿业

4.1.3.1　森林低碳住宿设施的设计标准

4.1.3.1.1　低碳化住宿设施的设计框架

中国房地产研究会住宅产业发展和技术委员会编制了《低碳住宅产业化技术体系框架及减排指标》，从住宅建设的全寿命周期出发，着眼于每个生产环境与阶段，有效地控制和降低碳排放，此框架涵盖了八个方面。

(1)低碳用能：能源供给系统，包括热电冷联供、热电煤三联供、余热利用等系统；可再生能源系统，包括太阳能利用(光热、光电、采光技术)、风力发电、生物质能、地能利用(源热泵、地源热泵)、污水和废水热泵等技术。

(2)低碳设计：规划设计，包括环境质量、地形利用、用地等控制；建筑设计，包括被动房屋控制(朝向、日照、通风、窗墙比、面宽进深、体形系数、层高层数等)、气候响应构件控制(通风呼吸式墙体、调解温适度墙体)、空间可变性控制与全寿命周期控制。

(3)低碳构造：墙体、门窗、屋面、遮阳、楼地面等系统。

(4)低碳运营：建筑设备、配电照明、运营管理等系统。

(5)低碳排放：优化给排水系统，包括同层排水、设备管井及夹层、卫生安全保障、节水设备等系统；再生水利用系统，包括中水回用、雨水收集利用；绿化景观用水系统，包括透水地面、地下水涵养、水体生态净化、绿化景观用水、智能程控喷灌、江河水处理循环应用、湿地水循环保护等技术；室内外环境保护系统，包括污染物(空气、放射性、粉尘、光污染治理技术)、噪声、空气质量等控制技术；垃圾收集处理系统，包括有机垃圾生化处理、垃圾压缩集中转运、垃圾焚烧、垃圾管道输送、垃圾粉碎管道排放等技术。

(6)低碳营造：建筑结构、建筑装修、建筑施工、既有建筑改造等系统。

(7)低碳用材：废弃材料循环利用、新型管材、新型墙体、保温隔热材防水材料、就地取材等。

(8)植绿碳汇：绿化种植、屋顶与垂直绿化、坡地绿化等系统。

4.1.3.1.2　森林低碳住宅九大系统标准

根据《低碳住宅产业化技术体系框架及减排指标》并结合森林旅游的特点，本书在能源、水环境、气环境、声环境、光环境、热环境、绿化、废弃物管理与处置、绿色建筑材料九个方面提出了相关要求。

(1)能源系统：要求对电、燃气、煤等常规能源进行分析优化，采取优化方案。

因地制宜，鼓励采用新能源和绿色能源(太阳能、风能、地热及其他再生资源)。对住宅的围护结构和供热、空调系统要进行节能设计，建筑节能至少要达到50%。

(2)水环境系统：设计合理的水网结构，100%使用节能、节水的器具。在有需要的地方，同步规划设计管道直饮水系统。在室外系统中要设立排水、雨水等处理后重复利用的中水系统、雨水收集利用系统等；用于水景工程的景观用水系统要进行专门设计并将其纳入中水系统一并考虑。

(3)气环境系统：室外空气质量要达到一级标准。居室内达到自然通风，卫生间具备通风换气设施，厨房设有烟气集中排放系统，达到居室内的空气质量标准。

(4)声环境系统：包括室外、室内和对小区以外噪声的阻隔措施。室外设计应满足：日间噪声小于50dB、夜间小于40dB。建筑设计中要采用隔音降噪措施使室内声环境系统满足：日间噪声小于35dB、夜间小于30dB。

(5)光环境系统：着重强调满足日照要求，室内要尽量采用自然光，还应注意居住区内防止光污染，在室外公共场地采用节能灯具，提倡由新能源提供的绿色照明。

(6)热环境系统：在满足游客的热舒适度要求的基础上，注意建筑节能要求和环保要求等。对住宅围护结构的热工性能和保温隔热提出要求，以保证室内热环境满足舒适性要求。冬季供暖室内适宜温度为20~24℃，夏季空调室内适宜温度为22~27℃。住宅采暖、空调应该采用清洁能源，并因地制宜采用新能源和绿色能源。

(7)绿化系统：通过绿色植被系统的营造来增强碳汇能力。合理、适宜的居住绿色系统和森林的自然环境良好地融合在一起，同时也清洁空气、释放氧气，吸收二氧化碳。

(8)废弃物管理与处置系统：森林旅游住宿的废弃物处置应以"无害化、减量化、资源化"为原则。生活垃圾的收集要全部袋装，密闭容器存放，收集率应达到100%。垃圾应实行分类收集，分为有害类、无机物、有机物三类，分类率应达到50%。

(9)绿色建筑材料系统：要求在建设低碳的森林旅游住宅中，对于材料、产品的选用强调：一是提倡使用3R材料(可重复使用、可循环使用、可再生使用)；二是选用无毒、无害、不污染环境，有益人体健康的材料和产品，宜采用取得国家环境保护标志的材料和产品；三是尽量多选取当地的材料。

4.1.3.2　森林旅游住宿设施低碳化设计

根据上述的森林旅游低碳住宿设施建设的九大系统标准，本书对能源、水环境、气环境、声环境、光环境、热环境、绿化、废弃物管理与处置、绿色建筑材料九个方面进行了低碳设计。

4.1.3.2.1　森林旅游住宿设施的能源系统设计

低碳化住宿设施的首要要求就是减少能源浪费，使用低碳排放的能源代替高碳的能源，降低碳排放量，减少对环境的污染。

（1）对常规能源进行优化。常规能源包括电、煤气、煤等，要对其进行优化，避免因同时使用多种资源造成的浪费。如燃气冷热电三联供系统是一种建立在能量的梯级利用概念基础上，以天然气为一次能源，产生热、电、冷的联产联供系统。它以天然气为燃料，利用小型燃气轮机、燃气内燃机、微燃机等设备将天然气燃烧后获得的高温烟气首先用于发电，然后利用余热在冬季供暖；在夏季通过驱动吸收式制冷机供冷；同时还可提供生活热水，充分利用了排气热量，利用率提高到80%左右，大量节省了一次能源。

（2）要尽量采用低碳能源。

①太阳能热水系统。太阳能是森林旅游中最适合的能源，既经济实惠，又环保和自然，因此非常值得开发。一般来讲，太阳能主要是应用于各种热水装置，整套的太阳能热水系统通常包括太阳能收集板、蓄水池、热水装置等几个部分，即使是在阴天也能保持较高的水温。使用太阳能可以节约大约2%～9.5%的燃料，也减少了二氧化碳气体的排放量。太阳能热水装置通常设在屋顶等没有遮蔽物的空处，适用于晴天多、日照较长的地区。目前国外的"森林小木屋"大多安装有太阳能热水装置，国内也越来越普及。

②光生电系统。把太阳能转化成电能，是一项有广泛应用前景的新技术。太阳能发电系统的核心部件是"太阳能电池"，也称"光电池"，由一些夹层状的低密度硅半导体材料构成，这些材料在阳光的照射下会产生电流。光电池发电时没有噪音，不排放有害气体，安装灵活，不易损坏，直接安装在屋顶上，成本很低，适用于岛屿和较偏远的旅游景点。哥斯达黎加的蒙特维尔德山区小木屋和澳大利亚的一些宿营地的照明、冷藏、抽水、供应热水等，使用的都是太阳能蓄电池组。

③风力发电系统。人类利用风速发电已经有较长的历史，但应用于生态旅游中的还不多。与火力发电相比，风力发电不污染环境，噪声较低，操作相对简单，维护更简单，成本也比较低。唯一的要求是要有风，因此适合于风力资源较多的地区，也可以作为其他形式能源的补充。我国浙江温岭利用风力发电的特点，以坞根海边小吃、山景、海景等农家乐生态游为背景，有效地利用了风能，大大地降低旅游的碳排放量，还形成了以风力等为主的新能源旅游区。加拿大的"阿鲁姆生态小木屋"就使用了小型风力发电系统，它由可视控制键盘、带有丙烷备用发生器的机器等所组成。

④生物燃料系统。腐烂的植物和动物的粪便常常含有各种有机物，能形成新的生

物燃料，如产生可燃的"沼气"，非常适用于生态旅游。通过收集人与动物的代谢废物，如粪水、下水道污水等，或种植大豆、大麻、玉米、桉树、甘蔗等"能源作物"，就可以很容易地获得并存储转化出生物燃料。生物燃料属于可再生能源，利用它不仅能节省其他资源，还可以减少废弃物的污染，因此具有广泛的应用前景。

⑤地源热泵系统。地源热泵系统是利用浅层地能，以土壤（地下水，地表水）作为夏季冷源和冬季热源，通过热泵机组向地面提供热量和冷量，并同时自备生活热水新型中央空调系统。

4.1.3.2.2　水环境系统设计

（1）优化排水系统。在森林旅游住宿设施设计中要优化排水系统，实现用水量最小化。首先在设计时就要考虑节水，要安装节水式的水龙头或水喷头，如"气压式低流连水龙头"。马桶也要采用低冲水量的马桶，还可以在水箱中加入水位控制器，这样使水箱的水位可以严格控制在规定范围内，如超出规定的水位即有提示，避免不必要的水资源浪费。洗浴采用刷卡制，防止水资源的浪费或"长流水"现象发生。另外，为了防止热损失，还要仔细挑选热水设备，最好使用太阳能来对水加热。此外，限制水的热损失，如对暴露在外的热水管道进行隔热层包裹，也都能起到用水最小化的作用。

（2）建立中水系统和雨水收集与利用系统。在森林低碳住宅建设中，应建立中水系统和雨水收集与利用系统，如饭店建筑中洗涤、洗浴、空调等环节产生大量污水，可以通过简单的沉淀过滤或化学处理后，当做中水回用，如用作绿地浇灌、景观用水、公共卫生和冲刷地面等等。采用水循环节能系统，晚上将循环水冷却，白天使用此水降温，来达到节水节电的目的。

饭店可以根据实际情况自己建造小型的污水处理设备，根据处理后水的不同用途来选择处理的程度，进而达到中水回用的效果。饭店废水处理可以采用生化和物化结合的方法，设调节池、隔油池、沉淀池和砂滤罐，处理后的水流入中水池，然后中水被送到回用系统。

4.1.3.2.3　空气环境系统设计

在建筑设计时应让客房达到自然通风，卫生间具备通风换气设施，厨房设有烟气集中排放系统，达到居室内的空气质量标准。

可以通过合理的建筑布局、建筑朝向、通风条件等来设计，达到低碳生态的效果。如建筑的朝向，住宅建筑讲究朝向为正南正北，但是对于季节性（主要是夏季）的旅游住宅，通风则成首要考虑的因素。如平潭夏季盛行东偏南风，频率占50%左右。因此，建筑朝向东偏南15°左右为宜。

室内装修材料应采用环保材料，防止室内环境的污染。

4.1.3.2.4　声环境系统设计

森林旅游住宿设施在设计时就要考虑到建筑空间安排，必须让客房远离噪声源；对于娱乐区的声音要采取优质环保的隔音设备。如：可采用隔音墙体、门窗隔音、植物隔音等方法。

4.1.3.2.5　光环境系统设计

在建筑的设计上，我国的建筑朝向大体为坐北朝南，其实东西向的房屋比南北向房屋更适合旅游住宅。东西向的房屋一天当中大部分时间都有自然光射入，光线直射的时间集中在早晨和傍晚，而游客恰好主要在这两个时间段在酒店内活动。另外，房屋的建筑在技术上也能一定程度地实现能源最小化，如北方的房屋在设计时采用坐北朝南、使用大面积可储存能量的建筑材料等，都能有效地利用阳光；南方的房屋采用浅色通风的屋顶或遮蔽形式的墙壁，可以减少对热的吸收，节省空调的用电量。加拿大有一种"阿鲁姆生态小屋"，它采用了双面的绝缘墙，南侧设计成大窗，还设计了有正负换气扇的中央空调系统，节能效果非常好(高俊，2010)。另外，饭店照明设备可采用 LED 灯、卤钨灯、荧光灯等节能灯具，有条件的饭店还可以采用声控灯具等其他节能灯具。

4.1.3.2.6　热环境系统设计

森林旅游住宿环境适宜温度：冬季是 20~24℃，夏季是 22~27℃。首先在规划设计上要考虑到在建筑规划设计上能充分利用地理条件来降低能耗，在建筑材料的选择上要采用保温、隔热性能好的材料，如通风呼吸式墙体、调节温湿度墙体，来保证舒适度和降低能耗。

为了满足森林旅游者的生活舒适度要求，森林住宿设施往往还需要提供空调设备，而在饭店各种设备中，空调耗能就占了电力耗能的一半，空调的节能潜力最大，所以对空调可以采用下列方式进行有效的设计。

①实行分时段控制。室外天气温度变化直接影响建筑楼体内的温度，应结合室外天气变化情况及建筑内部室温的实时变化情况，进行机组运行温度的控制。同时对饭店各个区域温度进行实时测量，进而更加合理地控制中央空调的水温，来调控整个饭店的室内温度。该项措施可以较大程度地节约动力电和天然气的使用，能为机房能源消耗的调控发挥关键性的作用。

②采用空调变频技术。针对空调系统而言，对空调制冷机组冷却水与冷冻水循环泵以及风机进行变频技术改造，根据室外环境的变化以及室内人员的变动情况进行调节和控制，这样既不影响室内人员的需求，又能节省运行能耗。

③中央空调系统的控制。中央空调系统的智能控制系统技术、系统集成技术、模糊控制技术、变频调速技术及无功补偿经济运行电压技术等，能根据人体对空气温度、湿度的舒适性要求，合理调节中央空调系统，使其空调系统达到最大限度的优化运作。

4.1.3.2.7　绿化系统设计

森林旅游住宿设施在设计时要充分地考虑到绿色植被系统的碳汇能力。森林旅游住宿设施在设计上就要考虑到住宅要和森林的自然环境良好地融合在一起。它的绿化系统的设计是以森林旅游区的自然生态环境为基础，在绿地上移植古木，也可以使用屋顶绿化技术或垂直栽培技术，不仅可以美化环境，还可以利用植物遮阳、导风，降低能耗，提高了住宅的碳汇能力。

4.1.3.2.8　废弃物循环利用系统设计

可以利用饭店产生的污水作为提取和储存能量的冷热源，借助热泵机组系统内部制冷剂的物态循环变化，消耗少量的电能，在冬季把存于水中的低位热能"提取"出来，为用户供热，夏季则把室内的热量"提取"出来，释放到水中，从而降低室温，达到制冷的目的。

饭店产生的残留在隔油池中的地沟油、泔水油也可以定期收集，经过废弃食用油脂—油水分离—加温水解—高速分离—沉淀—反应釜碱炼（降酸价）等一系列工序加工成成品油，然后把成品油销售到有资质的化工厂，加工成大黄油或肥皂等，还可以用于提炼生物柴油。

4.1.3.2.9　低碳绿色建筑材料系统设计

在建筑材料的选用上尽量使用当地的建筑用材，不仅可以减少能源的消耗，而且可以带动当地的经济发展。当然在使用当地材料时，要高效地利用木材，提倡利用人工速成林中的木材，尽量避免使用自然森林木材。美国圣母玛利亚群岛的"和谐山庄"，不仅屋顶装有太阳能设施，连整个建筑物的材料也几乎全部使用回收材料，

图4-6　竹藤低碳内饰装修

如利用废水泥和废纹板作屋顶、用回收报纸作地面、用回收球根植物作地板砖等，节省了大量的建筑成本。除了利用废弃材料来修筑房屋，很多当地廉价的自然材料也是可以利用的，如树木、竹藤、棕榈叶等，都能起到物美价廉的效果（图4-6）。

4.1.3.3　森林旅游低碳化住宿产品设计列举

4.1.3.3.1　绿色饭店

绿色饭店是指运用环保、健康、安全理念，倡导绿色消费，保护生态和合理使用资源的饭店，其核心是为顾客提供舒适、安全、有利于人体健康要求的绿色客房和绿色餐饮，并且在生产经营过程中加强对环境的保护和资源的合理利用。现阶段，可以根据上述的《低碳住宅产业化技术体系框架及减排指标》和森林旅游低碳住宿设施的九大要求来指导和建设符合森林旅游住宿要求的绿色饭店。

2010 年在杭州开业的绿城千岛湖喜来登酒店，其空调系统的用水取自千岛湖 30m 以下的深处；每个房间配有自动感应的调节装置，以节省空调用电量；所有的热水供水也均采用太阳能；宴会厅、餐厅、酒吧和厨房里使用的玻璃、塑料和铝制品均采用了可循环使用的新型材料。

当然，绿色饭店不仅指设备、设施等必须符合低碳要求，也包括采用可持续发展的低碳的经营理念和管理方法。目前，国家出台了《中华人民共和国国家标准绿色饭店》以及《中国绿色饭店实施评估细则》。根据这两个文件，森林旅游住宿设施可以积极评定绿色饭店，根据实施细则在饭店设计、建筑装饰、节能环保、技术升级、提升服务质量等日常管理环节中建立"能源统计工作制度"和定期提出比较分析的报告，还可以按照国家规定的标准对主要部门的用水、用电、用煤（油）等进行定额考核和奖惩。

在绿色饭店的日常管理中，还可以推行一些创新性的举措，如行业内一度进行过饭店"六小件"（肥皂、牙刷、牙膏、梳子、浴帽、一次性剃须刀）是否应该取消的大讨论，是否取消"六小件"，应该以不影响顾客方便程度为前提。酒店可以采取价格机制进行协调，在客人登记入住时，接待员询问客人是否需要"六小件"，并告知客人如果不需要，会折算成礼品或直接从客人房费中减除；如果需要，则由房务中心进行配送。低碳绿色饭店还应摈弃床单每日换洗的惯例，减少床单被罩的换洗次数。我国"绿色饭店"标准为三天换洗一次床单。而日本饭店则推行"绿色环保卡"，客人如果不要求天天洗床单，能够享受到房价折扣优惠或赠送水果等免费服务。这些做法无疑是一种值得借鉴的新型消费概念。

此外，还有一些其他方面的措施，如冬季空调设定的温度不高于 20℃、夏季不低于 23℃，提示客人睡觉前关闭所有光源和电源，手机和电脑充电结束后及时拔去插头，建议洗浴时间不超过 15min，多走楼梯少用电梯，不浪费食物等，这些都需要饭店想尽办法引导客人自觉遵从，并时刻辅之以低碳积分计划和奖励方案。

世界自然文化遗产胜地四川九寨沟的"九寨天堂"，就是一个四星级的绿色宾馆，绿色服务理念和管理方法得到了广大生态旅游者的认可，并深受国内外游客的好评。

当然，由于宾馆饭店的碳排放量大大高于其他的森林住宿排放量，对环境的威胁仍然是较大的，因而不宜过多建设，尤其是中小型的自然保护区和国家公园。客源较多的地区在不得不建设时，也要尽量建在生态旅游景区的外围。如武夷山风景区，将住宿设施规划在武夷山风景区外，集中建立了武夷山度假村（图4-7）。

图4-7 武夷山三姑度假村

4.1.3.3.2 森林小木屋

森林小木屋实际上是生态型的小旅馆（图4-8），一般建立在相对偏远的森林中或景区内部，它们能让游客真正拥抱大自然，因而也极受森林旅游住宿者的喜爱。

图4-8 森林小木屋

不同的森林小木屋在配套设施和服务上可能会有很大差别，建筑风格不尽相同，建设的位置选择也比较考究，经营规模则通常较小。一般来说，森林小木屋的占地面积为 $31 \sim 65m^2$ 不等，顶部高达 $4.25m$，不超过 3 层，可容纳几人到几十人，并由一组别具风情的房间所组成，如：主题示范屋、洗澡间、厨房、就餐室、资料室等。

小木屋在设计时可以很容易地实现低碳理念和技术，高效地利用能源理念与技术。如使用太阳能发电和供热、使用节能装置和节水设施建立垃圾和污水处理场、回收利用污水和粪肥等。小木屋还易于开展对游客的知识传播和环保教育，实现当地居民的参与，因而非常符合森林旅游住宿的要求，值得在中国普及和推广。

4.1.3.3.3　户外露营地

露营通常是指旅游者携带帐篷等必要的户外生活用品，在不依赖固定房屋、旅舍等建筑设施的情况下，野外住宿的方式(图 4-9)。这种住宿方式是随着露营旅游发展而来的，国际上，各国纷纷建立露营地。在美国，露营地已达到 110 多万个；日本也有露营地 2200 个，平均 55000 人使用一个(高俊，2010)；在欧洲，1991年就有了露营地 50 万个，平均 2000

图 4-9　户外露营地

人使用一个，并且已经具有 6000 多个标准的露营地，每年都是处于爆满的状态，露营方式成为一种流行时尚。露营方式有帐式露营地和露营车两种。

营地帐篷是野外过夜的便携式住宿形式，适合在核心森林生态旅游景区的内部建立。由于可移动性强，各种各样的帐篷可以把游人带到景区深处，既满足人们对自然的渴望，又可以最大限度减少碳排放量。在森林低碳旅游越来越受到关注的情形下，这是森林旅游中很时尚又很低碳的一种住宿形式。营帐式的帐篷分为"支架型""充气型"和"拉绳型" 3 种。支架型需要用金属或塑料构件作骨架，重量较大，成本较高；但也可以就地取材，利用树干或树枝作支架。充气型的帐篷需要表面挂胶，也比较重，成本也高，但可以防水。拉绳形帐篷一般采用全封闭形式，每个角都对称订有布鼻，三角型的帐篷还有穿绳带，供拉绳吊起帐篷。

露营车，也称"旅行房车"，一般分移动(touring caravan)和固定(static caravan)二种形式。移动形式的宿营车通常车体较小，便于随车旅行，车身长度在 $3.5 \sim 6m$ 之间，$2 \sim 5$ 个床位不等，起居室常兼作卧室。固定形式的宿营车则较大，内部面积一般

有 $23 \sim 42m^2$，卧室 $1 \sim 3$ 个不等，但移动不太方便，适合作宿营地的主体。其通常配置有起居室、餐厅、厨房、卫生间和浴室，甚至装有中央暖气、淋浴器、抽水马桶、洗脸盆、电视、冰箱等物品，还能方便地接入营地供电、供水和排水系统。

露营车住宿，不仅能减少对自然环境的影响，还可以降低用地面积，更大限度地贴近自然。这在国外非常流行。目前，北京、上海、广州等地已经推出了露营车的出租业务，上海甚至有专门生产房车的企业，大家正在积极探索开发家庭型和经济型的旅游房车产品。在各森林旅游区也逐渐建设露营地来满足日益高涨的游客需求。

4. 1. 3. 3. 4   乡村旅馆

在森林旅游区的周围，或是在相对偏远古朴的地区，还有众多的由当地村民自建或是采用自家居住的房子提供给旅游者住宿使用。游客通常与农户同吃同住，真正地融入当地居民的生活。这些乡村旅馆设施经济实惠，又能给游客营造农家恬静的生活氛围，让游客更好地融入当地的生活。

由于是利用乡村中原有的设施来进行改造经营，在未增加对环境排放的基础上，利用闲置的客房和一些基本设施接待游客，而且提供给游客的住宿设备和食品往往都是取自当地。这样的乡村旅馆大大地增加了游客的旅游情趣，同时又提高了当地的设备利用率，降低了能耗。所以乡村旅馆也是低碳的一种住宿方式。在欧洲的意大利、德国、英国等国家，家庭旅馆发展也

图4-10   乡村旅馆

很快，如英国大约有 40% 的过夜客都会下榻在乡村旅馆。

乡村旅馆(图4-10)规模小、经营灵活，在洁净、卫生的前提下，更能让游客有新奇的感受，更能领略到有当地特色的民俗风情。农户与游客之间的"一对一"式的服务，还可以营造出家庭式的温馨氛围，也更容易实现"个性化服务"。目前，乡村旅馆的住宿形式既受到了游客的欢迎，又能解决当地农民的问题，增加他们的就业，提高他们的收入水平，在中国是很有发展价值的。

4. 1. 3. 3. 5   民族特色旅馆

民族特色旅馆是指在具有浓郁民族特色的森林旅游目的地的一种旅游住宿形式，一般会出现在少数民族聚居区的旅游区。如：云南的傣族"吊脚楼"、藏族的"帐篷"(图4-11)、蒙古的"蒙古包"等。这些住宿设施充分利用了当地资源和设施，最小程度地影响环境，而且成本一般并不很高，却极具文化内涵，特色鲜明，因而深受旅游者

的欢迎。入住在这种类型旅馆中的游人，往往会有深刻的民族风情体验，留下美好的回忆。不过，这样的建筑设施必须强调民族地域限制，不能随意普及，更不能用外源文化来冲淡本地的特色，因而在设计中要仔细加以论证才行。

图 4-11　藏族的"帐篷"

4.2　森林旅游交通要素低碳化

4.2.1　森林旅游交通及方式

4.2.1.1　森林旅游交通定义

目前学术界对于旅游交通的概念尚未有统一的说法，总体上，旅游交通的核心内涵是因旅游需求而伴随着旅游全过程的交通线路、工具、设施以及服务的总和。

旅游交通作为旅游通道的物质主体，在旅游客源地与目的地之间起着纽带连接的作用。而森林旅游交通则是旅游客源地和森林旅游目的地之间，森林旅游者所采用的各种交通设施和服务。对森林旅游者而言，森林旅游交通条件影响着其旅游决策以及对森林旅游目的地的选择。而对森林旅游经营者而言，旅游者的到来与否和如何到来关系到自己经济利益的实现。

旅游交通按形式分主要有公路运输、铁路运输、水路运输、航空运输四种形式，按地域分有旅游区外部交通与旅游区内部交通之分。

4.2.1.2　森林旅游主要交通方式

4.2.1.2.1　森林旅游区外部交通方式

旅游交通按其路线和运载工具的不同，可以分为公路运输、铁路运输、水路运输、航空运输等主要交通运输方式和其他交通运输方式。各种运输方式各有其特点和优势，在具体运作过程中，旅游者往往利用几种运输方式，完成整个旅游活动的过程。

（1）公路运输。公路交通是森林旅游交通中最主要、最普遍的旅游交通方式，是以各种类型的汽车为主要交通工具，以公路为交通线路，以汽车站场为始终停靠站，为游客提供运输服务。公路旅游交通在旅游活动中使用比重最大。目前，我国各森林景区广泛修建公路，同时外部又辅助以高速公路。2010 年全国共有森林旅游道路 5.47 万 km，到 2011 年年底我国高速公路总里程达到 8.5 万 km，大大地提高了森林旅游景区的可进入性，使得公路旅游交通的地位越来越重要。

公路交通具有灵活方便，节约时间，公路建设投资少、工期短、见效快等优点，但是也有汽车运载量小，安全性能较差，受天气变化影响较大，不能适应长距离旅游等不足。

(2)铁路运输。铁路交通方式以旅客列车为交通工具，以铁路为交通线路，以铁路客运车站为始终停靠站，主要承担中远程旅游者的运输任务。铁路运输向提高车速方向发展，如高速铁路提高了铁路交通运输方式的竞争能力。

铁路具有载运量大，速度快，价格较低，环境污染少，安全正点等优点。但是由于火车需要沿轨道行驶，铁路的铺设受地形起伏、地面的连续等地理条件的限制大。因此，铁路交通同时具有造价高、修筑工期长、受地区经济和地理条件限制等缺点。

(3)水路运输。我国发展水路交通运输的条件得天独厚，基本形成一个具有相当规模的水运体系。在远洋航运方面，我国已经开辟远洋航线有 30 余条，与世界上 100 多个国家和地区的 400 多个港口相联系。我国水路运输的发展趋势：内河航道联网，航道等级提高；港口建设加快，水运资源利用度逐步提高，国际航运大力发展，承运比例大幅度上升。这样有利于充分发挥我国水体旅游资源的优势，为开展水上旅游活动奠定良好的基础。

水运旅游交通具有价格较低(不包括豪华游轮)，豪华舒适等特点。水运交通运输也有航行速度慢，受自然条件影响大，运输波动性大，准时差等不利方面的因素。

(4)航空运输。航空旅游交通方式是以民用客机为主要运输工具，以航空交通线为线路，以机场为始终停靠站的一种交通方式。航空旅游交通在国际旅游中占绝对优势，有无航空交通条件是能否大规模开展国际旅游业的前提，航空运输业的发达程度是衡量各国旅游业发展水平的重要标志。

我国从 1920 年开始航空客运业务，航空运输大规模于旅游始于 1978 年，现在已经形成了民航航空网络。截至 2010 年年底，完成运输总周转量 538 亿 t·km、旅客运输量 2.68 亿人次，形成了以北京为中心，辐射全国 80 多个城市和边远地区以及通往四大洲近百个国家的航空网络。同时，我国共有定期航班航线 1880 条，按重复距离计算的航线里程为 398.1 万 km，按不重复距离计算的航线里程为 276.5 万 km；形成连接国内 132 个中心城市和国外 34 个国家 60 多个城市的现代化航空运输网。一些相对偏远的著名的森林旅游风景区，如西双版纳、九寨沟、张家界都开辟了航空线，成为旅游者长途旅游的一种重要的交通方式。

航空运输具有快捷、舒适、灵活、安全等优点。

4.2.1.2.2　森林旅游区内部交通方式

森林旅游区交通，不仅指旅游者从出发地到森林旅游目的地，再从目的地向出发地的过程，也包括其在目的地内利用交通工具游览的过程。森林旅游区内部交通方式主要有环保汽车、旅游索道、游船、游排、人力车、滑竿、畜力车、电瓶车、自行车等形式。

4.2.2　森林旅游交通要素低碳化的必要性

根据奥斯陆气候和环境国际研究中心发表的研究报告统计，过去 10 年全球二氧化碳排放总量增加了 13%，而源自交通工具的碳排放增长率却达 25%。汽车、轮船、飞机和火车等交通工具所使用燃料释放的气体是目前造成全球变暖的主要原因之一。旅游产业与交通业具有很强的关联性。根据世界旅游组织的统计，因为旅游活动而使用交通工具所导致的直接碳排放占全球总碳排放的 2%，在旅游业能源消耗中旅游交通占到了旅游业总能耗的 94%（杜丽丽，2011）。

2013 年全国森林公园共接待游客 7.4 亿人次，从各地前往各森林旅游区的方式有汽车、轮船、飞机和火车等旅行方式；随着森林旅游者的消费从观光向休闲方式转变，采用自驾车的人也逐年增长，能源消耗量和二氧化碳的排放都在逐年增长。预计到 2015 年，全国森林旅游人数达到 8.7 亿人次，我国森林旅游人数正以每年 18% 左右的速度递增。因而，要加快森林旅游区的交通低碳化，从而实现森林旅游区的可持续发展。

4.2.3　森林旅游交通要素低碳化的模式

4.2.3.1　森林旅游低碳交通的内涵和特点

4.2.3.1.1　森林旅游低碳交通内涵

低碳交通最早提出于丹麦哥本哈根的《联合国气候变化框架公约》缔约方大会，在国际社会呼声不断以及我国自身经济发展方式亟待转变的推动下，我国政府明确提出了发展低碳经济的目标，其中特别指出了低碳交通。

一般来说，低碳交通是社会低碳经济发展在交通领域的一种实现方式，它是以实现交通领域可持续发展为指导方针，以降低交通工具温室气体排放量为根本目标的低能耗、低排放、低污染的交通运输发展方式。

森林旅游低碳交通是以降低森林旅游交通工具温室气体排放量为根本目标的低能耗、低排放、低污染的交通运输发展方式，主要包括森林旅游交通的节能减排、森林旅游交通环境保护、森林旅游交通循环经济以及交通科技与信息化等核心内容。

4.2.3.1.2 森林旅游交通特点

旅游交通出行不同于城市交通，通常旅游者期望旅游过程为"旅快游慢"的过程。即快速到达景区，然后在景区内集散、漫游、休闲娱乐等旅游活动。

受生态型景区区位及旅游目的、交通需求等影响，旅游交通系统完成出游过程大体分为两个阶段：

第一阶段是由出发地经长距离交通抵达景区周边。该阶段交通距离长，因而交通需求以快捷顺畅为主，要求提供快捷通道。

第二阶段是由景区周边抵达景区内部各个景点的直达式交通。该阶段交通距离短，呈漫游状位移，交通需求为舒适，沿途景观优美，多以慢行为主。

4.2.3.1.3 森林旅游低碳交通设计要求

根据森林旅游交通出行特征，森林旅游低碳交通设计有如下要求。

(1)保护自然资源。森林旅游是以森林生态系统为主的自然景观开展旅游活动的，森林景区内部的资源要素之间相互依存、制约、转化，自我调节构成一个自给自足的动态平衡系统。这种系统的调节能力不是无限的，极易受到外界破坏而失去自身的稳定性，并最终导致生态旅游资源的消亡。所以在森林景区交通线路设计上要考虑生物生境，不靠近不干扰珍稀濒危物种的正常生存。森林旅游交通工具应符合环保要求，尽量采用非机动的、自然的交通工具。森林内部交通必须具备有低能耗、低排放、低污染特点。

(2)环境容量有限性。保持原有森林自然景观资源是吸引游客的必要前提，过度旅游开发及游客的大量涌入必须加以禁止，平衡旅游使用与资源保护才能实现自然资源与旅游需求的和谐相存。所以在进行交通规划时必须充分考虑游客的容量。

(3)休闲观赏性。森林旅游交通工具除运输功能外，还有旅游参与功能。从运输功能考虑，应满足环保性的要求；而从旅游功能出发，应有地方性，富有地方民族特色。因此，交通工具方式丰富多彩，各具特色，旅中有游，旅游结合，对森林旅游者有极大的吸引力，能最大限度满足森林旅游者的不同需求。比如，云南迪庆香格里拉，马是当地藏民传统的交通工具，养马是他们传统习惯，因此在碧塔海景区把骑马作为一个主要交通方式，而且社区居民也乐意参与，主动把自家养的马加入到旅游服务行业中去。

(4)外部交通高效性。由于森林旅游者从旅游出发地到达旅游目的地的距离较长，所以要考虑森林目的地是否具有可进入性，并能方便快捷地到达旅游目的地，降低交通能耗。

4.2.3.2　森林旅游交通要素低碳化的模式——TOD 模式

以公共交通为导向的开发(transit – oriented development，TOD)是规划一个居民或者商业区时，使公共交通的使用最大化的一种非汽车化的规划设计方式。该模式是 1990 年之后出现的新城市主义的规划思想，倡导环境改造、空间的紧凑与功能重构(张京祥，2005)。TOD 模式的最大优势在于，将公共交通与社区开发相结合，远距离时采用公共交通，而近距离时使用低碳排放的交通工具。根据上述森林旅游交通的出行特点，可以把森林旅游交通出行分为外部—换乘—内部交通的三阶段过程，具体分解如下：

外部长距离交通阶段：交通需求特征为快捷大运量及舒适为主，主要由通往景区的干线路网提供承担，交通方式以自驾游、快速公交及旅行社大巴为主。

中间换乘阶段：通过设置在组团内各景区中心位置的旅游服务中心集结，然后换乘景区公交系统集散至各个景区、景点。

内部漫游式交通阶段：交通需求特征为环保、舒适、安全为主，主要由组团内联系各景区、片区的环状干道网络承担，交通载体以环保型景区公交为主。

建设森林旅游区 TOD 模式可以最大限度地利用资源，减少碳排放。游客在外部长距离交通可以使用外部的公共交通，在景区内部活动可以使用低碳或零碳排放的工具，如步行、自行车。这样可以最大限度地在旅游交通方面减少碳排放。

4.2.3.2.1　外部公共交通低碳化

采用低碳的交通方式，不同的交通工具其碳排量是不同的，比如飞机就是一种高排碳的交通工具。交通工具耗能与碳排放量见表4-2。

kg/(km·人)

表4-2　交通工具能耗与碳排放比较表(杜丽丽，2011)

能耗与碳排放	电动车	公共交通	摩托车	家用汽车
耗标准煤	0.0043	0.011	0.272	0.0544
排放 CO_2	0.0082	0.023	0.0575	0.1150

如果人们在旅游时运用不同的交通方式，旅游中带来的碳排放将产生巨大差异。航空的交通旅游方式的碳排放最大。例如，远距离旅行占所有旅游的 2.7%，但是碳排放量占到旅游业 17%；而乘坐火车或长途汽车的旅游占所有旅游的 34%，但碳排放在总碳排放中只占到 13%(UNWTO，2003)。

法国环境与能源控制署调查称，在消耗相同燃油的情况下，飞机可以把 180 名乘客送到目的地，高速火车能运送 1720 名乘客，旅游客车能运送 910 名乘客，私人轿车能运送 390 名乘客(滕月，2007)。所以鼓励游客多使用火车这样的交通工具，同时也鼓励集体出行、拼车出行，提高交通工具的使用效率，降低交通工具的单位耗能。

4.2.3.2.2 旅游集散中心的建设

森林旅游景区的 TOD 模式须依赖于旅游集散中心及旅游公交系统的建立。其中旅游集散中心是实现换乘模式的关键环节，旅游集散中心是集交通枢纽、旅游服务枢纽及旅游信息发布平台功能为一体的复合体。具体为：

(1)对不同交通方式进入森林旅游景区的游人提供交通换乘、休息、交通信息、停车、购物、餐饮等旅游出行的基本需求。

(2)黄金周游客密集期间，可以为自驾车者及公众游客群体提供便捷的交通服务，分流不同出行目的群体，平衡各景区人流分布。

(3)对于部分低环境容量的景区，集散中心通过其配备的休闲场所、停车场等硬件设施，提前截流，动态调节生态敏感景区环境容量压力。

(4)对于特殊旅游出行需求(如登山探险等)，集散中心为旅游爱好者提供大本营、应急处理，以及抢险救援指挥等功能。

旅游集散中心等基础设施的建设要符合低碳建筑物的标准。其中低碳型停车场的建设也是很重要的。

天津市出台的《旅游服务质量提升纲要行动计划和工作方案》规定，该市 5A 景区将全部建成生态停车场。这种停车场的地面全部铺设草坪，并在停车场种或移植树木，车位与车位之间的隔离也是由树木做成。调查表明，在天津夏季高温的天气里，普通露天停车场下午两点无遮阴地面的温度是 42.4℃，一辆深色(黑色)汽车的车内温度是 58℃；而在低碳型停车场，相同颜色汽车的车内温度只有 25℃。这就极大地降低了开空调的频率，减少了温室气体的排放。这种停车场的建设实际上正是体现了低碳旅游的发展理念。

4.2.3.2.3 景区内部的低碳交通方式

(1)公共交通。从表4-2来看，公共交通、电瓶车或轨道交通的碳排放明显低于摩托车或自驾车的碳排放，因此，森林旅游区应大力发展公共交通，减少碳排放量。公共交通应采用一些节能的公共汽车，例如：

①混合动力机车。混合动力机车的效率较高，与传统汽油机车相比高出近 30%。根据汽车的不同型号(轻型、中型和重型)，其成本相应提高 500~3000 美元。混合燃料机车未来将在公交车和中型货车市场中占有较大份额，混合动力还可以与柴油同时使用，可以获得更高效率，但也将需要更多的成本投资。在 2015 年之前还不具备大规模市场化的能力，成本较高是其快速发展的最主要障碍。

②压缩天然气汽车。压缩天然气(CNG)是一种无色透明、无味、高热量、比空气

轻的气体，主要成分是甲烷。由于其组分简单，易于完全燃烧，加上燃料含碳少，抗爆性好，不稀释润滑油，能够延长发动机使用寿命。压缩天然气汽车已经是我国城市交通发展比较成熟的、推广成功的新能源汽车，是低耗能的交通工具，因而也非常适合森林旅游景区发展。

③氢燃料电池汽车。氢燃料电池汽车是目前全世界关注的焦点，因为它可以实现零排放。氢燃料电池的质子交换膜技术可适用于公交车和客车，目前已经建设了示范项目，其成本高达 2000 美元/kW。其高成本使燃料电池产品目前不具备市场竞争能力，也成为该技术推广应用的主要障碍之一。森林景区内部的公共交通可以采用这些动力的公共汽车、环保小火车、观光电瓶车等。

（2）步行道。步行道是森林旅游区、自然保护区和荒野中供旅游者徒步旅行的道路（图 4-12）。其路面一般未做铺装，有的可以连接多个风景区、保护区等。步道通常穿越丛林、原野、山地、沼泽等地区，穿越者可以享受和体验到不同自然地带，或是不同海拔的自然风光、壮观的景色，原始的人文风情，开拓探险的兴奋和激情。

图 4-12　景观步行道

步行是非常低碳的出行方式，它具有引导和教育功能、安全功能、文化功能和休息、游憩及运动保健功能。在景区内设置步游径，专门为游客步行游览使用，禁止机动车驶入，实现了环保低碳。同时，用步行道这种方式，可以让游客有序地活动，减少了游客游览的随意性，减少了对生态资源的破坏，保护了生态环境。

步行道可以分为短距离步道、中距离步道和远距离步道。

步行道在规划和设计时要充分贯彻生态低碳的"低污染，低能耗，低排放"原则。步道材质应选择生态材料，具弹性，可吸收冲击力，减小运动伤害。尽量选择当地的天然材料，如木材、石头、竹片土工布等，尽量少用复合材料，避免造成生态污染，也少用混凝土地面（图 4-13）。

步行道在线路选择时应考虑到低碳生

图 4-13　当地石料步行道

图4-14　生态步行道

态学原则，要使用透水性铺装面材，以涵养水质，减少径流及水土流失；顺应现有的地形，尽量减少变更(图4-14)；同时步行道还可以发挥环境教育功能，透过解说形式来增进人们对环境的关怀。

（3）自行车交通。随着经济的发展与社会的进步，我国主导交通工具已由自行车转向机动车，自行车的受关注度也越来越低。但是由于全球变暖、环境污染、能源危机的问题，人们又开始注重自行车的使用。自行车是低能耗、低污染的交通方式，天然符合环境保护和可持续发展的要求，低碳环保便捷，既可以缓解步行的疲劳又可以达到零碳排放的目的。欧美各国都积极开展自行车观光。以英国为例，每年大约有2500万人次的自行车旅游者，每年贡献5亿英镑的旅游收益(高俊，2010)。在国内，乡村旅游地区和海边旅游区也逐渐开展自行车观光旅游，在海南三亚、广西桂林，自行车观光旅游受到了众多旅游者的喜爱。某些森林旅游区的外围地区，也陆续开展了自行车观光旅游。

4.3　森林旅游餐饮要素低碳化

4.3.1　森林旅游餐饮要素组成

4.3.1.1　森林旅游食品的特点

食品是人类赖以生存的物质基础，也反映出一个国家的经济水平和人民生活水平。从未来餐饮业的总体发展前景及全球多元化饮食交流的大趋势看，21世纪餐饮食品正朝着"养、速、朴、清、奇、乐"六个走向发展(王子辉，1999)。而森林旅游的餐饮食品也应顺应这一发展趋势，并能充分体现森林旅游餐饮食品自身的特点。

（1）营养均衡。人们所需要的营养是直接从食物中获得的，食物营养均衡才能保证人体的正常生理需求。中国古代"五谷为养，五果为助，五畜为益，五菜为充"的观念，在客观上符合现代营养学平衡膳食的原则。随着在旅游区停留时间的增加，从事森林旅游的人们普遍希望选择一个有益于自己身心健康的用餐点，同时又能吃到有别于往日常规的食品。因此，旅游区提供的饮食必须以营养均衡为前提条件。根据营养学基本原理，设计既符合人体营养需求又符合人们饮食习惯的食品，不仅能满足旅游者的基本生理需求，增加游兴，而且对餐饮业的发展也有积极的促进作用。

（2）安全卫生。安全卫生是指从食品的生产、销售到最后供餐的整个过程中都能确保食品处于无毒无菌的良好状态。人们在饮食活动中，首先追求食品的质量，森林旅游餐饮业有责任和义务为游人提供符合卫生要求的各类食品，保证旅游者的健康。必须用菜盖等对食品进行卫生保护，以防止生熟交叉污染，确保游人食品的卫生和安全。

（3）地方特色。食品的地方特色是指有别于其他地方的独特风格和口味。我国的的饮食因地理环境、物产资源、气候条件等不同而存在着很大差异，如北京附近的地方形成了京菜，人们普遍喜欢宫廷菜系、蒙满口味；四川地区食品味道以麻辣、家常口味为主，调味多使用辣椒、胡椒、花椒和鲜姜；江南附近形成了淮阳菜，以清淡口味为主。人们去外地旅游就希望能吃到和平常自己食物风格不同的菜肴，带来不同的体验。

森林旅游食品要给旅游者带来新鲜感，就应尽量突出当地的饮食文化和饮食特色，满足旅游者求异的心理需求，使其获得精神上的快慰，引起对生活的美好联想和感情上的共鸣。因而在食品的选择上，也要尽量从当地的食材中选择和制作食品。如鼎湖山的"鼎湖上素"是非常著名的斋菜，斋鸡的味道与真鸡相似；经鼎湖山山泉浸泡过的"鼎湖凤爪"，有一种甘甜寒冽的感觉。桂林的龙胜风情游，就向游人提供当地村民自酿的水酒，以及当地盛产的野菜、蕨菜、野蜂及蜂桶等，很受游人的欢迎。

（4）生态特色。旅游食品除了要体现地方特色，更要充分体现生态特色。这一特色主要表现在两个方面：一是食品的加工制作和原料选择要有利于环境保护，如选择有利于环境的燃料，尽量不使用有污染的燃料；如果清洗餐具的污水是直接排入自然环境中，就不要用洗涤剂或肥皂，以防洗涤剂中含磷化合物污染环境；食品原料应尽量选择无须冷藏、不易腐败的食物；一些游客不能食用的骨头、蔬菜根叶等应尽量在生态旅游区外剔除，以减少生态旅游区中的食品垃圾。二

图 4-15　生态食品

是食品本身要体现"绿色"，旅游者可以通过饮食来感受自然生态之美。森林旅游食品如果在花样选择和经营上都能实现"绿色"，即无污染、营养丰富，旅游者就会在消费过程中充分感觉到旅游的自然性、参与性和趣味性。青海的"高原农业生态旅游"，向

游人提供的就是以无污染的蔬菜水果为代表的绿色食品；坐落在福州旗山森林公园脚下的棋盘寨，餐饮设计中也突出了生态特色，游人可以自己到园中采摘菜类和果品（图4-15），极大地增加了森林旅游的兴趣。

4.3.1.2 森林旅游餐饮设施

森林旅游餐饮设施是指为森林旅游者提供森林旅游食品的场所和设备设施，包括餐厅、酒吧、宴会厅、厨房、仓库等。一般情况下，餐饮企业按照经营面积或就餐座位数分为大型、中型、小型三类。大型餐饮业经营面积在1000m² 以上或就餐座位数在500座以上；中型餐饮业经营面积为300~1000m² 或就餐座位数为150~500座；小型餐饮业经营面积在300m² 以下或就餐座位数在150座以下。

4.3.1.3 森林旅游餐饮服务

森林旅游餐饮服务指的是利用森林餐饮设施向消费者提供森林旅游食品和消费的服务活动。餐饮企业综合性的厨房和餐厅生产服务流程如图4-16。

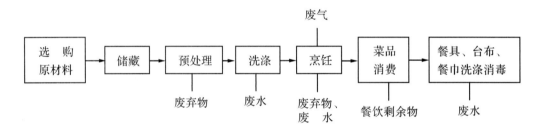

图4-16 厨房和餐厅生产服务流程(饶雪梅，2011)

4.3.2 森林旅游餐饮要素低碳化的必要性

4.3.2.1 应对气候变化，实现节能减排要求

人类处于食物链的最高端，属于杂食类哺乳动物。随着近代人类盲目提升在食物链上的位置，食谱过多偏向动物食品，一方面直接导致了人们普遍的身体超重和肥胖，引发高血压、冠心病、糖尿病等疾病发病率提升；另一方面也使渔肉产业迅速发展。英国东安格利亚大学的生态经济学家苏珊·苏巴克发现，采用围栏饲养或集中饲养，每生产1kg牛肉，会产生14.8kg二氧化碳当量的温室气体。而根据世界粮农组织（FAO）统计数据，2012年世界牛肉总产量为5680万t，那么2012年因牛肉生产全球共排放CO₂约8.4亿t。如果以上排放当量正确的话，这个数据是非常惊人的。牛肉产生温室效应的最主要原因是，吸收CO₂的树木、草地和其他所衍生植物的消失——这些土地改为种植饲料作物，且每年都要收割；其次，是因为动物排泄物和动物消化饲料

时排放的甲烷。除大量的牛肉生产外，全球生产猪肉 9921.2 万 t、生产鸡肉 7582.6 万 t、生产渔肉 4057.9 万 t(世界粮农组织，2009)。世界粮农组织研究报告表明，目前全世界每年产生 360 亿 tCO_2 当量的温室气体中，肉类生产大约占其中的 14%~22%。因此，森林旅游餐饮服务中也可以通过调整旅游者的饮食结构来实现减排，既有利于人的健康，也有助于 CO_2 的减排。

4.3.2.2　应对森林旅游消费者低碳健康饮食习惯

20 世纪 90 年代以来，随着我国经济的快速发展及老百姓收入的逐年提高，"合理营养膳食"日渐成为我国现代消费者关注的焦点。人们从吃得饱已经过渡到要吃得好，即吃得营养健康，对膳食提出了越来越高的要求。尤其是 2003 年以来，在非典型肺炎、禽流感等事件的影响下，我国消费者的营养健康意识不断增强，社会上越来越多的市民成为低碳饮食的践行者。

森林旅游本身就是提倡健康养生的观念，所以这种消费趋势下使得森林景区更有必要提供低碳健康养生的产品和服务。

4.3.2.3　应对森林旅游景区餐饮企业的高碳局面

第一，我国森林旅游餐饮业还存在大量对环境的污染行为。

我国的森林旅游区的餐饮大部分还是沿用传统的餐饮经营方式，食品的加工处理上存在着高碳、高污染的现象，非常不利于森林旅游的可持续发展。主要表现在以下三个方面：①大气污染。煤是餐饮企业供水、供热和供能的主要燃料。锅炉煤灶燃烧煤、煤气和液化气时产生的二氧化硫、二氧化碳、一氧化碳和烟尘，总量虽较工业排放量小，但排放源分散、高度低、距景点近，且多无除尘设施，对生态旅游区内大气的质量造成很大的影响。②水污染。一些餐饮企业缺少有效的污水处理系统，污水随意乱排。由于餐饮污水有机物浓度高，超过了植物对肥分的要求，从而导致部分树木死亡。③垃圾污染。餐饮企业每天产生大量的食品垃圾。垃圾中的固体废弃物有机含量高，处理不当会滋生细菌和病菌；一些餐饮企业不能及时、有效的处理各种食品垃圾，垃圾日积月累逐渐向生态旅游区的深处扩展，污染环境；进入水体的饮食垃圾，不但可能导致沟谷水流的富氧化，而且还会引起有害生物的滋长。

第二，森林旅游餐饮企业不重视绿色低碳食品的提供。由于传统饮食习惯的制约，我国旅游餐饮中很多游客追求高消费，甚至有些人还盲目追求食用一些稀有的、被誉为灵丹妙药的食材。这些生活习惯使得森林旅游餐饮企业为了迎合消费者的需求，获得较大的经济利润而提供高碳的食品，大量宰杀牛羊禽类，甚至是捕杀珍稀动物。

在生产上也不重视低碳绿色食品的开发和使用，甚至误解、曲解，认为产品在种植及养殖加工过程中没有被污染，就自称是绿色食品；更有的错误使用绿色食品标志，还有的恶意假冒、仿冒绿色食品及产品。

第三，餐饮企业在经营管理服务上的高碳行为。餐饮企业的采购人员为节省成本，会采购一些保存时间长的罐装、听装或其他已经加工制作的半成品原料，但仍当新鲜食品销售。有些餐饮企业为图便宜和省事，积压食品而造成原料不新鲜，甚至变质浪费。餐饮企业许多原料的加工与生产还存在安全隐患，这些问题导致森林旅游餐饮非绿色化。还有不科学的组合产品，从而使消费者多购误购，导致铺张浪费；不能及时上菜和灵活服务，最后导致食品的积压浪费。剩菜打包本该是大力提倡的，但一些餐饮服务人员对顾客的打包服务却不屑一顾，更有甚者冷眼相看。即使打包，也应提倡杜绝造成白色污染的发泡塑料饭盒，选用可降解材料来包装食品。但我国从事餐饮行业的服务人员大多没受过相关教育，不能辨别或没有意识到发泡材料带来的环境危害和可降解材料的安全卫生性。服务人员刻板的太过繁琐的服务流程，对口布、杯具毫无选择性地提供，都会加大服务用具的污染和洗涤量，既浪费水资源，又加大了污水的排放量。

4.3.3　森林旅游餐饮低碳化设计和管理

4.3.3.1　森林旅游餐饮低碳化设计原则

根据森林旅游食品的特点和低碳化要求，本书对森林旅游餐饮提出以下四个原则。

(1)生态性原则。森林旅游是一种基于自然的旅游活动，是广义旅游活动的组成部分。森林旅游的核心是保护，因此森林旅游区内的餐饮设计要以生态学为指导，设计中紧紧围绕环境保护和森林旅游的生态性，使餐饮业对自然环境的负面影响降到最小，使饮食活动成为人们加深对自然系统和文化系统更好理解的促进因素，树立旅游者的绿色消费观念。

(2)低碳化原则。低碳化原则是指森林旅游餐饮业在设计和管理中要以低能耗、低污染、低排放为指导原则，做到能源消耗最小化、废弃物生产最小化、环境污染最小化。广义地说，选择能源与技术的最佳组合，将设备的运营时间最小化和使用率最大化，就可以减少对能源的消耗及给环境带来负面影响。在餐饮模式设计中，餐饮建筑物、烹饪设备、照明设备、餐具清洗和食品冷藏等的设计都要高效利用能源，并充分利用可能被浪费的能源，以达到能源最小化。废弃物最小化的基本目标是通过各种对废物处理的办法来减少废物量和其带来的危害，目前广泛采纳的策略包括使用垃圾最少且无毒的产品、氧化处理可以被生物降解的垃圾、对合适的材料进行收集或异地回收、选择使用耐用的消费品、不能生物降解或不能回收利用的物品尽量不使用等。对于森林旅游区餐饮业，在食物和原料购买、食品包装、食物储藏、食品废弃物处理等方面，都要进行严格有效的管理，使废弃物达到最小化，适应可持续发展的要求。

（3）在地化原则。森林旅游区食品以及食品的原材料应该遵循在地化原则，在地化是指食品的原材料尽可能地取自森林旅游区或是周边的区域（图4-17），来缩短供应链距离，以减少食物运送、加工、包装和贮藏等相关活动的能源使用。

图4-17　在地化食材

（4）舒适性原则。旅游者在满足饮食生理需求的同时，对就餐的环境和氛围也有一定要求。在旅游区内，旅游者不仅注意食品的卫生和供餐速度，同时也非常关注餐厅的设计和风格。一个典雅的就餐环境，会给旅游者增加无限的乐趣。因而，餐饮企业在安排饮食活动时，要以满足旅游者舒适用餐为原则，努力去营建一个与景区相协调的就餐环境。从有形因素如装修、服务、设备、设施、配送及形象设计等，到无形因素如餐饮品牌、管理体制、企业标准、信息系统、生产线、文化内涵及经营理念等设计和管理，都要考虑旅游者舒适的问题。

4.3.3.2　森林旅游食品种类设计

（1）绿色食品。绿色食品指遵循可持续发展原则，按照特定的要求进行生产，经专业机构认定，许可使用绿色食品标志 A 级或 AA 级的无污染、安全、优质、营养的食品。绿色食品非常适合森林旅游，因为它是遵循生态经济原则、按照特定的生产方式生产、经专门机构认证许可，使用绿色标志的无污染食品。一是这类食品或产品原料的产地必须符合绿色食品的生态环境标准；二是对生产实行全程质量控制，包括环境监测、原料检测、生产加工操作、产品质量、卫生指标、包装、保鲜、运输、储藏、销售控制等各个环节，整个过程必须符合生产操作规程；三是对食品依法实行统一的标志与管理，使旅游者在购买时有明确的依据。绿色食品的品种很多，可分为果品、蔬菜、饮料、食用油、肉和粮食六大类。中国现已有200 多个企业开发生产出389 种绿色食品，一些城市还建立了绿色食品专营商店和冷藏库。森林旅游食品的选择，应该充分利用这些已有的绿色食品。

（2）黑色食品。近年来，国内外均有人倡导"黑色食品"，主要是指含有黑色素的粮、油、蔬、果和菌类，认为这些食品营养丰富，有补肾、防衰老、保健、益寿、防病治病和乌发美容等功效。黑色食品除含三大营养元素、维生素和微量元素外，还富含黑色素类物质。据研究，黑色素具有清除体内自由基、抗氧化、降血脂、抗肿瘤和美容等保健作用。

常见的黑色食品有黑米、黑麦、紫米、黑豆、黑芝麻、黑木耳、黑香菇、紫菜、海带、黑桑葚、黑枣、黑葡萄、乌梅、乌骨鸡、黑海参、乌鱼、鳖、乌贼等。华盛顿的餐馆近年来流行一种透明乌黑的"午夜面条"；在日本，黑紫菜寿司是日本人的传统食品；在澳大利亚，黑米饭现在很盛行；中国的大小餐厅也备有各种黑色食品，包括黑米饭，黑面包、黑豆腐及各类黑色菜肴，有的餐饮企业甚至靠黑色食品使企业转危为安。森林旅游可以把这些黑色食品作为其食品选择的对象，尤其是当地生产的食品。

（3）山野菜和食用菌类。食用山野菜已经成为人们回归自然、关注健康长寿的新时尚。近年来，随着不断开发利用和科学研究，山野菜已经成为宾馆、饭店和居民餐桌上的美味佳肴。野菜是非人工栽种的可食用的野生植物，多生长在深山幽谷、田野丘陵、林间草原和洼地等环境中。与栽培蔬菜相比，山野菜具有迥然不同的野味和清香，食之别具风味。山野菜营养丰富，不但含有人体必需的糖、脂肪、蛋白质、无机盐、食物纤维等营养物质，个别野菜的蛋白质、胡萝卜素、维生素、核黄素、矿物质和各种氨基酸等的含量要高出蔬菜的几十倍甚至上百倍，尤其是抗生素含量很高，医疗价值显著。中国已记载的山野菜约有600余种，其中常食用的有100多百种。

野生食用菌通常生长在雨量充沛、植被繁茂、人迹罕至的深山老林中，含有丰富的蛋白质、维生素、矿物质、微量元素和各种氨基酸。经科学家分析，经常食用这些菌类，既能调节人体代谢，又可降低血压，还能减少胆固醇含量。对森林旅游者来说，在旅游区中吃无污染的山野菜和食用菌，会具有"回归自然"的感觉。因此，山野菜和食用菌类是值得推荐的森林旅游食品。

（4）其他热门食品：

①食用昆虫。从生态旅游食品的生态特色出发，食用昆虫是一类不容忽视的食品新资源。据调查，全世界可食用昆虫有8000多种。食用昆虫含有人体必需的氨基酸、多种维生素及矿物质，基本上属于绿色食品，生态特色比较强。如蚰蜒是危害果树、蔬菜的的害虫，而美国加州的蒙得利奥人却举办了蚰蜒烹调赛，做出了诸如蚰蜒马丁尼酒、蚰蜒果冻、蚰蜒蛋糕等构思奇特的食品，蚰蜒对果树蔬菜的危害也因此大大减轻。中国目前也已开始对昆虫食品的开发研究，在南京举行的未来食品新资源开发研讨会上，卫生部已正式将蚂蚁列为新资源食品开发项目。

②果皮食品。很多水果的果皮营养价值都很高，如橘皮中富含维生素E，能抗老化，其挥发油还能刺激消化道，增加胃液分泌，促进胃肠蠕动，增加呼吸道黏液分泌

而祛痰。如果森林旅游区能把平常人们常见但忽略的这类食品进行精细加工，一定会吸引森林旅游者。

③粗粮食品。目前中国人的口味正在发生变化，吃腻了大鱼大肉的人们发现五谷杂粮甚是健康。实际上粗杂粮不仅营养丰富，也是偏远生态旅游区中的强项产品，产量丰富且容易获得，价格便宜而少化学污染。这样的餐饮产品一定会适合久居闹市的旅游者的口味，且经济实惠，更能突出食品的地方特色和生态特色。

④花卉食品。有不少可食用的花卉中含有各种微量元素及高效生物活性物质，具有一定的特殊保健功能。国内外餐饮市场上已出现的花卉食品包括各种花酒、花露饮料、花汁饮料、花茶、花粉及花制菜肴。日本东京一家大酒店曾从美国引进食用花卉，并推出花卉大餐，使游客大饱口福。上海的许多饭店也已经经营花卉食品，经济效益十分可观，至今已有 50 多种花卉食谱相继问世。这类食品由于能突出生态特色，因此很值得推荐。

适合于森林旅游的食品还有很多，但本书认为以上述四类食品能够满足森林旅游食品的特点和要求，可以在森林旅游区中使用和经营。不同的旅游区可以结合本地特色和条件，选择使用以上一种或几种食物，以特色来吸引广大森林旅游者。

4.3.3.3　森林旅游餐饮企业实施低碳化生产和管理

4.3.3.3.1　强化低碳管理理念

餐饮企业低碳管理是指餐饮企业将处处考虑环保、体现低碳，对企业生产、经营的各个环节全面绿化，实现节能、减排、安全、环保、增效等目标，使企业实现可持续发展，是追求经济效益和环境效益最优的新型管理方式。

(1)全过程实施低碳规划设计。目前我国餐饮企业能源费用成本约占总成本的 20%~30%，餐饮企业能耗高、能源成本高，与企业建筑地理位置、能源和主建筑的相对位置、基础设备的选用等有很大的关系。因此餐饮企业从建设所用材料及经营所用设备等的采购开始，就应考虑低碳与环保。

(2)全方位实施低碳管理。餐饮企业应建立低碳管理的组织机构，负责企业低碳管理工作。从餐饮企业的设备设施、餐厅环境、采购储存、餐饮生产、餐饮服务以及资源和能源管理包括节水管理、能源管理、环境保护、垃圾管理等过程中，将可持续发展的理念融入其经营管理中，并按照国家标准确定低碳管理体系的评价指标和内容。

(3)全员参与低碳管理。企业员工是企业生产经营的执行者，低碳管理需企业员工全员参与，以贯彻实行低碳管理。企业员工应有较强的环境保护意识，企业形成低碳环保的企业文化和价值观，不断地对员工进行绿色技术、技能和环境保护知识的培训，制定餐饮企业道德规范，以制度约束员工的行为，充分调动员工节约资源和保护环境的积极性，以实现低碳管理和清洁生产目标。

4.3.3.3.2 实施清洁生产

根据《中华人民共和国清洁生产促进法》及《餐饮行业清洁生产技术要求》对餐饮企业提出的清洁生产要求，森林旅游区餐饮企业也应按照这个要求进行清洁生产，保证在经营和管理中低排放、低消耗、低能耗。

(1)清洁生产的定义。《中华人民共和国清洁生产促进法》给出了清洁生产的定义：清洁生产，是指不断采取改进设计、使用清洁的能源和原料、采用先进的工艺技术与设备、改善管理、综合利用等措施，从源头削减污染，提高资源利用效率，减少或者避免生产、服务和产品使用过程中污染物的产生和排放，以减轻或者消除对人类健康和环境的危害。《中华人民共和国清洁生产促进法》第二十三条规定：餐饮、娱乐、宾馆等服务性企业，应当采用节能、节水和其他有利于环境保护的技术和设备，减少使用或者不使用浪费资源、污染环境的消费品。

(2)清洁生产审核。餐饮企业的清洁生产应从实施清洁生产审核开始。通过审核，确定生产过程中不符合清洁生产技术要求之处，分析高耗能、污染物产生的原因，进而提出清洁生产方案，使企业实现"节能、降耗、减污、增效"的清洁生产目标。国家清洁生产中心开发了我国的清洁生产审核程序，包括筹划与组织、预评估、评估、方案产生和筛选、可行性分析、方案实施、持续清洁生产七个环节。针对餐饮企业经营中资源浪费大、能源消耗高等问题，在清洁生产审核过程中应将提高资源、能源的利用效率以减少污染物的产生作为重点。

(3)清洁生产技术要求：

①生产设备要求。生产设备要求主要指供配电系统、制冷设备、消防设备、照明系统、炉灶设备等五方面的要求。供配电系统要求变压器负载率要大于30%，功率大于0.9；制冷设备应采用环保型设备，如环保型冰箱、空调，大型餐饮企业使用溴化锂吸收式冷水机组；消防器材必须使用清洁灭火剂，禁止使用哈龙灭火剂；照明系统要求采用高效节能灯，照明标准值和照明功率密度符合国家标准；灶炉燃烧器要节能、环保。

②能源与资源要求。主要是能源使用类别、原辅材料的选用、一次性餐具使用率、单位餐次能耗、单位餐次水耗等五方面。餐饮企业清洁生产必须使用燃气、电等清洁能源；原辅材料主要选用绿色食品和安全食品，不用野生保护动物做原料；饮用水符合国家标准要求；使用无磷洗涤剂，使用无毒无害的烟道清洗剂；不使用不可降解的一次性餐具、木制一次性筷子、一次性台布和一次性餐巾；洗涤剂必须使用环保

的无磷洗衣粉。

③污染物产生及处理要求。包括油烟排放浓度、每餐次废水排放量和废弃物综合利用及处理率。油烟的排放控制是餐饮业的重点，餐饮企业应按照《饮食业油烟排放标准》(GWPB5—2000)明确规定净油烟净化设施的去除率在 80% 以上。《饮食业油烟排放标准》(GWPB5—2000)所规定的油烟排放标准是小于 $2mg/m^3$。

④环境管理要求。包括生产过程环境管理、污染控制、相关方环境管理、清洁生产审核、环境管理制度五方面。制定原辅料采购、储存、烹调和餐饮服务阶段有关节能、环保和降耗的规章制度并有效实施；控制油烟排放是餐饮业废气处理的重点，安装油烟净化设备是行之有效的手段，通过净化，有效去除油雾，最大限度地减少油烟向空气中的排放，建设污水处理系统和中水回用系统，污水处理达标后才能排放；餐饮企业应力求从源头上减少餐饮垃圾的产生量，按相关环境标准对产生的垃圾进行分类处理；建立采购人员与供应商监控体系，有针对相关方的污染控制程序并有效实施；按规定开展清洁生产审核，开展清洁生产，并达到节能、降耗、减污、增效的效果；针对餐饮业存在的环境安全隐患，制定突发环境事件应急响应及救援预案。

4.3.3.4 实行森林旅游区食品在地化配销策略

配销活动是指包括促使食品实体移动与提高附加价值而采取的所有活动，其范畴包含由农场到加工厂，由加工厂到批发/零售的阶段。森林旅游区食品以及食品的原材料应该遵循在地化原则，食品的原材料尽可能地取自森林旅游区或是周边的区域，降低食品的运输和配送环节，从而降低碳排放量，不仅符合减排需要，而且有利于森林旅游区周边地区农业经济的发展，使得当地农户受益，有利于森林旅游的可持续发展。

近年来提出在地化的食物配销制度。"在地化"，即减少生产者与消费者间的食物旅程距离。所称的"旅程距离"可直接以空间形式的"公里"来衡量；也可以用产品形态的食品加值形式数目来看，如：减少加工、包装、贮藏。

森林旅游食物在地化的目标是森林旅游景区在食物原材料的选择上尽可能选用离景区邻近的生产区域，来缩短供应链距离，以减少食物运送、加工、包装和贮藏等相关活动的能源使用，以及温室气体排放。一般而言，在地食物生产会有环境优势，但仍取决于食物类型、食物是如何生产、加工、包装与贮藏(李皇照，2010)。例如：英国消费者如果选择购买新西兰采用嵌入式低耗能生产的羊肉对环境的影响会比选购英国在地生产的羊肉要低。当然，配送还要考虑食物运送里程(transport – food miles)，如果景区餐饮企业购买原材料所使用汽车产生的温室气体排放超过生产地和配销阶段的运输排放量，以及如果要购买某些在地的食物需要额外的汽车旅程，那么可能会得不偿失。

这种在地化农产品生产与销售方式，对环境的利益包括：减少废弃物和包装；减少食物的旅程距离；提供机会接触更多可持续生产的食物。在美国、日本等地进行的"农夫市集和小区支持农业"就是在地化的一种方式。农夫市集（farmers' markets）和小区支持农业（commu－nity supported agriculture，CSA）计划的提出，主要目的在于：重新建构生产者和消费者的连结关系；提供一种新的运销渠道，以提高生产者销售农产品的分得份额；以及增加消费者获得新鲜和多样化农产品的管道（李皇照，2010）。这种方式在这些国家已经逐渐普遍并受到消费者欢迎。森林旅游景区和周围的农场形成一种合作关系，农场按景区的标准来生产相应的农作物和家禽类，农场的产品优先供应给景区，使得景区既可以有本地的绿色食品，又可以降低食品的配送环节，达到低碳的效果；也能降低企业的成本，有利于提高企业竞争力；对于景区周边的社区而言，也可以从森林旅游中得到收益。

4.3.4   低碳经济下我国绿色餐饮发展的建议

4.3.4.1   制定相关政策制度，支持绿色餐饮发展

国家、地方政府要借鉴国外的先进经验，经过充分调研，出台相应的政策和制度，在财政政策、税收政策、金融政策和市场调节政策等方面支持绿色餐饮，资金上向绿色餐饮、绿色食品倾斜。建立健全各个层面的法律法规，特别在食品安全保障的各方面要有法可依、有法必依。规范统计体系，衡量企业的低碳行为。行业协会要搭建政府与餐饮企业之间沟通的桥梁，促进企业之间的沟通协调，为政府制定政策提供建议，拟定绿色餐饮的实施细则，引导、帮助、支持企业绿色餐饮的举措。另外还要加大对绿色食品的研发。

4.3.4.2   倡导低碳生活方式，形成低碳式的绿色餐饮消费

我们传统的饮食中有着很多不良的习惯，如讲排场、饮食消费大手大脚、餐桌上铺张浪费的行为；饮食习惯上喜欢高碳饮食，如大量食用鱼肉、海鲜等高碳食品。很多森林旅游消费者在旅游活动中常常会出现这样的行为。同时也有些消费者的营养健康意识不断增强，越来越多的森林旅游者成为低碳饮食的践行者，饮食也从关注"低脂""低盐""低糖"向"低碳"发展。因而更要加强宣传教育，让更多的人通过森林旅游活动的低碳行为促进对餐饮消费的低碳支持，形成低碳的绿色餐饮消费。而森林旅游作为低碳的旅游行为，就更要求森林旅游者自觉地改变不良的饮食习惯和行为，为环境保护做出贡献。例如：改变饮食习惯，适量点菜，鼓励打包。提倡森林旅游者进行符合季节的食物消费，鼓励游客选用绿色健康的食品。

4.3.4.3　提高餐饮企业人员素质，树立低碳餐饮管理理念

　　人力资源是企业的核心竞争力，是绿色餐饮的实践者。要加强高级管理人才和高技能人才的培养，提高一线员工的基本素质。全国范围推广餐饮业职业经理人制度，根据商务部颁发的《餐饮业职业经理人国家行业标准》，加快推动管理队伍的专业化发展；大力发展高等职业教育，培养一批技能型、有知识、能创新的餐饮业后备力量；利用社会资源、结合企业能力，对一线岗位的员工进行低碳理念培训，培训形式可以采取课堂宣讲和实际演练相结合、教师讲授与员工讨论相结合，培训内容要结合时事政策和酒店实际、要结合经验传授和创新思维。在高层管理者、部门管理者和一线员工三个层面充分树立绿色餐饮理念，并使之落实到各自的工作中。高层管理者应充分汲取国内外餐饮业先进经验，将绿色餐饮理念落实到企业的软硬件建设、制度管理、技术创新等方面；部门管理者应成为践行低碳的表率，正确认识当前餐饮业存在的非绿色问题，以节约能源、降低消耗和绿色采购、绿色营销、绿色服务等为抓手，推动绿色餐饮建设；员工应注重律己，改变不良的工作习惯，成为绿色餐饮建设的中坚力量。

4.3.4.4　创新餐饮企业服务方式，提供低碳服务

　　餐饮行业提供低碳服务的具体措施和手段：餐饮行业也应主动改变服务方向，主动选用绿色食品、低碳食品，鼓励森林旅游者消费当地食品、当季食品，鼓励适量饮食、适量点菜，推行分餐制，提供低碳营养菜谱，拒绝制作出售野生动物及其制品，杜绝过度包装，减量使用一次性餐具。比如菜谱，每种菜肴应当设大、中、小盘三级，顾客可以按人数多少选定菜量。餐饮行业还应加强就餐服务导向，主动向客人介绍菜品特色、质量和数量，推荐合理配置的菜单，在显眼位置张贴"请勿浪费"的警示标语以提醒就餐者。饭店可以采取一些"奖励节约"的新措施，饭菜打包带走，就能获得打折优惠。服务员在顾客点菜时，可以提醒顾客适量、适度；酒店也可以对饭菜按量推出大小盘，引导顾客适量点菜，够吃正好，杜绝餐饮浪费。对于打包服务，餐馆更是要做好文章，为顾客考虑到怎么打包更能保证食物的新鲜和卫生。一方面可以提倡顾客节约，同时也能为饭店的废物处理节省一部分费用，给自己"饭店"的荣誉加分。

　　餐厅可以淡化传统的点菜方式，推广应用无纸化的电子菜谱和网上订餐。电子菜谱可以及时更新菜肴品种、价格等信息，免去了加印、重新制作菜谱所造成的浪费和损失。网上订餐则可减少顾客等候和占用餐位时间，提高了餐厅资源的利用率。

第5章   森林旅游主体性要素低碳化

5.1   森林旅游游览要素低碳化

5.1.1   森林旅游游览要素组成

森林旅游游览要素可以是森林旅游活动的对象物，也可指森林旅游活动得以开展的媒介、条件和手段。本章所称的森林旅游要素是指后一种，即指森林旅游游览供应方为满足森林旅游者游览需要而提供的各种物质条件和服务的总和。它包括森林旅游产品及其载体、森林旅游景区规划与建设、森林旅游景区经营与管理等。

5.1.1.1   森林旅游游览产品

森林旅游游览产品是为满足森林旅游者的不同需求，以森林公园、自然保护区、森林类风景名胜区、森林浴场、森林野营地等为主体，根据所拥有的自然、人文、生态旅游资源的具体情况而开发出的各种类型的游览产品。

森林旅游游览产品可以根据不同的划分标志而进行不同的分类。根据森林资源特点可分为自然景观资源游览产品（如地貌山景、溪谷水瀑、天象、动植物等），人文景观资源游览产品（如文物古迹、寺庙、民俗地域文化等），生态环境资源游览产品（如环境、负离子、植物精气等）。根据森林旅游者的需求可分为森林观光型产品、森林度假型产品、森林旅游专项型产品（如森林探险、森林科考、森林养生、森林文化、森林疗养、森林野营等）。根据经济资源将森林旅游游览产品分为资源密集型旅游产品，包括自然观赏型旅游产品（原始森林景观观赏、气象景观观赏、山岳景观观赏、河段景观观赏、喷泉景观观赏），文化景观型旅游产品（民族风情观赏、文化古迹观赏等），漂流，滑雪等；资本密集型旅游产品，包括大型野生动物观赏、高尔夫球运动、滑草等；劳动密集型旅游产品，包括民间艺术表演、茶艺表演、科普讲座活动等。

森林旅游游览产品也可以是具体森林旅游景区的线路产品，以森林旅游资源为依托，通过游步道相连接，形成具有某一主题的线路产品，如珍稀植物园、热带植物园等。不管是大的类型性的游览产品，还是具体性有指向的景区产品，它们在形成时都必须通过科学的规划、设计与开发。

5.1.1.2　森林旅游景区规划与建设

森林旅游景区是森林旅游经营活动的基地，向森林旅游者提供游览、欣赏的风景。森林旅游景区的类型丰富，包括自然保护区、森林公园、风景名胜区及其他以森林旅游资源为载体的景区。自然保护区指对有代表性的自然生态系统、珍稀濒危野生动植物物种的天然集中分布区，有特殊意义的自然遗迹等保护对象所在的陆地、陆地水体或海域，依法划出一定面积予以特殊保护和管理的区域。森林公园是指森林景观优美，自然景观和人文景物集中，具有一定规模，可供人们游览、休息或进行科学、文化、教育活动的场所。森林公园分为三级：国家级森林公园，省级森林公园，市、县级森林公园。风景名胜区是经政府审定命名的风景名胜资源集中的地域，其功能是保护生态、生物多样性与环境；发展旅游事业，丰富文化生活；开展科研和文化教育，促进社会进步；通过合理开发，发挥经济效益和社会效益。

森林旅游景区的规划与建设的任务是按照各种景物和环境条件的地理分布、不同景物的类型及特征，运用风景构图的原理和模仿游人的心理，把森林旅游景区进行不同功能区的区划与建设。有的功能区提供休闲度假及食、住、行、购、娱等服务设施；有的功能区则开辟了各种野外活动场所，如垂钓、森林浴、漂流、水上游乐、狩猎、采集、骑马(包括其他动物)、登山、攀岩等功能区；有的还提供疗养服务等。

这些功能区的建设就需要相应的设施来支撑，各种支持设施与各种景物沟通构成景区的整体。森林旅游景区建设的设施包括游览设施(如景点、观景台、游步道、解说系统等设施)，服务设施(如住宿、餐饮、购物、金融服务、医疗服务等设施)，交通道路设施(如交通工具、交通场站、交通线等设施)，基础设施(如供水、电、热、冷设施，排水、排污设施，邮电通讯设施等)，游乐设施，环境保护与安全保护设施(如森林保护设施、环境保护设施、安全保护设施等)及其他设施。

5.1.1.3　森林旅游景区经营与管理

森林旅游景区经营与管理，是为了实现所期望的经营目标，以市场为导向，以森林旅游者为对象，对森林旅游景区经济活动进行经营决策和实施管理的总称。森林旅游景区是以保护为主经营与管理，以公共资源为依托的。景区的目标具有多重性，景区资源的社会文化与环境价值往往超过经济价值，景区资源具有不可再生性。但不同类别森林旅游景区的经营管理模式是不同的(表5-1)。

表 5-1   森林旅游景区的经营管理模式

经营管理模式	政府主导型	中间型	市场主导型
资源等级	政府垄断性的稀缺资源	垄断竞争性资源	竞争性资源
主要功能	保护与科教功能	科教休闲功能	旅游休闲功能
利益中心	全民中心	地方中心	游客中心
经营管理目标	资源保护为主	保护开发并重	经济开发为主
经营管理性质	事业单位为主	企业管理政府监控	企业管理
资金运作	拨款	经营创收与补贴	经营创收
举例	自然保护区	森林公园	风景名胜区

5.1.2   森林旅游游览要素低碳化的必要性

近年来，森林旅游景区发展异常迅速，但其对环境的负面影响方面尚未引起足够的重视，主要体现在森林旅游景区开发规划盲目无序、旅游景区粗放式运营、游客生态环保意识淡薄等三个方面。

5.1.2.1   旅游景区开发规划盲目无序

很多森林旅游景区出于经济目的，盲目地大兴土木，酒店、商店、游乐场等人造景观，造成了许多不可再生的旅游资源的损害与浪费，人工化、商业化使得森林旅游景区遭受到越来越严重的破坏。旅游景区的开发要注重山水、湖泊、动植物等生态自然资源的合理利用和保护，坚持保护性开发、可持续发展。

5.1.2.2   旅游景区粗放式运营

在低碳经济逐渐成为共识的当下，节能减排等环保指标应该成为森林旅游景区低碳发展评定的硬性指标。低碳旅游的核心要素是绿色、环保和生态，发展低碳旅游必须以维护森林旅游景区的生态环境为根本，转变固有的粗放式经营发展模式。有些森林旅游景区在开发建设初期并未充分重视周围环境，致使游客大量涌入后，出现了严重的环境破坏问题。

5.1.2.3   游客生态环保意识淡薄

近年来，全国森林旅游业迅猛发展，但在取得快速发展的同时，也暴露出不少的生态环境恶化问题。除了旅游景区缺乏科学的规划与合理的管理之外，更深层次的原因就是游客生态文明意识缺失，环保法制观念淡薄。游客在旅游景区内随意丢弃各种饮料袋、包装袋等垃圾废渣，使得景区内废物剧增、生态环境遭到了严重污染和破坏，而处理这些垃圾，需要消耗大量的人力、物力和财力，结果导致不必要的碳排放。

5.1.3 森林旅游游览要素低碳化的模式与途径

5.1.3.1 森林旅游游览要素低碳化的模式

森林旅游游览要素低碳化包含三个参与主体：政府、森林旅游景区和游客，其基本模式可以用图5-1来表示。森林旅游游览要素低碳化模式不同于景区自由发展模式，也不同于政府高度掌控的环境治理模式，而是一种政府、森林旅游景区和游客三者共同参与、相互作用、相互影响的发展模式，这种模式强调政府、森林旅游景区和游客之间形成的三角关系，即政府需要依靠森林旅游景区以及游客之间的共同合作来促进低碳旅游的发展。

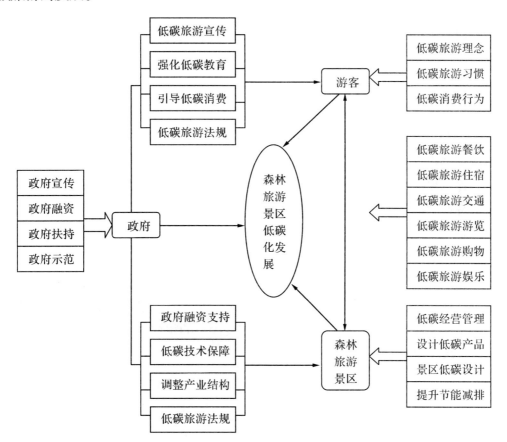

图5-1 森林旅游游览要素低碳化发展模式

注：该图根据戴亦欣的《中国低碳城市发展的必要性和治理模式分析》
（中国人口·资源与环境，2009(13)：12~17)整理而得。

政府、森林旅游景区和游客三者共同为森林旅游景区的低碳化而努力合作，这种合作来源于三方主体本身的功能调整，也来源于各个主体之间相互作用的调整。不仅取决于政府制定相应的政策、建立相应的制度环境，而且需要森林旅游景区自身的努力和探索，更需要每一位游客的低碳理念和行为。

首先，政府在森林旅游游览要素低碳化中起到领导、指导和引导的作用。在考虑森林旅游景区现状的基础之上，政府需要制定森林旅游景区的低碳发展目标，规划与低碳相关的产业，创造相关的融资环境，调整景区的产业结构以及制定相应的低碳旅游法律等多方面的计划。

其次，政府的教育和宣传是游客了解低碳旅游理念的主要渠道，其宣传力度和内容直接影响到游客在森林旅游景区低碳发展上的兴趣和动力。

第三，森林旅游游览要素低碳化离不开森林旅游景区的良好运作。将低碳理念引入自身低碳经营管理、低碳产品设计、节能技术的提高等各个环节，进而提高旅游景区节能减排的能力，提升自身的综合竞争力。

最后，除了政府对游客进行正确引导之外，森林旅游景区也应当合理地指导游客进行低碳消费。

5.1.3.2　森林旅游游览要素低碳化的途径

森林旅游游览要素低碳化是在"减量化、再利用、再循环"等原则的基础上，运用生态学原理与规律指导低碳设计与管理、低碳清洁生产，并要求旅游者低碳消费的景区设计具有低碳教育意义的游人解说中心、民俗展览馆、园林、博物馆等供游客参观游览的场所。

（1）森林旅游景区开发设计低碳化。森林旅游景区应当坚持"绿色、生态、低碳、环保"的理念，本着保护至上的原则，把森林旅游景区的生态设计和森林旅游景区清洁生产、旅游资源综合利用融为一体，吸引游客体验低碳旅游，实现环境保护与旅游景区的共同发展。景区内的各种生物和建筑材料应当立足本土、就地取材。景区内尽可能选用本土植物，人工建筑物均可以使用就近取得的树木、石砖等本土材料（图5-2）。

图5-2　森林旅游休闲设施

（2）森林旅游景区经营管理低碳化。

森林旅游景区应将低碳旅游的理念渗透到景区日常经营管理的细节中，关键是在资源开发利用、景区容量规模、配套设施环保化水平、清洁能源利用以及对游客的宣传教育等方面进行控制要求。

（3）森林旅游景区低碳清洁生产。在森林旅游景区内，实施低碳旅游餐饮、低碳旅游住宿、低碳旅游交通等。

例如，森林景区内部交通工具低碳化，森林旅游景区应禁止机动车入内，其内部可设置专用车道，采用新型环保的交通工具（图5-3），如自行车、电动车、超级电容车和用清洁燃料代替汽油和柴油等化石燃料的清洁能源汽车的低碳或无碳通行方式；此外，景区内部还可使用马、牛、骆驼等动物类交通工具，一些以水上项目为主的景区可以开发游艇、赛艇、竹筏、木筏、羊皮筏、独木舟和潜水装备等低碳水上交通工具等。

再如停车场低碳化，低碳停车场是指所用的材料是环保、绿色、生态的停车场。景区的停车场应尽量铺草皮，广泛使用草坪砖、植草板等无污染生态材，尽可能地增大绿地面积，车位之间可种植树冠较大的乔木（图5-4）。

图5-3　电瓶车

图5-4　生态停车场

5.1.4　国内外森林旅游景区低碳化运行方式比较

以低碳经济为理念，以低能耗、低污染为基础的绿色旅游倡导在旅行中尽量减少碳足迹与碳排放，是环保旅游的深层次表现。旅游景区集旅游吸引物、旅游发展装备、旅游环境体验、旅游消费方式于一体，既是碳排放的制造者，更是碳排放的抵触者，响应低碳经济、倡导低碳旅游应首当其冲、付诸行动，及早朝着低碳化迈进，方可有效实现持续经营、持续发展。

综观国内外森林旅游景区低碳化的规划与行动的实际，不少景区或单一或系统，或具体或理念，都在实践着旅游的低碳化，见表5-2。也有不少组织与协会积极推进旅游景区的低碳化工作。2012年"生态景区中国行"组委会在全国开展的"全国低碳旅游示范区"创建活动吸引了众多知名旅游景区的关注与参与。此次活动主旨是让更多

表5-2　国内旅游景区低碳化运行方式比较

低碳旅游地		低碳化规划与具体行动
国内五大低碳化景区	四川贡嘎山燕子沟景区	国内率先倡导低碳旅游的景区：转变现有景区旅游模式，倡导景区内混合动力汽车、电动车、自行车、徒步等低碳或无碳方式，同时也丰富旅游过程，增加旅游项目。在开发过程中突出天然、方便、舒适的产品属性，提升品牌文化内涵。加强低碳旅游产业化发展，提高运行效率，及时全面引进节能减排技术与工具，降低碳消耗，形成具有特色的低碳旅游产业链条
	峨眉山景区	较早实行低碳化旅游的景区：景区较早就实行了统一乘坐旅游交通大巴的方式；景区还在酒店和农民旅店饭店大力推行节能措施，减少燃煤的使用；并对景区的空气和水源质量、植被实行监控；对酒店和农民旅店饭店的用水用电、污染排放实施不定时监测；着力实现景区与交通运输、宾馆酒店、餐饮娱乐、旅行社的共同协调发展
	张家界	低碳旅游典型景区：取消整个城区的燃油煤灶，升级景区环保车，大力推行"山上游、山下住"的游览政策，提高生态、低碳项目建设比例
	香格里拉	中国低碳旅游象征："低碳"的生态环境是香格里拉的生命线，它的持久美丽离不开"低碳"。大力实施"天保"工程，退耕还林；首个禁止使用塑料带的地区等
	黑龙江大兴安岭林区	全国首个低碳经济示范区：发展低碳旅游业。重点围绕"低碳产业、林业碳汇、低碳能源、低碳生活方式"四大基本战略，努力打造低碳、绿色、生态的品牌价值，积极探索低碳经济发展模式和路径，建设生态自然化、产业低碳化、经济持续化、生活和谐化的具有林区特色的国内低碳经济示范区
典型低碳化行为地	四川郫县	打造碳补偿林：郫县是成都市饮用水水源保护区，作为首个碳补偿林，在这里种植树木不仅可以涵养水源、调节气候，还可以提高更多市民的环境意识
	海南儋州	筹建生态小镇：与中电国际合作筹建低碳生活小镇，以完全低碳无污染的生活环境吸引游客
	云南普洱	发展非木植被：当地提出发展非木植被，深加工开发松香、松节油，同时继续推广打造茶叶品牌形象

的人看到发展低碳旅游的成果，倡导全国各地旅游部门和广大旅游景区积极行动起来，转变旅游发展方式，切实采取低碳行动，促进自然文化资源和生态环境的永续利用。北京圆明园、安徽黄山风景名胜区、江苏无锡影视基地、河南洛阳龙门石窟景区、江苏南京夫子庙景区等 50 家单位和景区，分别获首批全国低碳旅游实验区。由亚太旅游联合会、国际度假联盟组织、中华生态旅游促进会联合授予三亚亚龙湾国家旅游度假区、西双版纳傣族自治州、黑龙江省大兴安岭地区等 32 家单位为首批"中国低碳旅游景区"。

国外的森林旅游景区的低碳化要比国内实行得更早，除了包括新西兰、苏格兰等国家和地区实行的"碳中和"旅游目的地等重要的综合性举措外，具体的森林旅游景区内实行的低碳化行为或措施较为系统。在景区的规划与建设、游客的低碳教育、景区产品的设计与生产、景区的经营与管理等方面都已经形成较为成熟的低碳化模式与方式，特别是在餐饮、交通、住宿等方面大量实行低碳化标准。欧洲、北美、大洋洲和亚洲这四个洲的发达国家在"低碳"尚未被世界舆论关注和上升到全球议题时，就已经意识到"低碳旅游"对经济、社会和生态效益可持续发展的重要性，在对旅游产业发展的引导、管理方面开始引入低碳理念和规范，各行业早已按"低碳"准则行事，在低碳观念、低碳法规、低碳成熟度、低碳普及率等方面都已经是"低碳旅游"的先进国家。

比较国内外关于不同旅游景区的低碳化的具体规划与行动，就不难发现，不管是先行的旅游景区，还是后发的旅游景区，都被低碳的需求不断地推动景区的低碳化。他们在景区的交通工具的选择与改进、景区游览项目的设计、景区的规划与建设、景区的节能减排、低碳技术开发与创新、生态固碳以及包括景区之外的区域统一的低碳化系统运作等方面都有相应的具体行动。这些具体做法都可以为森林旅游景区游览过程要素的低碳化提供借鉴。

5.1.5　森林旅游游览要素低碳化实施建议

景区是旅游者开展旅游活动的主要场所，也是推行低碳旅游的主要场域。为此，森林旅游景区在规划、旅游吸引物的营造、产品策划、设施配置等方面都要贯彻低碳旅游的理念，打造低碳旅游景区。

5.1.5.1　加强森林旅游景区的低碳化建设

景区的规划要具备科学性、前瞻性和环境友好性。在项目的选址和建设中，以维护森林旅游景区的生态效益为标准，避免森林旅游景区的商业化，杜绝对当地的环境造成破坏和污染。以产品引导旅游者开展低碳旅游活动，减少旅游者行为对环境造成的负面影响。还可以通过部分景点的休养生息，修复森林旅游景区的环境质量。对景区内的公路、索道等设计的规划与建设要谨慎处理。合理分流游客，服务设施集中建设。

5.1.5.2　增强森林旅游景区游览要素的低碳吸引力

森林旅游游览要素低碳化的发展必须营造低碳的旅游吸引物。如充分利用森林旅游景区的自然高碳汇体旅游资源；挖掘生态型低碳旅游资源(图5-5)。在项目选择中应充分挖掘和展示地方特色和生态文化，实现森林旅游游览要素旅游吸引物的低碳化。

5.1.5.3　实施森林旅游景区要素设施的低碳技术应用

改良和完善景区内污水处理装置，建设生态厕所，设置生态垃圾桶，对垃圾分类回收、分类运输、分类处理。因地制宜，利用风能、水能、太阳能、沼气能等可再生能源(图5-6)，建设景区低碳旅游的电力供应系统，以达到国务院《关于加快发展旅游业的意见》中对旅游景区节能减排的要求，即五年内A级景区用水用电量降低20%的要求。采用环保节能材料修建与食、住、购、娱相关的设施。

图5-5　森林水生态环境

图5-6　太阳能系统

5.2　森林旅游购物要素低碳化

旅游购物本身就是旅游资源，已成为某些旅游目的地最具吸引力的内容之一。旅游商品是旅游购物资源的核心，也是吸引旅游购物的根源。

5.2.1　森林旅游购物要素组成

森林旅游者在森林旅游区，除了欣赏森林旅游区的美景、陶冶身心外，还可以通过购买森林旅游小商品和纪念品等满足其需要。因此，森林旅游六要素中的购物要素则是森林旅游业的一个领域或要素，指以非营利为目的的游客离开常住地，不管是以购物还是以其他为旅游目的，为了满足其需要而购买、品尝，以及在购买过程中观看、娱乐、欣赏等行为。它包括森林旅游商品的生产与销售、森林旅游购物设施及服务等。

5.2.1.1　森林旅游商品生产与销售

　　森林旅游商品是指森林旅游者在旅游活动过程中购买的物品，也可称作旅游购物品。它与森林旅游者的吃、住、行、娱、购、游等要素有着紧密联系。森林旅游商品的开发是与森林旅游业的繁荣相伴而生的，是森林旅游业的重要组成部分，承载了满足旅游者购物需求和传播旅游地形象的双重价值。森林旅游商品行业的主要类别有：旅游纪念品、旅游工艺品、旅游服饰、旅游食品、旅游营养保健品、旅游活动用品及土特产等用品。旅游纪念品如民族工艺品、特色茶类、特色水果、椰雕、竹艺、根雕、草编、藤艺(图 5-7)、木制工艺品、花卉苗木盆景、树叶标本、树果制品、动物制品、野菜、山珍、坚果、特色服饰及其制品、奇石、民族特色制品等。土特产品如名贵药材、水果、野果、草药、野菜、山珍、佳酿、动植物制品等。

图 5-7　藤艺旅游纪念品

　　森林旅游商品种类繁多，大多旅游商品是来自旅游地自身，即"靠山吃山、靠水吃水"。其生产加工中应遵循纪念性、新颖性、精致性和多价性四大原则，须具有创新性、实用性、纪念性、观赏性、工艺性，包装精美、便于携带。特别是旅游纪念品、旅游土特产要具有明显的地方特色和丰富的文化内涵。根据各地特色和自身资源条件，结合工农业结构调整，大力开发不同档次、特色鲜明的旅游商品。要组织开展协作攻关，加快提高特色旅游商品设计制作水平，有针对性地进行旅游商品设计与开发，突出特色，丰富规格、花色、品种，增强市场竞争力。重点开发具有地域特色、人文特色、纪念性、收藏性和实用性的旅游工艺品、纪念品、旅游食品和土特产品。

　　深入研究森林旅游商品的营销策略，不仅能提高森林旅游商品的营销业绩，提高森林旅游景区的经济效益，而且能提升森林旅游景区的整体形象，增加森林旅游景区的吸引力。当然森林旅游商品的销售问题还涉及许多方面，如旅游商品的价格、包装、广告、售后服务、人员素质及技巧等。

　　加强对旅游商品研发、设计、生产和销售工作的指导，促进设计、生产和销售的有机结合，增强旅游商品的市场竞争力。

5.2.1.2 森林旅游购物设施

森林旅游购物设施是森林旅游购物环境的重要组成部分。加强旅游购物设施建设是优化旅游购物环境的重要举措之一，包括旅游购物中心和游客服务中心购物点，各景点的小型购物设施等，即以商店、摊点等形式出现的购物设施。森林旅游购物商店是指为森林旅游者提供服务或具备旅游购物基本功能的场所，包括森林旅游商品专营商店、专卖店和拥有森林旅游商品柜台的综合商店。而摊点则指森林旅游区内，集体或个人兴办的各类旅游购物服务摊点。

森林旅游购物设施的建设。首先体现在选址上，一般而言森林旅游购物主要集中在森林旅游景区、旅游饭店、进入线路、依托的城市商业中心等。而对于某一个具体的森林旅游购物设施，则可考虑设在景区风景线的必经之路上。其次则表现在森林旅游购物设施的环境布置上，如个性鲜明的名称、独特的造型设计和具有典型色彩的招牌；讲究橱窗布局和商品展示；创造良好的购物环境，特别是创造体验式的购物环境。再次则依赖于森林旅游购物的辅助设施上，现代意义上的旅游购物已经不是单纯的商品买卖，而是已发展成集购物、休闲、餐饮为一体的多功能复合体，如设置洗手间、休息室、停车场等设施；设立邮局方便游客邮寄不便携带的商品；设立银行方便旅游者兑换货币、使用信用卡交易等。第四是以森林旅游商品的陈列为中心，为满足不同层次旅游者的购物需求，可设置不同的购物区和商品陈列点。

5.2.1.3 森林旅游购物服务

森林旅游购物服务是为满足游客的购物需求，向其提供的各种森林旅游商品买卖服务和为顺利完成森林旅游商品买卖而提供的相关服务。游客一般要用很多时间和金钱进行购物，这部分支出属于旅游消费中的弹性消费，可发展空间广阔，可挖掘的经济效益潜力最大。服务质量的优劣直接影响游客的购买意愿和购买数量，进而影响旅游目的地形象的提升，影响旅游目的地的竞争力。

影响森林旅游购物服务质量的评价因素众多，概括起来主要有硬件质量、软件质量和环境质量三个方面。硬件质量主要是指前面所提到的森林旅游购物设施。软件质量取决于服务人员的服务态度、服务意识、服务范围与服务技巧等方面。环境质量则是指森林旅游购物者在购物中影响其购买决策的一切环境因素，包括商店外部环境的优美（商店的选址、周围环境、交通条件及建筑特色等）、内部环境的优美（店内的柜台布置、商品陈列、照明、色彩、音乐、温度等）等，还包括了服务人员进行消费引导与服务所形成的人文环境。

5.2.2　森林旅游购物要素低碳化的必要性

5.2.2.1　森林旅游购物相应设施低碳化的必要

森林旅游购物相应设施低碳化最主要的方面，是销售场地(专卖商店、专业店)、仓储、生产加工用房等的低碳化。从低碳化的定义我们可以看出，低碳化的实质就是通过减少能耗、提高能效，进而达到低碳的目的。而森林旅游购物相应设施是在购物这一具体行业开展的减少能耗、提高能效，进而达到低碳目的的一个过程。通过森林旅游购物相应设施低碳化，减少能耗、提高能效、节约成本，提高森林旅游购物相应设施企业效益，对这些企业来说，走低碳化也有其重要意义。

(1)低碳化是相应企业顺应时代发展的必然选择。随着全球经济一体化，社会生产力的进步，加上资源稀缺性，环境保护、可持续发展、节约成本等成为人类社会发展的核心问题，与之相对应的是在资源有限的情况下，如何节约成本、保护环境、可持续发展。因此，走低碳化、发展低碳经济成为当今世界人类社会发展的必然，也是时代发展的必然选择。

(2)低碳化是相应企业节约成本、提高经济效益的必然要求。在当前情况下，随着市场经济的逐步完善和发展，企业竞争日益激烈，企业之间竞争的焦点不再停留在原材料、工人工资等生产成本的竞争上，而是更深层次的竞争，如实施低碳化、发展低碳经济。通过低碳化减少能耗、提高能效、节约成本，提高企业利润。对企业来说，建设低碳购物设施、提供低碳化的商品、进行低碳化宣传将会节约企业运营成本，增加销售额，从而提高经济效益。

(3)低碳化是相应企业承担社会责任的必然要求。作为一个企业不仅仅是生产提供高质量的产品，还要进行环境保护，促进人类社会可持续发展。通过低碳化，企业不仅能生产、供应高质量的产品，而且还能减少碳排放量，减少能耗，提高能效，进行环境保护，也有承担社会责任的必然要求。

5.2.2.2　森林旅游购物商品低碳化的必要

低碳在森林旅游购物中的体现见表5-3。森林旅游购物消费刺激了森林旅游区的经济发展，但其反过来也给森林旅游区带来负担。对资源的开采、利用、回收不当就会造成资源枯竭和生态危机。

表5-3   低碳在森林旅游购物中的体现

购物环节	低碳体现
商品选择	首选节能环保型商品
商品包装	反对过度包装
携带方式	采用环保购物袋
回收利用	节约成本，降低生活负担

5.2.3   森林旅游购物要素低碳化的模式与途径

5.2.3.1   森林旅游购物要素低碳化的模式

森林旅游购物要素的低碳化不同于一般商业体系的低碳化，其主要的推动力仍然来自政府、景区（包括森林旅游购物设施经营点）与森林旅游消费者的共同作用。这三者共同作用的模式与前述森林旅游游览要素低碳化的模式论述大体相同，可用一个简化的模式说明（图5-8）（祝合良和李晓慧，2011）。但要说明清楚的是，森林旅游购物要素的低碳化路径与森林旅游游览要素低碳化有所不同，如图5-9（窦文章和赵玲玲，2010）。

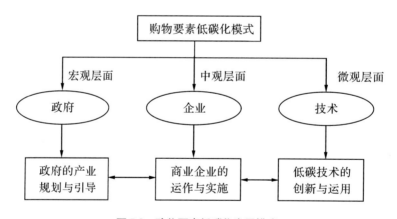

图5-8   购物要素低碳化发展模式

5.2.3.2   森林旅游购物要素低碳化的途径

游客通过购买旅游目的地的土特产和旅游纪念品惠及当地经济，可以减少当地人为了谋生而砍树、采石、挖矿等破坏环境资源的行为。要使森林旅游购物要素低碳化，还可以提供低碳旅游的各种咨询，如配备专业的低碳导游，在讲解美景的同时融入低碳的知识；提供低碳交通工具租借点、提供低碳饮食；标示"低碳营业商店"；不使用一次性餐具，落实垃圾分类回收，不主动提供包装塑料袋，优先使用当地食材；

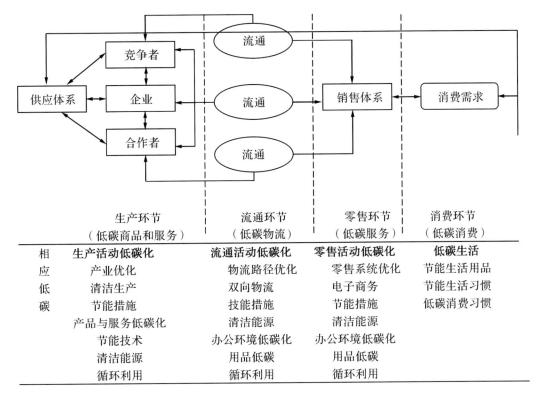

图 5-9　旅游购物要素环节低碳路径

旅游者应尽量自带饮用水，不买或少买瓶装水，抵制过度包装的商品，以达到减少废弃垃圾量和资源浪费量；等等。

从大的方面来看，森林旅游购物要素低碳化主要指两个方面，即森林旅游购物要素企业自身运营的低碳化和商业服务的低碳化。下面就围绕以上两个方面来具体阐述低碳化实现的途径。

(1)设施建设和改造上全面使用环保材料。对设施进行低碳化，引入环保概念，全面使用环保材料，如从商业设施的建设材料到装修材料全部使用环保材料等。

在确保设施和服务不降低标准的前提下，物品尽可能地反复使用，把一次性使用变为多次反复使用或调剂使用。在物品完成其使用功能之后，将其回收，把它重新变成可以利用的资源。

(2)生产销售上实施"碳标志"。生产销售高质量的、安全的、环保的产品，即"绿色产品"，通过提供"绿色产品"增加顾客购买的可能性，促进销售量的增加；另一方面实施"碳标志"，即在商品标签上标明此商品低碳化的量化指标，让顾客安心，提高顾客的购买量和购买率。

游客在旅游景区购买旅游纪念品、旅游商品时应从节能减排的角度考虑，例如拒绝一次性塑料购物袋的使用，拒绝过度包装，选择双重用途的包装或者购买适度包装的产品，与过度包装相比，简单包装可以消耗较少的能量，同时也减少了包装产生的垃圾；应自备购物袋或重复使用塑料袋购物。

(3)推广实施"绿色供应链"。在采购环节严把进货的质量关，采购高质量的、绿色环保的、安全的产品，从生产厂家到销售企业直到消费者实施推广"绿色供应链"，确保从产品的生产到消费高质量、环保、安全。

(4)组织"绿色环保"活动，关注"低碳消费"问题。对消费者来说，转变消费观念，不仅关注产品质量、价格，更关注环保、健康、安全，实施低碳消费。发展地方特色的旅游商品，生产以绿色、生态为导向的土特产品和旅游纪念品，合理利用当地全生态、无污染的原材料，采用绿色、生态标志，让游客在旅游消费过程中，提高自己的生态环保意识。

5.2.4   国内外购物要素低碳化比较

森林旅游购物体系同一般商业体系一样要服从于国家或地区的商业低碳化政策，而商业低碳化政策脱离不开国家或地区的低碳化经济政策。综观各国，大都基于自身的国情制定了符合发展需要的低碳化经济政策，如英国的低碳经济主要体现在绿色能源、绿色生活方式和绿色制造等方面；德国发展低碳经济的重点是发展生态工业；法国的低碳经济政策重点是发展核能和可再生能源；美国选择以开发新能源、发展绿色经济作为此次全球金融危机后重新振兴美国经济的主要动力；巴西的生物燃料技术目前居于世界领先地位，从20世纪70年代开始，巴西政府十分重视对绿色能源的研究；日本注意宣传推广节能减排计划，提出建设低碳社会；韩国提出，通过低碳绿色增长重振韩国经济。这些国家的低碳化经济政策影响了经济产业结构的调整与国际贸易，也带动相关企业中的生产、经营、服务与管理的转变。这些国家的低碳化经济政策的根本就在于发展低碳能源技术，转变经济发展方式，建立低碳经济发展模式和低碳社会消费模式。

窦文章和赵玲玲(2010)在《低碳化与商业模式创新》一文中谈到了几个低碳化的商业模式，并用具体案例来论证模式。如基于"减排"的商业模式，这种模式在于提高企业环境效能；基于"减排＋固碳"的商业模式，这种模式用于改进企业系统的效能，以减少排放；"类生态系统"的农－工－商低碳价值网络体系，是从价值最大化或为顾客提供最多产品组合的角度对低碳价值网络进行帕累托改进。这些模式创新都在一定程度上讨论了商业运作模式如何契合低碳化发展。

　　赵琪(2010)在《国际商贸流通企业低碳化发展经验之比较》一文中用沃尔玛、TESCO 与百安居三家国际商贸流通企业低碳化发展经验及其取得的成果为例来讨论商业企业的低碳化发展。如沃尔玛的建立绿色供应链、打造"低碳超市"、实施"农超对接"等具体的低碳化行动；TESCO 到 2050 年，将成为一家零碳公司并为实现此承诺将采取的新举措：打造"零碳门店"、实施"与人合作"、实现"灌能顾客"；百安居的坚持"可持续木材采购"、实施"节能减排"、致力"绿色家装"等。

　　无论是宏观的低碳化经济政策，还是中观的商业运作模式，甚至是微观的商业企业的低碳化做法，都表现出商业体系在低碳化"浪潮"中的不可或缺性。商业体系，包括森林旅游商业体系，在生产、流通、零售、消费等环节中始终要贯彻低碳化，从清洁生产、节能技术支持、节能措施、循环利用等方面实施低碳化。

5.2.5　森林旅游购物要素低碳化实施建议

5.2.5.1　通过政府引导推动森林旅游购物要素低碳化

　　首先，实质性地将推动森林旅游低碳经济发展纳入政策的框架中。其次，综合运用财政税收政策，引导和支持森林旅游购物要素低碳化发展。现有推进节能减排和低碳产业发展的优惠政策多倾向于工业部门，直接针对商业部门的较少，因此政府应给予流通领域更多的支持，加强相关部门的协调，建立支持商业节能降耗的公共财政体系。运用税收优惠等激励政策，对企业进行设备更新、节能降耗、技术创新等行为给予补偿，鼓励环保型企业发展，推动商业领域实施节能降耗。其三，通过合理的产业规划与布局，引导森林旅游购物要素低碳化发展。如做好森林旅游购物要素商业网点规划，避免商店的无序扩张及由此造成的资源浪费；健全相关标准体系，制定节能标准，加强物流节能降耗、废旧资源循环利用、商业节能技术服务产业化方向发展。

5.2.5.2　构建低碳的森林旅游商品流通体系

　　加强森林旅游自身节能降耗，是实现低碳化发展的首要因素。因此，森林旅游商业企业应树立环保意识，减少资源浪费和环境污染。节能降耗行动的要点是发展现代物流业。发挥好商业对生产的引导作用，促进生产企业开展低碳生产。同时引导消费者崇尚低碳消费，并尽快实现向低碳消费方式转型，有效促进商业节能降耗。

5.2.5.3　通过低碳技术创新实现低碳化目的

　　增加资金投入，推动低碳技术创新，发展能源技术，加强低碳技术合作，从而达到低碳化的目的。

5.3　森林旅游娱乐要素低碳化

旅游娱乐是指旅游者以追求心理愉悦目的，在旅游目的地营业性文化娱乐场所中购买和消费旅游娱乐产品或服务的经济文化行为。

5.3.1　森林旅游娱乐要素组成

一次完整的旅游娱乐活动以旅游者的参与为前提，以旅游娱乐产品或服务（旅游娱乐设施、项目）的生产为依托，以旅游者对旅游娱乐产品或服务的购买和使用为表现形式。森林旅游娱乐活动也是如此，因此森林旅游娱乐要素包括森林旅游娱乐项目、森林旅游娱乐设施及其载体、森林旅游娱乐服务。

5.3.1.1　森林旅游娱乐项目

娱乐是现代旅游中必不可少的活动，森林旅游区通过提供各种娱乐服务，可使森林旅游者在游览观光之余，丰富旅程生活。森林旅游区因地制宜兴办形式多样、丰富多彩的文娱活动项目，开设富有地方和民族特色的游乐场所。

如可以开发：①体育健身类旅游娱乐，主要包括健身中心、游泳馆、溜冰场、保龄球馆、高尔夫球场、网球场、台球馆、羽毛球馆等；②文化交际类旅游娱乐，主要有以观看演出和文化交流为主的演艺中心、影剧院、歌厅以及以参与节目和人际交流为主的酒吧、舞厅、KTV 等；③疗养保健类旅游娱乐，主要有温泉疗养、洗浴、足浴、推拿按摩、氧吧、森林疗养等；④休闲消遣类旅游娱乐，主要包括茶馆、咖啡馆、棋牌室、书吧及各种手工艺作坊等；⑤知识教育类旅游娱乐，主要有各类博物馆、图书馆、科技馆、阅览室、出版社、艺术沙龙以及各种文化学术交流活动等，都是知识教育类旅游娱乐场所的典型代表；⑥大型游乐类旅游娱乐，主要有各类主题公园、大型游乐场、水上游乐园、儿童乐园等；⑦艺术追求类旅游娱乐，主要有演唱会、艺术盛会、综艺节目等；⑧博彩类旅游娱乐，在我国，博彩类旅游娱乐项目前还不具备开发条件；⑨综合类旅游娱乐，主要有度假中心、农家乐、森林人家等（伏淑礼，2008）。

当然，在森林旅游景区内建设娱乐项目，由于基础设施建设涉及范围（如道路、广场等）较大，所以对原有树木的变动相对也较多。因而在项目的选址问题上，要尽可能地避开成林与密林区域，从而尽可能地减少树木的变动和保证移栽树木的成活率，同时也减少对其他区域的更多干扰。

5. 3. 1. 2　森林旅游娱乐设施及其载体

　　旅游娱乐设施及其载体是进行旅游娱乐服务产品开发的物质基础。不同的森林旅游娱乐项目所依托的设施及载体是不相同的，它可以分为文化类、休闲类、体育类、娱乐类旅游娱乐设施。文化类旅游娱乐设施是指有象征性、标志性的建筑或历史文化保护遗址；休闲类旅游娱乐设施包括电影院、游乐场、游艺厅、公园等；体育类旅游娱乐设施是指兼具竞争性与康体性的运动场所；娱乐类旅游娱乐设施包括歌舞厅、KTV 及大型娱乐活动的场所等。对娱乐设施及其载体的运营与管理要根据《娱乐场所管理条例》与《旅游娱乐场所基础设施管理及服务规范》的要求。

5. 3. 1. 3　森林旅游娱乐服务

　　森林旅游娱乐服务即为森林旅游者提供森林旅游娱乐项目过程中所配套的相应服务。服务人员通过各种设施、设备、方法、手段、途径和热情好客的种种表现形式，在为游客提供需要的过程中，创造一种和谐的气氛，产生一种精神放松的心理效应，从而触动游客情感。森林旅游娱乐服务为森林旅游产品中的软件部分，它同森林旅游其他要素一样要依靠服务人员的服务能力所展现。森林旅游娱乐服务质量包括森林旅游服务硬件设施质量、服务人员的服务质量以及森林旅游娱乐服务的环境质量。其中，服务人员的服务质量要通过服务人员的服务规范、服务操作规程、服务态度、服务技巧等方面体现；而环境质量更多指的是旅游者在消费森林旅游娱乐产品时的人文环境质量。

5. 3. 2　森林旅游娱乐要素低碳化的必要性

5. 3. 2. 1　娱乐活动成为旅游要素的重要组成

　　随着旅游者需求的变化与不断深入，人们对森林旅游区的需求已不仅局限于有森林特色的游览，更希望通过森林旅游区的娱乐项目满足其娱乐、休闲的目的。为此，越来越多的森林旅游区开始重视森林旅游娱乐项目的设计与森林旅游娱乐设施的建设。这就需要对森林旅游区与娱乐活动有关的建设、经营与管理有相应的指导原则，而随着低碳经济发展的需要，森林旅游区的娱乐也就必须纳入"低碳"的要求中。

5. 3. 2. 2　森林旅游娱乐的"高碳化"倾向

　　居民生活水平的提高，对娱乐休闲的需求也不断地增加。但是，娱乐休闲的许多项目却是高耗能的，如网吧、KTV、酒吧、迪吧都是高耗能的场所，洗浴、足疗等是高耗水的场所。这些娱乐活动显然是不适合森林旅游景区的娱乐活动要求的。

　　森林旅游是一种低碳化的旅游方式，而当前有相当的森林旅游区在娱乐项目设置与娱乐设施的建设方面却脱离了森林旅游区的原本功能，大量增加了与森林旅游区定位不相符合的娱乐项目与娱乐设施，如大型的高碳化的游艺项目与设施，配置以高大建筑为依托的娱乐性设施等。甚至辟出大量土地新建大型娱乐主题乐园，以土地承包方式出让娱乐项目等。

5.3.3　森林旅游娱乐要素低碳化的模式与途径

5.3.3.1　森林旅游娱乐要素低碳化的模式

森林旅游娱乐要素的低碳化与森林旅游其他要素的低碳化一样，都需要政府、景区（包括森林旅游娱乐经营管理企业）与森林旅游消费者的共同推动。这三者共同作用的模式同前述几个要素的低碳化模式论述大体相同，在此不再赘述。

5.3.3.2　森林旅游娱乐要素低碳化的途径

（1）森林旅游娱乐项目活动方面。森林旅游景区应减设烧烤等高耗能的娱乐项目，而增设一些尊重旅游地本土文化，具有地方性和文化性的娱乐活动和碳汇活动。如趣味性、消遣性的歌舞、戏曲、杂技等富有地方特色和民族特色的演艺、节庆文化民俗活动；地方民间传统手工艺、农业生产、牧业生产、渔猎生产等体验活动；

图5-10　游客在森林旅游景区参加植树活动

参与当地种花、植树等乡村碳汇活动等（图5-10）。

（2）森林旅游娱乐设施及载体方面。森林旅游景区应当优先发展低碳旅游娱乐设施，减少高耗能、高排放的大规模娱乐设施。各种娱乐设施按照其性能、结构和使用方法的不同，对其进行定期维修以延长其寿命。此外，娱乐设施不宜布置在旅游景区内部，以免造成自然环境的破坏，应布置在区外的游人活动集中区附近，例如可以设计具有低碳教育意义的游人解说中心、民俗展览馆、园林、博物馆等供游客参观游览的场所。

在具体的建设方面，娱乐基础设施与娱乐配套设施的建筑风格应与当地的建筑风格和谐统一，同时要突出森林旅游景区

图5-11　森林旅游景区售票房

环境特色和风格。配套服务设施如商亭、座椅、售票亭、围栏等的制作风格上充分突出"林区"特点(图5-11)。娱乐设施的建设不可避免地对区域原有树种进行不同程度的变动，因而在规划过程中就应该考虑重新绿化与美化工作。

(3)森林旅游娱乐服务方面。应尽量引导旅游者形成"低碳生活"的理念，多参与一些具有森林旅游区特色的户外娱乐活动。

5.3.4　国内外森林旅游娱乐要素低碳化具体方式比较

综观国内外关于旅游景区娱乐项目与娱乐设施的低碳化的具体政策与行为，在低碳化的浪潮下，一致性地出现娱乐项目的本土化、简单化，娱乐设施远离景区等相应做法。如美国国家公园采取把保护资源与吸引游客结合起来的开发模式，在公园内只开发少量适合公园资源特色与保护要求的娱乐项目，不建设一般性的娱乐设施，而把大众性娱乐需求让位给主题乐园等。再如台湾森林游乐区发展方针是以体验自然野趣为特色，以无碍生态的活动为主，即使是建设一些必要的旅游设施，也十分重视生态环境的保护，以尽量不破坏自然环境、与自然保持协调为原则。游道、亭子、休息桌椅、售货亭、服务中心等设施的材料主要以木材为主，外观原始、自然、古朴，与周围环境和谐统一。而在我国推行的"全国低碳旅游实验区"的建设中，也规定娱乐消遣设施建设应与核心景区保持一定距离。

5.3.5　森林旅游娱乐要素低碳化实施建议

5.3.5.1　科学、合理地规划森林旅游娱乐发展

森林旅游娱乐要素的低碳化，有赖于科学、合理的规划。即要充分认识森林旅游娱乐要素的低碳化在森林旅游低碳发展中的地位和作用，科学地构建森林旅游娱乐项目基本格局，将森林旅游娱乐要素的低碳化纳入到整体低碳考虑范畴中。要使森林旅游娱乐要素低碳化，森林旅游娱乐产品的开发是关键，森林旅游娱乐产品的开发重点应放在提高低碳化的项目开发上，尽量保持旅游娱乐产品取材的原生态性，物尽其用，防止旅游娱乐活动给社区、街道带来噪音、光污染以及交通影响等，通过倡导"低碳娱乐"来架起通往旅游者心灵的桥梁。

5.3.5.2　加强政府宏观调控，聚集娱乐资源

森林旅游娱乐要素低碳化同样离不开政府的宏观指引。政府通过加强立法，能规范和制约旅游娱乐要素的"高碳化"倾向，通过实施政策扶持，能为"低碳化"娱乐项目建设创建良好的政策制度环境。此外，由于各旅游娱乐企业的盲目单干，使得旅游娱乐要素低碳化工作开拓进展缓慢，应加快推进旅游娱乐产业聚集，使其既能够满足人

们对娱乐的需求，又能在一定程度上避开森林旅游景区。

5.3.5.3   规范管理，加强对娱乐要素低碳化的监督

政府通过相应的政策与法规让森林旅游景区的娱乐活动实行规范管理，制定相应的低碳化的服务规范、明确的服务标准与要求，对游乐场所与设施进行必要的检查、监督、管理，不断改善和提高森林旅游景区娱乐要素的低碳化水平。

第３篇
管　理　篇

第6章　森林旅游低碳化利益相关者研究

6.1　森林旅游利益相关者

6.1.1　利益相关者的内涵

利益相关者理论(stakeholder theory)的基本思想源于 19 世纪，是当时盛行的一种协作或合作的观念(Clark，1984)。但是利益相关者理论的研究真正始于 1963 年，美国斯坦福研究所首次使用了"利益相关者"这个术语，将其定义为"利益相关者是那些失去其支持，企业就无法生存的个体或群体"。该定义是依据某一群体对于企业的生存是否具有重要影响，揭示企业存在的目的并非仅为股东服务，在企业的周围还存在许多影响企业生存的利益群体。Freeman(1984)是把利益相关者理论应用于美国公司治理的先行者，他给出了一个经典的定义："利益相关者是指能够影响该组织目标的实现或受该目标影响的任何组织或个人。"该理论认为任何一个企业的发展都离不开各种利益相关者的投入和参与，企业追求的是利益相关者的整体利益，而不是单个主体利益。企业的利益相关者既应该包含企业的股东、债权人、职工、客户、供应商等内部伙伴，也应该包括政府、地方社区、媒体等外部集团，同时还要包括自然环境、其他生物物种和人类自身后代等等所有直接或者间接受到企业经营活动影响的客体。

6.1.2　森林旅游关键利益相关者的界定

谁是森林旅游利益相关者？根据美国学者 Freeman 对利益相关者的定义，森林旅游管理机构(地方政府)、游客、社区居民、森林旅游景区、新闻媒体、社会大众、相关的社会组织和社会团体，甚至人类后代以及非人类物种等众多个人和群体全都被纳入利益相关者的范畴。如此众多的利益相关者使森林旅游经营管理人员基本无从下手，可操作性很差。虽然说森林旅游的发展离不开所有利益相关者的支持，但不同类型的利益相关者对于森林旅游的影响是不一样的。为保证森林旅游治理效率，应优先选择与森林旅游有密切利害关系的关键利益相关者。借鉴前人的研究成果，结合对众多森林旅游的调查研究，本书认为，政府部门、森林旅游景区、游客、社区居民是森林旅游的关键利益相关者。

6.1.2.1　政府部门

政府部门除了代表狭义上的政府相关部门，从广义上而言，还可以包括有关社会组织（如旅游协会）和政策的权威研究机构（如旅游研究院）等利益团体。政府部门代表国家行使对森林旅游的管理权和监督权，是森林旅游市场的监督者和管理者、旅游政策和规章制度的制定者，也是森林旅游对外宣传的推广者。政府可以通过营造投资环境、制定政策法规、与旅游景区共同对森林旅游地进行市场营销和宣传促销等方式参与到森林旅游活动中。此外，政府还要对其他利益主体的行为进行规范和监督，协调各利益相关者的关系，并在制度框架内保障各主体利益要求的实现。因此，政府部门在森林旅游发展过程中所起的作用不容忽视。

6.1.2.2　森林旅游景区

森林旅游景区既是森林旅游开发的主体，是实现森林旅游资源向旅游产品转化的主要力量，又是森林旅游活动中不可或缺的纽带和桥梁，它们既具备旅游专业优势，又可服务于游客，它们的介入直接改变了森林旅游地的利益主体格局。因此，森林旅游景区在森林旅游发展中扮演着较为重要的角色，使其成为森林旅游的关键利益相关者。

6.1.2.3　游　客

游客是森林旅游活动的主体和基础，森林旅游的一切开发和服务工作都是针对和围绕游客需求而提供的。同时，游客又是森林旅游产品的消费者，只有游客购买了旅游产品，其他利益相关者的利益才能得以实现。所以，必须考虑游客这一关键利益相关者对森林旅游的重要影响。把游客列入关键利益相关者的行列，并不是因为其追求经济利益，游客注重的是获得高质量的旅游体验，关注游客的需求是森林旅游地生存和发展的条件。

6.1.2.4　社区居民

社区居民在森林旅游发展过程中扮演着双重角色。一是社区居民是森林旅游地观赏价值保值和增值的贡献者，社区居民及其劳动产品、生活方式、生活环境是旅游产品的组成部分，从而使其成为旅游产品的生产者和旅游活动的服务者。二是由于森林旅游开发势必会给社区居民的正常生活秩序带来影响，使其成为旅游活动的受害者。此外，社区居民在改善森林生态环境和保护资源等方面的作用也不可忽视。

6.2   森林旅游低碳化与关键利益相关者行为分析

6.2.1   政府与森林旅游低碳化

在过去较长一段时间，我国森林旅游的发展是以牺牲旅游环境为代价的粗放式增长模式，直至现在仍有不少地区未有较大的变化。导致这种现象的缘由首先是由于不少地方政府奉行 GDP 至上的信条，关注点过分集中在经济效益上，鲜有对森林旅游景区(点)的自然生态效益关注评比，更没有对森林旅游区的碳排量进行统计考量。其次是低碳旅游目前还处在起步和试验阶段，还没有一整套完善的推广与考核制度，许多地方政府也只是消极被动地参与考核，而不是积极主动地去推进与深化低碳旅游。因此，整个森林低碳旅游的发展还不够充分，森林低碳旅游消费环境还不够理想。

2009 年国务院出台的《关于加快发展旅游业的意见》，明确提出推进节能环保，倡导低碳旅游方式。2010 年全国旅游工作会议再次将旅游业的节能减排工作细化。2010 年 6 月，经国家环保部批准，中华环保联合会和中国旅游协会旅游景区分会颁布了"全国低碳旅游实验区"评分标准，全国 19 个省(自治区、直辖市)的 50 家景区成为全国首批"低碳旅游实验区"。2010 年 8 月 23 日，第五届中日韩三国旅游部长在杭州签署了《中日韩共倡低碳旅游倡议书》，这再次表明我国政府层面推进低碳旅游发展的决心，越来越多的政府部门开始把低碳作为旅游的新内涵，这为发展森林低碳旅游创造了积极的环境条件。但是，目前政府仍然没有出台与森林旅游低碳化发展要求相关的森林旅游产品质量标准、森林旅游服务标准、森林旅游管理标准、森林旅游的节能减排标准和相应的具体扶持政策，森林旅游低碳化的实施成本依然过高，这些因素将导致森林低碳旅游发展后劲不足。

6.2.2   旅游企业与森林旅游低碳化

6.2.2.1   旅游企业在森林旅游中的低碳行为分析

6.2.2.1.1   低碳旅游意识不强

在 34 家森林旅游景区(企业)对低碳旅游认知的调查中，我们发现只有 26.5% 的旅游企业了解低碳旅游的内涵，有 70.6% 的旅游企业虽然听说过，但并不了解低碳旅游的具体内涵，仅有 20.6% 的旅游企业制定有森林旅游低碳发展规划，这说明我国森林旅游企业对低碳旅游的认识还不够深入。此外，旅游企业选择森林旅游景区发展低碳旅游起关键性作用的主体依次分别是游客、政府、企业、行业协会(图 6-1)，这说明森林旅游景区作为推行低碳旅游的主体意识不强，这些情况导致了森林旅游企业在森林旅游开发过程中出现不低碳行为。例如，森林旅游景区为了迎合游客的高碳消费需求，在开发森林旅游资源时，尚未进行科学论证、评估与规划之前，就盲目地进行开山修路，破土盖楼，缺少对森林生态景观的保护，破坏了森林自然条件下长期形成的稳定落叶和腐殖质层，造成水土流失，使森林旅游区的自然生态环境受到威胁。现实中出现的例子就是云南西双版纳近几十年来出于经济目的而盲目进行旅店、餐馆的建设和扩大旅游区及修建旅游设施，大搞毁林开荒，导致森林面积急剧下降，使原来良好的森林生态环境遭到严重破坏。

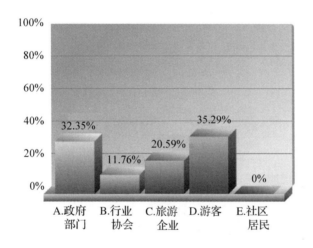

图 6-1　森林旅游景区发展低碳旅游关键性主体

6.2.2.1.2　未实行低碳化运营

调查中我们发现，在旅游餐饮住宿方面，部分森林旅游景区盲目照搬城市星级酒店模式，忽略了森林旅游建筑物在体量、用料、风格上与环境意境的协调性，使用的工程材料多为污染、高耗能的材料，低碳建筑材料使用较少，并且节能减排设施设备落后。虽然有些旅游企业使用了新型清洁能源(图 6-2)，但是清洁能源使用率较低，基本都在 21%~40%(图 6-3)。旅游服务用品多为一次性用品(图 6-4)，没有体现可回收、可再利用的原则。

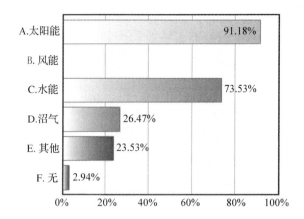

图 6-2　森林旅游景区新型清洁能源使用情况

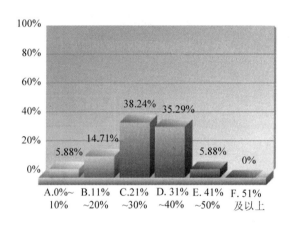

图 6-3　森林旅游景区清洁能源使用率

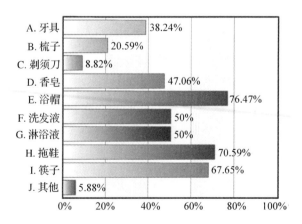

图 6-4　森林旅游景区一次性服务用品使用情况

在旅游交通方面，部分森林旅游景区为了实现短期利益，允许大量外来车辆进入森林旅游区内，大力发展城市化交通工具，较少使用环保旅游观光车、电瓶车、畜力车、人力车等少污染或无污染的交通工具，造成了污染物排放量的巨大增加。

在降低碳排放资金投入方面，旅游企业每年在降低碳排放方面所投入的资金相对较少，该资金占当年总投入资金的比例基本都在20%左右，这导致森林旅游景区降低碳排放所需的资金得不到保障。例如，在调查中，只有12%左右的旅游企业开展"碳中和"活动，建立碳排放监测体系的旅游企业比例仅为38%，污水零排放处理的旅游企业比例不到6%，实施森林生态补偿和修复的旅游企业比例不到30%（图6-5）。

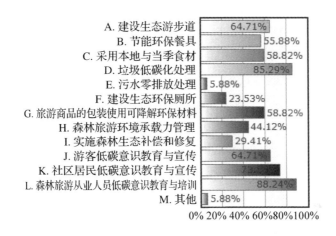

图6-5　森林旅游景区低碳措施情况

造成上述旅游企业不低碳行为的原因，是由于大多数森林旅游景区对低碳旅游消费抱着谨慎和保留心态。一方面是因为担心低碳旅游消费的推广难度大而导致低碳旅游产品销售受到制约；另一方面则是因为低碳旅游产品本身存在开发难度大、成本高、风险大等不利因素，从而阻碍了低碳旅游消费的推广（陈秋华等，2012）。

6.2.2.2　旅游企业与地方政府的低碳化博弈

博弈论是研究相互依赖、相互影响的决策主体的理性决策行为以及这些决策的均衡结果的理论。旅游企业和地方政府双方的行动和策略就可建立一个博弈模型。以下就森林旅游低碳化过程中，旅游企业和地方政府的博弈策略及行为进行分析，为发展森林低碳旅游提供理论依据。

6.2.2.2.1　博弈双方的策略

森林旅游景区作为发展森林低碳旅游的投资者和实践者，是减少森林旅游碳排放的一个重要主体。森林旅游景区为保护森林生态环境，降低碳排放，必然要采取相应措施，如配置低碳旅游设施。然而在推进森林旅游低碳化的过程中，会使旅游企业产生额外的成本，且短期内难见成效。由于森林旅游景区是以追求利润最大化为目标，会最大限度地吸纳游客，使其旅游投资尽快收回。因此，一些森林旅游景区可能为了短期利益而拒绝低碳投资，继续按照粗放式发展模式运营。由于森林旅游景区没有采取低碳措施，致使森林生态环境遭到破坏，政府部门必然会对其进行处罚，旅游企业为了治理环境，必然要付出更高的成本代价。

政府部门作为森林低碳旅游的管理者，希望在一定程度内发展旅游，尽量避免森林生态环境破坏。于是政府部门会进行旅游环境监管，坚决执行国家的政策和法规。但是，一些政府部门则可能为了短期利益，忽视远期效益，可能采取不监管，既不拿出资金扶持低碳旅游项目，也不认真履行管理、监督的职责，放任森林旅游景区自由发展。

森林旅游景区和政府部门面对森林旅游低碳投资这一问题，作为博弈的双方，基于自身效益的考虑，将采取相应的策略以应对对方的策略。如果双方的某一个策略组合构成纳什均衡，则表明在没有强制外力的干扰下，博弈双方不会单方面改变策略。因此，森林旅游景区的策略为：低碳投资和不低碳投资；政府部门的策略为：监管和不监管。

6.2.2.2.2 博弈双方的收益矩阵

若森林旅游景区不进行低碳投资时，则所获得的传统旅游收益为 W_1；若森林旅游景区为改善森林旅游环境，进行低碳投资所产生的成本为 Y，此时所获得的低碳旅游收益为 W_2；为了鼓励森林旅游景区发展低碳旅游，政府部门在监管时会给予旅游企业补贴 μY，μ 为补贴系数 $(0 < \mu < 1)$。

若政府部门为了降低旅游碳排放，决定采取低碳旅游标准监管旅游环境，则需支付一定的监管成本 T。此时，若发现森林旅游景区有环境污染超标的情况，政府部门对其进行处罚所增加的罚金为 Q。不论森林旅游景区是否进行低碳投资，政府部门所获得的效益均为 M。

假设政府部门监管的概率为 α，森林旅游景区低碳投资的概率为 β，政府部门与森林旅游景区的博弈收益矩阵见表6-1。

表6-1 政府部门与森林旅游景区的博弈收益矩阵

		森林旅游景区	
		低碳投资(β)	不低碳投资($1-\beta$)
政府部门	监管(α)	$M - T - \mu Y$；$W_2 - Y + \mu Y$	$M - T + Q$；$W_1 - Q$
	不监管($1-\alpha$)	M；$W_2 - Y$	M；W_1

6.2.2.2.3　博弈均衡结果的经济含义分析

政府部门的期望收益为：

$$Fg(\alpha, \beta) = \alpha[\beta(M - T - \mu Y) + (1 - \beta)(M - T + Q)] + (1 - \alpha)[\beta M + (1 - \beta)M]$$

政府部门监管（即 $\alpha = l$）时，期望收益为：

$$Fg(1, \beta) = \beta(M - T - \mu Y) + (1 - \beta)(M + Q - T)$$

政府部门不监管（即 $\alpha = 0$）时，期望收益为：

$$Fg(0, \beta) = \beta M + (1 - \beta)M$$

令 $Fg(1, \beta) = Fg(0, \beta)$ 可得：

$$\beta^* = (Q - T)/(\mu Y + Q) \tag{6-1}$$

上式博弈均衡结果的经济含义为：森林旅游景区进行低碳投资的概率为 $\beta < \beta^*$，则政府部门的最优选择是进行强化监管；概率为 $\beta > \beta^*$ 时，政府部门可选择不监管；概率为 $\beta = \beta^*$ 时，二者的期望收益相同。

同理可知，森林旅游景区的期望收益为：

$$Fe(\alpha, \beta) = \beta[\alpha(W_2 - Y + \mu Y) + (1 - \alpha)(W_2 - Y)] + (1 - \beta)[\alpha(W_1 - Q) + (1 - \alpha)W_1]$$

令 $Fe(\alpha, 1) = Fe(\alpha, 0)$，可得：

$$\alpha^* = (W_1 - W_2 + Y)/(\mu Y + Q) \tag{6-2}$$

由式(6-1)、式(6-2)两式得出森林旅游景区与政府部门的混合战略纳什均衡结果为：

$$\alpha^* = (W_1 - W_2 + Y)/(\mu Y + Q)$$
$$\beta^* = (Q - T)/(\mu Y + Q)$$

从森林旅游景区与政府部门的博弈均衡结果中可以看出，森林旅游景区与政府部门的策略选择主要取决于森林旅游景区的投资成本 Y、收益 W_1 和 W_2、政府部门的罚金 Q 以及监管成本 T。

由以上分析得出的结论是：

(1) 对于政府部门而言：

① α^* 与 Q 成反比，意味着政府部门有可能为了获取更多的经济收益而放任旅游企业破坏森林生态环境；

② α^* 与 μY 成反比，意味着政府部门有可能因为森林旅游景区采取低碳措施而给予的补贴过高而放松监管；

③ α^* 与 $W_1 - W_2$ 成正比，表明森林旅游景区传统旅游收益与低碳旅游收益的差额愈大，政府部门愈应该加强对森林旅游景区低碳投资的监管；

④ α^* 与 Y 成正比，表明森林旅游景区为推进森林旅游低碳化而增加的投资成本越大，政府部门越需要强化规制，支持森林旅游景区进行低碳投资。

（2）对于森林旅游景区而言：

① β^* 与 Y 成反比，说明森林旅游景区是否进行旅游低碳投资与增加的投资成本密切相关，当投入的成本越大时，森林旅游景区就越不愿意选择低碳投资。如果想让森林旅游景区选择低碳投资的策略，则必须保证森林旅游景区选择低碳投资获得的利润大于不进行低碳投资的利润，在利润的驱使下，森林旅游景区会自然而然地选择低碳投资。

② β^* 与 Q 成正比，说明政府部门对森林旅游景区因破坏森林生态环境的处罚力度越大，森林旅游景区选择投资低碳的概率越高。

③ β^* 与 T 成反比，说明森林旅游景区希望政府部分沿用一般的监管模式以减少投资成本。

从政府部门与森林旅游景区之间的博弈结果可以看出，政府部门不对森林旅游景区的低碳行为进行监管时，森林旅游景区可能会更趋向于不进行低碳投资；而政府部门实施强化监管时，企业会更趋向于进行低碳投资。从博弈中也可以看出，在森林旅游景区进行旅游低碳投资时存在"政府失灵"的现象。说明在森林低碳旅游发展初期，由于政府部门对低碳监管措施及鼓励政策不到位，多数森林旅游景区低碳投资的理念没有完全树立，森林旅游景区的选择将是倾向于投资传统旅游项目。因此，政府部门有责任和义务要为森林旅游景区发展低碳旅游进行制度约束，并出台对森林旅游景区进行低碳投资产生激励的监管政策，否则政府放任森林旅游景区，完全不去干预的后果就是不得不花更大的资金和人力去改善旅游环境。

6.2.3　游客与森林旅游低碳化

6.2.3.1　游客在森林旅游中的低碳行为分析

我国游客长期以来形成的旅游消费习惯往往与低碳相去甚远，旅游消费行为不当引起碳排放的增加。许多游客的低碳旅游消费意识淡薄。在游客看来，旅游是一种奢侈的享受，人们在森林旅游活动中更多地是追求高碳消费。

从游客在森林旅游过程中的行为表现来看，真正能践行低碳的人仅占少数。在选择交通工具时，多数人还是会选择传统的、适合自己的方式，大多不会考虑低碳；在住宿方面，多数人为了安全舒适，往往追求豪华宾馆、饭店，为了卫生健康和方便常常使用一次性餐具、洁具等等。有些游客虽然很希望发展森林低碳旅游，但是他们仍然认为低碳旅游会在一定程度上影响森林旅游体验的质量，这说明游客还是相当注重旅途过程中的舒适程度，选择自己熟悉并习惯了的旅游方式。比如，多数游客在旅途中喜欢吃烧烤、喜欢开私家车等二氧化碳排放量比较高的旅游方式。

此外，游客的生态意识较差，森林旅游区内游客肆意破坏森林生态景观的不文明行为时有发生。为了寻求惊险刺激，有的游客在森林旅游区内进行狩猎、采集、挖石、攀摘等违规活动，有的游客贪图方便走近路践踏草坪、毁损林木，有的游客随意遗弃生活垃圾导致水质污染等等。游客的这些不文明行为使得森林旅游区脆弱的生态环境不堪重负，若不能解决这些负面问题，势必引起恶性循环，由此将必然影响森林旅游的健康持续增长。

从以上可以看出，大多数游客还没有意识到这些行为背后都有着巨大的能源消耗，并产生大量碳排放，游客的这些旅游消费观念的存在很大程度上使得低碳旅游消费方式的推广受到了阻碍（陈秋华等，2012）。

6.2.3.2　游客与旅游企业的低碳化博弈

6.2.3.2.1　博弈双方的策略

游客的旅游目标是追求旅游效用最大化，游客是否购买森林低碳旅游产品对森林旅游景区是否进行低碳投资影响很大。森林旅游景区积极开发森林低碳旅游产品与游客是否主动购买低碳旅游产品之间具有很大的不确定性。因此，森林旅游景区和游客分别就是否开发低碳旅游产品、选择购买低碳旅游产品进行博弈。作为博弈的双方，都会基于自身效益的考虑，各自将采取相应的策略以应对对方的策略，森林旅游景区的策略为：低碳旅游产品和传统旅游产品；游客的策略为：购买和不购买。

6.2.3.2.2　博弈双方的收益矩阵

若森林旅游景区开发传统的森林旅游产品时，所支付的成本为 K_1，销售价格为 J_1，获得的利润为 R_1；若森林旅游景区开发低碳的森林旅游产品时，所支付的成本为 K_2，销售价格为 J_2，获得的利润为 R_2。

若游客购买传统旅游产品时，其所获得的旅游效用为 X_1；若游客购买低碳旅游产品时，其所获得的旅游效用为 X_2。

假设游客购买低碳旅游产品的概率为 ε，旅游企业开发低碳产品的概率为 λ，游客与森林旅游景区的博弈收益矩阵见表6-2。

表6-2　游客与森林旅游景区的博弈收益矩阵

		游客	
不购买 $(1-\varepsilon)$		购买 (ε)	
森林旅游景区	低碳旅游产品 (λ)	R_2；$X_2 - J_2$	$-K_2$；0
	传统旅游产品 $(1-\lambda)$	R_1；$X_1 - J_1$	$-K_1$；0

6.2.3.2.3　博弈均衡结果的经济含义分析

森林旅游景区的期望收益为：

$$Fe(\lambda, \varepsilon) = \lambda[\varepsilon R_2 + (1-\varepsilon)(-K_2)] + (1-\lambda)[\varepsilon R_1 + (1-\varepsilon)(-K_1)]$$

令 $Fe(1, \varepsilon) = Fe(0, \varepsilon)$，可得：

$$\varepsilon^* = (K_2 - K_1)/(R_2 - R_1 + K_2 - K_1) \tag{6-3}$$

同理，游客的期望受益为：

$$Fc(\lambda, \varepsilon) = \varepsilon[\lambda(X_2 - J_2) + (1-\lambda)(X_1 - J_1)] + (1-\varepsilon)[\lambda 0 + (1-\lambda)0]$$

令 $Fc(\lambda, 1) = Fc(\lambda, 0)$，可得：

$$\lambda^* = (X_1 - J_1)/[(X_1 - J_1) - (X_2 - J_2)] \tag{6-4}$$

由式(6-3)、式(6-4)两式得出游客与森林旅游景区的混合战略纳什均衡结果为：

$$\varepsilon^* = (K_2 - K_1)/(R_2 - R_1 + K_2 - K_1)$$

$$\lambda^* = (X_1 - J_1)/[(X_1 - J_1) - (X_2 - J_2)]$$

上述博弈的经济含义分析如下：

(1)对于游客而言：

① ε^* 与 $K_2 - K_1$ 成正比，说明若森林旅游景区投入更多的成本开发高品质的森林低碳旅游产品，游客更趋向于购买低碳旅游产品；

② ε^* 与 $R_2 - R_1$ 成反比，说明若森林旅游景区开发森林低碳旅游产品获得的利润越高，即低碳旅游产品的价格过高，游客仍然会选择传统旅游产品。

(2)对于森林旅游景区而言：

① λ^* 与 $X_2 - J_2$ 成正比，说明游客选择购买森林低碳旅游产品的效用越大，森林旅游景区更趋向于开发低碳旅游产品；

② λ^* 与 $X_1 - J_1$ 成反比，说明当游客觉得选择购买传统旅游产品的效用大时，森林旅游景区更趋向于开发传统旅游产品。

从游客与森林旅游景区之间的博弈可以看出，游客围绕森林旅游产品质量和价格及其带来的效用进行博弈。决定游客购买森林低碳旅游产品的因素通常包括两个方面：一是追求物美价廉的产品，二是追求产品效用的最大化。在此模型中，游客的选择取决于低价格产品带来的效用高，还是低碳产品带来的效用高。只有当高质量的森林低碳旅游产品能够给游客带来效用最大化时，游客才会选择消费低碳旅游产品，森林旅游景区会更趋于开发低碳产品。

总之，森林旅游景区要开发森林低碳旅游产品，除了需要政府的政策支持之外，还需要得到游客的认可。因此，需要培养游客的低碳消费意识和引导游客的低碳消费行为，以促进森林旅游景区进行低碳投资的意愿。

6.2.4 社区居民与森林旅游低碳化

目前，我国农村社区居民的环保和低碳意识普遍不强。随着住在森林旅游区内社区居民的生活水平进一步提高，森林环境的污染和破坏也在进一步加剧。

由于社区的环卫设施缺乏或不完善，社区产生的生活垃圾随意堆放，采取填埋或焚烧的方式自行处理，或直接倾倒在溪流内；生活和厕所废水没有处理直接排放到溪流，对周边森林生态环境造成很大的影响。此外，部分社区居民在森林旅游区内开山炸石、砍树毁林、乱搭乱建的现象很严重，导致水土流失，植被不断减少，森林生态环境遭到破坏，严重影响了森林旅游景观，从而也影响了游客的森林旅游体验质量（陈秋华等，2012）。因此，不论是当地政府，还是森林旅游景区，都亟需对社区居民破坏环境的行为进行宣传教育，引导其保护环境，采取低碳生活方式，为森林旅游低碳化营造良好的环境氛围。

6.3 利益相关者视角下的森林旅游低碳化运作模式构建

6.3.1 森林旅游低碳化运作模式

在森林旅游区推行低碳旅游，将面临诸多障碍，要将低碳观念转变为低碳行为将是一个漫长的过程，需要政府部门、森林旅游景区、游客和社区居民等森林旅游利益相关者的共同努力，他们分别代表了不同的利益群体，对森林低碳旅游都存在不同的需求与贡献。因此，这四者应该作为构建森林旅游低碳化发展模式的主体要素。

在低碳经济发展的趋势下，森林旅游低碳化发展模式（图6-6）应该是一种各利益相关者联合管理、共同参与的合作模式（陈秋华等，2012）。

首先，为实现森林旅游低碳化发展，政府部门应及时出台森林旅游低碳政策法规和规范标准，以对森林旅游景区的低碳行为进行引导、规范和监管；与此同时，政府部门也应出台相应的低碳激励和扶持措施，对践行低碳旅游政策的旅游企业给予一定的税收减免或直接奖励补贴，激发旅游企业开展森林低碳旅游的积极性。此外，政府部门还应培育全民低碳旅游意识，积极营造低碳旅游氛围，倡导游客低碳消费方式，引导社区居民低碳生活方式。

其次，森林旅游景区要响应和践行政府的低碳政策，通过树立低碳旅游经营管理理念、开发低碳旅游吸引物、建设低碳旅游设施，为游客提供低碳旅游产品和低碳服

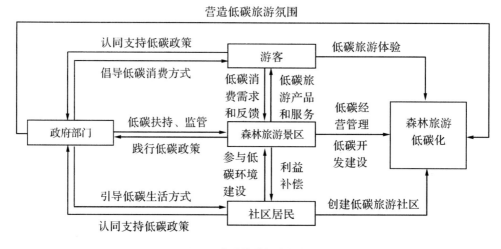

图 6-6　森林旅游低碳化发展模式

务。森林旅游景区除了要接受政府的规范、监管,还要接受游客的消费需求和意见反馈,以便进一步调整产品结构和提高服务质量。

再次,游客参与森林低碳旅游体验活动,是对政府低碳政策的支持与检验,也是对森林旅游景区低碳产品和服务的支持与检验。森林旅游景区实施低碳旅游理念的程度最终要看游客支持低碳旅游的程度,游客最终是否选择低碳旅游产品将通过市场反应,给森林旅游景区带来动力,同时又可以激励政府积极推动森林低碳旅游发展。

最后,社区居民也应响应和支持森林旅游低碳化发展,将低碳观念落实到日常生活中,实施低碳社区行动,创建文明和谐的低碳旅游社区。同时,森林旅游景区要优先吸纳社区居民参与森林旅游环境建设与维护,并对因开展低碳旅游而受影响的社区居民进行合理的利益补偿,才能激励社区居民对森林旅游低碳化发展的支持。

因此,通过构建森林旅游低碳化运作模式,可以有效地调动森林旅游关键利益相关者共同参与,形成低碳旅游发展合力,从而共同推动我国森林旅游业向"低能耗、低污染、低排放"的低碳旅游发展模式转变,实现森林旅游的低碳化运作与可持续发展。

6.3.2　森林旅游低碳化运行机制

森林旅游关键利益相关者都有各自的利益需求,为了保障森林旅游低碳化运作模式得以有效顺利地运转,需要依据各关键利益相关者的特点建立合理有效的森林旅游低碳化运行机制(图 6-7),才能确保各关键利益相关者在谋求自身利益最大化的基础上形成森林低碳旅游发展的合力。

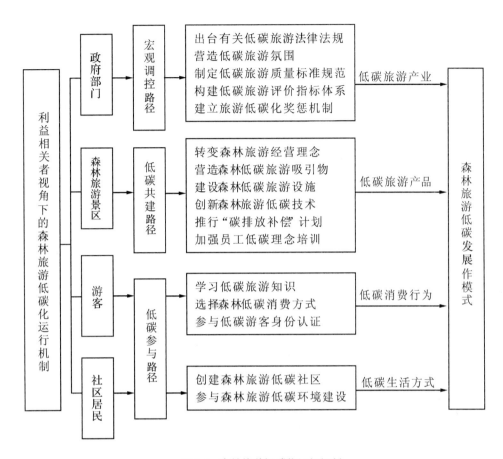

图 6-7　森林旅游低碳化运行机制

6.3.2.1　政府宏观调控保障机制

6.3.2.1.1　出台有关低碳旅游的法律法规

　　国家、地方政府要借鉴国外的先进经验，经过充分调研，出台相应的政策和制度，实质性地推动森林旅游低碳经济发展纳入政策的框架中，综合运用财政政策、税收政策、金融政策和市场调节政策等引导和支持森林旅游低碳化发展，对森林旅游景区进行设备更新、节能降耗、技术创新等行为给予补偿，鼓励环保型企业发展，推动森林旅游景区实施节能降耗。此外，政府部门要加快低碳旅游的立法进程，推动森林旅游景区节能减排措施的实施，为建设低碳型森林旅游景区提供制度性保障。例如，进一步推动低碳经济法、清洁能源法、二氧化碳排放法规、环境影响评价法、环境税收法等发展低碳旅游的相关法律法规的建设。

6.3.2.1.2　营造森林旅游低碳氛围

　　政府部门应制定森林低碳旅游宣传政策，把低碳旅游的实质和意义与森林旅游业可持续发展的关系等正确地传达给各旅游利益相关者，推动森林低碳旅游的健康发展。例如，政府可采用电视、网络、广播、报刊等媒体途径，通过生动活泼的形式进行森林低碳旅游宣传，在每年 5 月 20 日"全球低碳日"组织开展大型森林低碳旅游宣传活动，通过举办森林徒步大会、低碳旅游博览会，定期邀请低碳旅游专家举办森林低碳旅游消费宣讲会，编写便于游客携带和操作的《森林低碳旅游消费手册》，让游客了解低碳旅游消费的内涵，偏好森林低碳旅游产品。通过政府的积极宣传和引导，使游客注意森林旅游过程中的低碳细节，逐渐养成低碳化、低能耗的旅游消费模式和习惯。

6.3.2.1.3　制定森林低碳旅游质量标准规范

政府主管部门应尽快制定森林旅游低碳指导标准，对森林旅游低碳产品、森林旅游低碳服务与森林旅游低碳管理等制定严格标准，使森林旅游开发、经营和管理标准化、规范化，引导旅游企业开发低碳旅游产品、服务项目。制定森林旅游碳排放审核准入机制与标准，对低碳旅游企业与低碳游客开展低碳旅游证书认证和低碳旅游等级评定，以激励旅游企业和游客尽量控制碳排放。例如，在北京八达岭，由中国绿色碳基金营造的"碳汇林"已经投入使用，游客通过购买碳汇林或种树，可以抵消碳排放，购买之后可以获得相应证书。

6.3.2.1.4　构建森林低碳旅游评价指标体系

政府部门应对森林旅游低碳化发展的要求进行量化，将碳排放指标引入指标体系，对各项设施碳排放标准进行细化，形成科学的森林旅游环境影响评价指标体系，作为低碳森林旅游区开发建设的技术要求。因此，政府部门可依据该评价指标，运用行政职能对不合理的森林旅游区规划进行规范与修正，以及对各项设施碳排放量、垃圾处理、低碳交通方式等进行测评和检验，实行"碳排放量"一票否决制，从源头上杜绝不科学规划的实施，以此督促旅游企业走低碳化发展道路。

6.3.2.1.5　建立森林旅游低碳化奖惩机制

我国森林旅游多年来一直存在高消耗、高污染的问题，对于这些问题不是通过简单的税收（碳税）、惩罚手段就能够解决。由于单独的惩罚机制还不能有效地促进森林低碳旅游发展，政府应该更多地利用奖励机制，把奖励转化为正激励。政府可引入森林低碳旅游评价指标体系，对旅游企业进行监督考核，以此作为奖惩旅游企业的直接依据。

首先，政府应加强对旅游企业的低碳行为进行监管。对于那些不采用低碳经济模式发展森林旅游的企业，按照其开发利用资源的程度、污染破坏资源与环境的程度征收碳排放税或收取罚款，用作森林低碳旅游政策的运作资金，迫使其引入低碳经营管理念。此外，还应对严重破坏旅游环境、浪费资源的高碳旅游消费行为予以制止和取缔，抑制游客的高碳旅游消费方式。

其次，政府应加大对旅游企业的低碳行为进行扶持。现有低碳技术的应用成本较高，使旅游企业在投入时重视短期经济效益，忽视长远效益和生态效益，使用低碳技术的积极性不高。在调查中我们得知，如果政府部门出台低碳旅游的优惠政策，有53%的森林旅游景区表示非常愿意参与，47%的森林旅游景区表示比较愿意参与。因此，政府应该出台相应的扶持措施，加大对涉及森林低碳旅游发展的旅游企业的支持性投入和奖励。例如，对于引进低碳技术开发森林低碳旅游产品的森林旅游景区，政府可以按照该森林旅游景区引入低碳技术成本的一定比例进行资金奖励，或提供低息贷款；对于利用太阳能、风能、水能、生物质能、地热能等可再生能源的森林旅游景区给予一定的税收减免或直接补贴。

此外，政府还可以通过建立国家重点实验室、国际合作机构等方式来重点研究建筑节电、节水技术和太阳能、风能、地热能、生物能等新能源，以及资源循环利用和交通工具节能减排技术等方式为森林旅游景区节能减排技术的研发提供平台，森林旅游景区便可以降低引进节能减排技术的成本。通过政府的这些政策扶持，可以提高森林旅游景区使用低碳技术的积极性。

6.3.2.2　森林旅游景区低碳共建路径

6.3.2.2.1　树立低碳旅游经营理念

森林旅游景区是森林旅游开发经营的主角，是发展森林低碳旅游的主要建设者，不断提升经营理念是其顺利发展的必然选择。森林旅游景区要改变旅游是无烟工业、环境投资是负担的观念，应树立低碳旅游经营理念，重视森林旅游区低碳运营体系的构建，强调森林旅游区建设与运营的低消耗、低排放，还要主导森林低碳旅游消费方式，提供森林低碳旅游产品。总而言之，森林旅游景区要将低碳旅游的内涵要求贯穿到旅游产品的开发、经营和销售的全过程，要摒弃过去贪大求全，一味追求便捷、奢华的开发经营思路，从经营理念的转变来引领自身走上森林低碳旅游发展的道路。

6.3.2.2.2　营造森林低碳旅游吸引物

低碳旅游吸引物就是指那些带有明显低碳排放特征并能够吸引游客游览的各种有形的、无形的，物质的、非物质的，自然的、人工的低碳旅游吸引要素。低碳旅游吸引物范围广阔，不仅涵盖很多自然界的低碳景观，例如湿地、海洋、草原、森林等，还应包括人工创造的低碳设施景观，如低碳高科技建筑、低碳产业园示范区，还可以是多样化的低碳旅游活动产品，如运动休闲活动、康体活动、探险活动等（蔡萌等，2010）。旅游企业应积极营造低碳旅游吸引物，加强森林碳汇资源的科学保护与合理利用，为开展森林低碳旅游产品项目建设提供物质基础。旅游企业可以从以下几个方面营造低碳旅游吸引物。

（1）在森林旅游开发过程中，尽量做到"多利用，少开发"，尽量在不改变自然资源原貌的前提下，进行合理开发及布局。例如，可以通过建设国家森林公园、生态旅游区等低碳旅游开发模式，充分挖掘森林等自然高碳汇体资源的旅游价值，提升森林旅游吸引物的质量。

（2）在不适合建设大型低碳旅游吸引物的森林旅游区，可以依据自身资源开发设计相应的低碳旅游项目。低碳旅游项目的设计应突出低碳环保性及游客的参与性，实质是倡导游客去体验最自然朴实的生活方式。例如，森林旅游景区可以因地制宜地开展一些康体类活动，爬山、攀登人工岩壁、模拟野战、帆船、漂流，老少皆宜的森林浴、露营、花卉游等活

图6-8　骑游爱好者聚集雁荡山国家森林公园

动。例如2011年3月，浙江省温州市雁荡山国家森林公园推出的自行车游、徒步游等低碳环保游览方式受到许多游客的欢迎，80多位温州自行车车迷、骑游爱好者聚集雁荡山国家森林公园，享受低碳旅游的乐趣（图6-8）。

（3）可以将低碳技术含量高的产品直接包装成低碳旅游吸引物，如建设森林科普馆（图6-9），将某些新能源、新技术、新产品的知识传达给广大游客。

（4）森林旅游景区可以在森林旅游区内开发设计"碳中性"旅游产品，即森林旅游景区在出售旅游产品的同时附加出售配套服务，要求游客付费，用于环保、低碳项目建设（石培华等，2010）。

图6-9　山东济南森林公园科普馆

目前，我国已经有成功地营造低碳旅游吸引物的案例。如：四川贡嘎山燕子沟景区，其最突出的低碳景观有世界最大的红石滩，上面布满了红色微生物（图6-10）。该低碳景观的形成得益于燕子沟在开发旅游资源的过程中，在保护原有生态环境的前提下，通过采取各种措施，积极营造低碳旅游吸引物，如扩大植树造林面积、减少观光车、扩建游步道等。

图6-10　四川贡嘎山燕子沟景区红石滩

6.3.2.2.3　建设低碳旅游设施

旅游设施是森林旅游发展的载体，各种森林旅游活动的开展都要依托具体的旅游设施，发展低碳旅游设施是实现森林低碳旅游发展方式的重要途径。蔡萌和汪宇明（2010）认为低碳旅游设施是基于低碳技术改造或直接使用低碳技术产品所建造的用以提供旅游接待服务的基础设施和专用设施。低碳旅游设施主要包括住宿、餐饮、游憩、购物、娱乐、交通、环卫、能源供应等低碳设施。

森林旅游景区建设低碳旅游设施应重点关注低碳技术在改造或建造过程中的应用和运营过程中的低碳排放。森林旅游景区建设低碳旅游设施的途径可以从以下几个方面入手。

（1）尽量采取原生态材料建设景区，采用环保节能材料修建低碳旅游住宿、餐饮、游憩、购物、娱乐设施（图6-11）。减少一次性用品的使用，森林旅游景区在确保设施和服务不降低标准的前提下，物品尽可能多次反复使用或调剂使用。饭店在物品完成其使用功能之后，将其回收，把它重新变成可以利用的资源。

（2）在森林旅游区建设生态停车场，使用公共交通、电瓶车、自行车、新型能源车等低碳或无碳的旅游

图6-11　福建泰宁寨下大峡谷景观设施

交通工具，有条件的森林旅游区可结合当地特色设计有地域或民族特色的交通工具

图 6-12　生态厕所

（如马拉车等），以及建设低碳游步道等途径。例如，峨眉山早在 12 年前就统一实行了乘坐交通大巴方式；张家界的核心景区禁止机动车进入，用混合动力巴士和电瓶车代替；九寨沟禁止机动车进入，改以电瓶车和环保大巴代替。

（3）在森林旅游区建设过程中，使用高效循环污水处理装置，建设生态厕所（图 6-12），设置生态垃圾桶，发展低碳旅游环境卫生设施。

（4）利用太阳能、风能、水能、生物能源等低碳或零碳能源来代替森林旅游区的能源类型和能量供应方式，建设新型的低碳旅游能源供应系统。

6.3.2.2.4　创新森林旅游低碳技术

发展森林低碳旅游的核心是低碳技术的普及应用，因此，低碳技术创新是减少碳排放非常关键的措施。为推进森林旅游低碳化提供必要的保障，森林旅游景区要注重节能减排技术创新工作，重点放在降低旅游产品生产过程中的资源、能源消耗上，摒弃和改造传统的高能耗、高污染的旅游设施，最大限度地减少污染物的排放，实现废弃物的再循环与再利用。例如，可以将森林旅游区内的厕所直接连接化粪池，经过高温杀菌、发酵等过程产生沼气，供景区内饭店做饭、照明以及其他日常能源之用，沼气液和沼气渣做景区绿化的肥料；可以循环利用大型的冷藏或空调设备排出的热水，为附近的接待设施、衣物烘干室或温室供热；加快研发高燃效的旅游交通工具，用低碳或零碳能源代替高碳能源；加强对太阳能、风能、水能、生物质能等新型能源的开发。

6.3.2.2.5　推行"旅游碳排放补偿"计划

旅游碳排放补偿计划就是游客根据自身在旅游过程中产生的碳排放量，并计算抵消这些碳排放所需的经济成本，通过亲身参与植树或付款给专门机构帮助植树来进行补偿的计划。森林旅游景区可以对游客进行低碳旅游理念培训，引导游客自愿参与"旅游碳排放补偿"计划，培育其低碳旅游消费方式。

例如，坪林低碳旅游景区设置了台湾第一个"碳减量计数器"作为活动的精神堡垒，在游客每一次低碳之旅活动结束时，导游员会引导游客前去按下活动减碳计数按钮，计算游客所从事的活动与一般旅游模式相比较减少的二氧化碳（黄文胜，2009）。

此外，四川郫县打造出国内第一片碳补偿林，建议休假期间选择私家车或乘坐飞机出行的成都市民，计算出自己的"碳足迹"后通过种植相应的树木来补偿自己的碳排放，以这种方式为保护环境贡献一份力量。此举一出便得到社会各界的响应。

因此，森林旅游景区可以模仿在森林旅游区开辟碳补偿林区域，设置"碳减量计数器"，计算游客所从事的旅游活动产生的碳排放量，然后让游客根据自身产生的碳排放量在碳补偿林区域种植相应的树木作为"碳补偿"。

6.3.2.2.6　加强森林旅游景区员工低碳理念培训

低碳型森林旅游区的建设离不开员工的参与。对员工进行低碳理念的培训和低碳知识的教育，培养他们的低碳意识，可以有效推进森林旅游区的低碳化建设进程。例如，森林旅游景区可以从低碳态度、低碳知识、低碳技能等方面对员工进行培训，从而建立自上而下的低碳旅游理念，使员工了解并掌握关于低碳的基本知识和从事本职工作时减少温室气体排放的必备技能，让员工不仅有低碳的意识，更要有做到低碳的能力。

6.3.2.3　公众低碳参与路径

6.3.2.3.1　发挥游客的基础作用

（1）培育游客低碳意识。低碳旅游基本层次和最深层次都是知识的认识、普及和推广，只有将低碳旅游的知识向公众推广普及，使之得到广泛的认识，并深入人心，继而才可能形成潜意识的旅游行为。目前游客的低碳旅游意识还不高，对低碳旅游的认识不足。因此，要加快低碳旅游理念的普及推广，有计划、有组织地对游客进行教育和培训，增强游客低碳旅游意识，以期望游客在森林旅游过程中自觉降低旅游碳排放量。在宣传低碳旅游知识过程中，要注意通俗易懂、贴近科学，通过各种"寓教于旅"的手段，把旅游活动中的碳排放情况告知游客。游客掌握了这些信息，其行为就可能会改变很多，在旅游过程中的碳排放量也会相应减少。例如，可开展具有影响力的环保宣传公益活动，宣传低碳旅游理念；充分运用互联网、广播电视、报刊杂志等多种媒体，有针对性地向不同消费群体发布及时的森林旅游信息，培育游客的低碳旅游意识。

（2）引导游客低碳消费。低碳旅游消费方式是指游客在旅游活动过程中，采取各种方式和途径来减少个人旅游碳排放。低碳旅游消费方式并不意味着让游客降低旅游的质量，而是让游客在旅游过程中选择既环保、又不影响旅游质量的方式出游。游客作为森林旅游活动的主体，是促进森林旅游低碳化的主要力量，其旅游消费方式对森林旅游中的碳排放具有很大影响。因此，只有实现游客在"吃、住、行、游、购、娱"等方面的低碳消费，才能从根本上实现森林旅游的低碳化。

①低碳住宿方式。游客外出旅游旨在获得身心的放松与享受，与必须入住高星级酒店没有必然联系，卫生舒适、环境幽雅的经济型酒店或是特色旅馆同样能够提供良好的休息条件。因此，游客在选择旅游住宿服务时，应抵制奢华之风，优先选择具有"绿色标志"的旅游酒店或乡村旅馆（图6-13）。住宿时尽量不使用酒店提供的一次性用品，不用每天更换床单被罩，自备牙刷、牙膏和拖鞋等旅游物品。

图6-13　低碳住宿

自觉节约水电，少使用空调，选择淋浴，离开房间时，手动关闭电视机和空调等电器。

②低碳饮食方式。由饮食导致的碳排放是不容忽视的。通过低碳饮食方式调整人们的饮食结构，既有利于人的身体健康，也有助于温室气体的排放。因此，游客在进行餐饮食物选择时，应优先考虑各种绿色食品、有机食品、生态食品，尽量食用本地应季蔬菜水果，不过多地偏向动物食品，拒绝使用一次性餐饮工具。在森林旅游过程中，自带轻便的水壶，饮用白开水，少喝瓶装水；减少随身携带的食品，尽量选用旅游地的食材，选择绿色食品、有机食品。

③低碳交通方式。据有关研究显示，以距离衡量，航空旅游虽然只占17%的旅游行程，却占了54%~75%的旅游碳排放量。而相反，铁路和汽车交通占到所有旅游运输总量的16%，却只占了1%的碳排量。由此可见，不同的交通方式其碳排量有着巨大差别。游客在选择旅游交通方式时，应尽量以徒步、自行车、公共汽车、铁路等相对低碳环保型的旅游交通方式取代自驾车、航空等高碳交通方式。此外，游客还应注重不同区域尺度的交通方式的选择：远程游客优先选择高速铁路；中短途可采用铁路与公共汽车等公共交通；在景区内尽量使用电瓶车、畜力车、人力车等少污染或无污染的交通工具。

④低碳游览方式。游客在选择旅游活动时，尽量选择个人旅游碳足迹相对少的旅游线路。应优先选择低碳型森林旅游产品或项目活动，如徒步、登山、森林浴、攀登人工岩壁、漂流（图6-14）、有氧运动等运动康体低碳旅游体验活动以及森林科考等对森林生态环境影响相对小的旅游活动，抵制对森林生态环境造成破坏或高碳型旅游产品，减少旅游活动的碳排放。

图 6-14　武夷山竹筏漂流

⑤低碳购物方式。在旅游购物方面，游客要优先购买本地原生态的土特产品和具有当地特色的旅游纪念品及包装简单的旅游商品，抵制过度包装、生产设计复杂的旅游商品（王衍用，2010），不参与珍稀动植物物种及其制成品的交易，维护森林生态多样性。

⑥低碳娱乐方式。在旅游娱乐方面，游客可以选择一些低碳娱乐活动，例如，喝茶、读书、观赏林木花卉、森林漫步（图 6-15），还可参加低碳环保娱乐活动等。此外，还可让游客参与社区居民低碳生活体验，深入社区参与农事体验活动，积极参与蔬菜和瓜果种植、家禽养殖等社区生产体验活动、特色美食制作和传统工艺制作等社区低碳生活体验活动等。

（3）参与低碳游客身份认证。除了在森林旅游过程中尽量选择低碳消费方式外，游客还应积极参加森林旅游景区推行的"旅游碳排放补偿"计划，参与低碳游客身份认证。主动计算在森林旅游活动全过程产生的碳排放量，参加低碳游客身份认证体系和旅游"碳中和"活动，抵消出游产生的碳排放，为森林旅游区碳收支平衡做出重要贡献（唐承财等，2011）。

图 6-15　游客森林漫步

6.3.2.3.2　发挥社区居民的参与作用

（1）创建森林旅游低碳社区。低碳社区是建设森林低碳旅游区的有机组成部分，对低碳旅游区的建设将起到示范和推动作用。通过创建低碳森林旅游社区，可以提高社区居民的生活质量，让社区居民切实感受到低碳生活的益处。同时，低碳社区也可成为森林旅游低碳吸引物之一。

因此，社区居民要养成低碳生活方式，提高自身环保节能、低碳减排的概念意识，并将低碳行为融入到日常生活中，营造文明和谐的森林旅游低碳社区环境。社区居民生活低碳化的实现途径可以从以下几方面入手：

①交通工具的选择上可以多采用公共交通、电动车、自行车或步行，既节能减碳又强身健体；

②在能源的使用方面，尽量使用天然气、电能、沼气等清洁能源，扩大太阳能和风能在建筑和生活中的使用范围；

③在家庭住宿方面，鼓励社区建筑采用节能建筑和绿色建筑，建筑材料适时利用当地的木材、竹子等植物资源，房子周边多种绿色植物或搭葡萄棚架或其他绿色藤蔓等，建筑风格质朴简洁，做到与当地社区自然、人文、环境相一致；

④家庭使用节能电气设备，使用具有一级节能标识的电器，使用 LED 照明灯管，减少电器待机状态。

此外，还应加强对低碳旅游社区建设跟踪、指导和监管，把社区人均排污量、二氧化碳排放量、耗氧量、耗能量、耗水量等指标纳入社区目标管理责任和考核体系，加强社区治理力度。

（2）参与森林旅游低碳环境建设。旅游企业要优先吸纳社区居民参与森林旅游低碳环境的建设与维护。例如，安排社区居民参与森林旅游区的建设、旅游接待、森林维护等工作，并引导和支持社区居民经营低碳森林人家、开发低碳旅游商品等。此外，森林旅游景区还应对因开展森林低碳旅游而受影响的社区居民进行合理的利益补偿，才能激励社区居民对森林旅游低碳化发展的支持。

第 7 章 森林旅游低碳化评价指标体系构建研究

7.1 森林旅游低碳化评价指标体系构建意义和原则

7.1.1 森林旅游低碳化评价指标体系构建意义

构建森林旅游低碳化评价指标体系，对森林旅游的低碳化程度进行测度，不仅充实了森林旅游低碳化理论研究，更是将森林旅游低碳化发展理念转化为实际举措的一个重要环节，对政府、森林旅游企业和森林旅游者都有重大的意义。

7.1.1.1 政府层面

首先，为政府提供促进森林旅游低碳化发展的参考策略，使政府从行政、经济、法律和公共服务等方面为森林旅游低碳化的实现提供相应的保障；其次，有利于政府制定森林旅游低碳发展规划和森林旅游低碳化水平的考核标准；再次，有助于考核政府在森林旅游低碳化发展过程中所起的作用，促进政府完善不足，突出政府在森林旅游低碳化发展过程中的主导地位。

7.1.1.2 森林旅游企业层面

首先，为森林旅游企业如何开展低碳化经营与管理提供指导，促进森林旅游企业低碳化经营与管理；其次，有利于森林旅游企业了解自身在低碳化发展过程中的优势和劣势，促进森林旅游企业发挥优势，改进不足，提高森林旅游企业低碳化经营与管理水平；同时，有利于提升森林旅游企业知名度，促进企业低碳环保形象的树立。

7.1.1.3 森林旅游者层面

首先为旅游者了解森林旅游低碳化发展提供相关材料；其次，为旅游者选择森林旅游目的地提供判断依据；再次，有助于森林旅游者培养低碳意识，树立低碳旅游理念，实现低碳旅游消费。

7.1.2　森林旅游低碳化评价指标体系构建原则

7.1.2.1　系统性和层次性

森林旅游低碳化评价指标的选择应与森林旅游业系统相协调，构建的评价指标体系应具有系统性；同时构建的指标体系应具有层次性，层与层之间具有严格的逻辑性，由上至下，层层展开，从目标层到准则层到子准则层再到具体的指标。

7.1.2.2　全面性和代表性

森林旅游业的发展涉及面广，不仅包括"吃""住""行""游""购""娱"旅游六要素，还包括政府对森林旅游业的宏观调控，旅游者在森林旅游中的表现等；森林旅游低碳化评价指标体系的选择应全面地考虑这些因素，反映森林旅游低碳化发展的整体情况。同时，由于森林旅游业涉及的因素多，低碳化指标的选择应突出重点，选择有代表性的指标。

7.1.2.3　科学性和可行性

森林旅游低碳化评价指标的选择应以相关理论研究为基础，根据对森林旅游和低碳经济的研究，选择具有明确经济含义，反映森林旅游低碳化水平的指标；同时，所选取的指标应与森林旅游低碳化发展的实际情况密切联系，指标值在相应条件下可以并容易获取，且整个指标体系计算方便，得出的指标既有明确的经济含义又有实际指导意义。

7.1.2.4　定量为主，定性为辅

森林旅游低碳化评价指标的设计要突出低碳旅游将保护环境的理念转化为具体低碳举措的特点，这些低碳举措直接或间接地减少二氧化碳排放量，且通过现有的技术，大部分举措所减少的碳排放量可计算获得，所以本研究指标的选择应以定量为主，定性为辅，将森林旅游的低碳化发展理念落实到具体的措施中。

7.1.2.5　静态性与动态性

森林旅游低碳化评价指标体系构建应遵循静态性与动态性的原则，静态性要求通过科学的方法确定指标、指标评分参考值和评分标准；动态性指随着经济的发展，科学水平的提高，相应的指标、指标评分参考值和评分标准要与时俱进进行调整。

7.2　旅游低碳化评价相关研究

本书第 1 篇第 1 章中已对国内外低碳旅游理论研究与实践进行分析，此处只针对低碳旅游发展策略和低碳旅游评价指标体系构建两方面进行研究。

7.2.1　低碳旅游发展策略研究

Richard(2007)使用国际旅游流的仿真模型对碳税对跨国旅游的影响进行研究。研究得出航空燃料征收碳税对高排放的长途航班产生较大的影响，对短途航班造成一定影响，而对中等距离的航班造成的影响最小。游客可能依据影响程度而调整出行的方式或调整旅游目的地。汪宇明(2010)、杜丽丽(2010)、张雪松(2011)、郑海燕(2011)、谢桂敏(2011)等学者都提出低碳旅游的发展应从政府、企业和旅游者三个方面着手。杜丽丽(2010)提出中国发展低碳旅游应发挥政府的主导作用、旅游企业的主体作用和旅游者的基础作用，实施"三位一体"策略。谢桂敏(2011)从政府宏观调控保障机制、企业共建机制和公众参与机制三个方面提出低碳旅游运作机制；其中政府宏观调控包括行政手段、法律手段、经济手段和公共服务四方面，企业共建包括节能设计、生态开发、绿色生产、循环运行和科学管理五方面，公众参与包括生活方式、消费方式和思维方式三方面。

除了从宏观层面提出低碳旅游发展的策略外，部分专家通过实证分析，提出具体的对策。刘啸(2010)通过对北京市郊区旅游的实证分析，根据北京市郊区旅游存在的问题，立足低碳旅游的发展要求，在交通、建筑、水电资源、垃圾处理等方面提出了在北京郊区建设低碳旅游村的构想。杜宗斌(2011)以湖州市为例，分析乡村低碳旅游发展的重要性和必要性，探讨发展乡村低碳旅游的一般模式，通过政府——低碳旅游宣传，乡村旅游企业——低碳旅游生产来构建湖州乡村低碳旅游的发展路径，并提出我国发展乡村低碳旅游对策。

从交通、酒店、景区等具体方面研究旅游的低碳化，提出相应对策，是学者们研究的另一方向。Susanne Becken(2003)通过对新西兰旅游交通的研究，得出跨国旅行消耗的能源量是国内旅游的 4 倍，改变旅游者出行方式可以很大程度上降低其能源需求及碳排放量。蔡萌等(2010)提出通过建设生态停车场，使用电瓶车、新型能源车等低碳旅游交通工具，以及建设低碳旅游道路等途径，发展低碳旅游交通设施。杜丽丽(2010)认为旅游交通的低碳化应使用 TOD(transit - oriented development)模式，采用低碳交通方式，重视交通技术节能。陈贵松等(2010)倡导交通低碳化，发展绿色交通，提倡选用无污染或低污染的交通工具。Tzu - Ping Lin(2010)通过对台湾五个国家公园旅游交通碳排放地测定，认为政府部门通过采取价格调整，增加交通负载因子，引导游客从使用私家车出行转向使用公共交通工具出行，以及选择离居住地较近的旅游目的地等积极的管理措施可以有效降低旅游交通的碳排放。

杜丽丽(2010)认为旅游住宿业的低碳化应重视建筑节能、空调节能、照明节能和供水系统节能。李鹏等（2010）构建了酒店住宿产品碳足迹计算模型，并实证于昆明市6家四星级酒店。结果表明：酒店住宿产品碳足迹主要来自运营期，约占整个生命周期的72.71%；来源包括能源消耗、垃圾释放和制冷剂泄露3个方面，其中直接能源消耗约占60.98%；主要影响因素是消耗量和排放系数。明庆忠等（2010）建议提供绿色客房，减少布草换洗次数，维护设施设备，利用自然能源，采用节能降耗设备和技术，循环利用部分设备余热、冷凝水等，回收利用客房垃圾、办公垃圾。蔡萌等（2010）倡导低碳旅游住宿餐饮方式，建议旅游者在选择旅游住宿餐饮服务时，尽量选择带有"绿色标志"的旅游酒店，在选择餐饮食物时，应优先考虑各种绿色、生态食品，不使用一次性餐饮工具。

蔡萌等（2010）建议在旅游景区的建设过程中，使用循环污水处理装置，建设生态厕所，使用生态垃圾桶等方式，发展低碳旅游环境卫生设施；利用太阳能、风能、水能等可更新能源技术，建设新型的低碳旅游能源供应系统；使用低碳建筑，建设低碳旅游住宿、餐饮、购物、娱乐设施，如低碳酒店、低碳商贸建筑。杜丽丽（2010）提出旅游景区的低碳化应营造低碳旅游吸引物，加大利用清洁能源，构建生态GDP景区评价理念，创建循环景区，培育低碳终端消费市场，实现旅游产业低碳化，发展低碳城市大旅游服务业体系，建立低碳技术的旅游对接平台。

各位专家学者从不同的层面和角度提出了发展低碳旅游的对策，为下文指标的选择奠定了良好的基础。

7.2.2 低碳旅游评价指标体系构建研究

目前，已有部分学者对低碳旅游景区、低碳饭店、低碳旅游城市评价指标体系的构建进行研究。谭锦（2010）从景区生态环境—景区旅游设施—景区管理体系—参与者态度四个方面构建了旅游景区低碳评价指标体系。马勇等（2011）从低碳旅游目的地吸引物—低碳旅游目的地设施—低碳旅游目的地管理水平—低碳旅游目的地环境四个方面构建了低碳旅游目的地综合评价指标体系。李晓琴和银元（2012）按照驱动力—状态—响应模型，选取"低碳经济指标、低碳环境指标、低碳运营指标、低碳技术指标、低碳管理指标"构建了低碳旅游景区"经济—环境—运营—技术—管理"的五维综合评价指标体系。魏卫等（2012）从碳减排措施指标、低碳管理指标、低碳引导指标、碳排放指标、碳汇指标和碳源构成指标六个方面构建评价指标体系；研究结果表明，碳减排措施指标、低碳管理指标及碳排放指标是评价饭店低碳化水平的重要因素。李文苗（2011）从基础指标、状态指标和影响指标三个方面构建了低碳旅游城市发展评价指标体系，包括旅游经济指标、生态环境指标、能源消耗指标、碳排放指标、低碳技术指标和低碳政策指标。梁琴(2012)构建了包括城市旅游竞争力、城市低碳化发展水平以及区域环境支持三大系统、31 个三级指标在内的低碳旅游城市评价指标体系,并以青岛市为典型进行实证分析。陈秋华和郑小敏(2013)从政府低碳宣传、保障企业低碳经营与管理、旅游者低碳意识与行为三个方面构建森林旅游低碳化评价指标体系。

　　总体上,目前对低碳旅游指标体系构建的研究不够深入,大部分的研究只限于提出指标体系,指标体系的科学性还有待验证;同时对指标权重的确定、指标评分方法和标准的确定等方面的研究还不足。

7.3　森林旅游低碳化评价指标结构模型与体系确定

7.3.1　森林旅游低碳化评价指标假设与修正

　　发挥森林强大的碳汇功能,利用森林良好的景观和优质的生态环境,结合低碳经济以低能耗、低排放、低污染为基础,以能源利用技术创新、能源管理制度创新和社会经济发展观念转变为核心的特点,借鉴低碳经济、低碳城市、低碳旅游城市、低碳旅游景区、生态旅游景区的评价指标体系,提出森林旅游低碳化评价指标体系的初步假设(表7-1)。

表7-1　森林旅游低碳化评价指标体系初步假设

准则层	子准则层	指标层
森林旅游低碳资源	植物资源	1. 森林覆盖率
		2. 草地覆盖率
	湿地资源	3. 湿地覆盖率
森林旅游低碳经营与管理	低碳制度	4. 低碳旅游发展规划制定与执行情况
		5. 六要素低碳化操作制度制定与执行情况
		6. 环境管理体系制定与实施情况
		7. 碳排放监测、统计和监管体系制定与实施情况
	低碳餐饮	8. 本地生产的食品占有率
		9. 当季食品占有率
		10. 低碳烹饪方法使用率
		11. 节能环保餐具使用率
		12. 低碳建筑材料使用率

（续）

准则层	子准则层	指标层
森林旅游低碳经营与管理	低碳餐饮	13. 低碳设备使用率（烹饪、冷藏和照明设备等）
		14. 清洁能源使用率（餐厅与厨房）
	低碳住宿	15. 绿色住宿占有率
		16. 低碳建筑材料使用率
		17. 低碳建筑技术应用率
		18. 建筑空间结构优化率
		19. 节能设备使用率（节能灯、太阳能热水器等）
		20. 清洁能源使用率（供热、供电）
		21. 余热回收率
		22. "六小件"减少率
	低碳交通	23. 森林旅游区 TOD 模式建设情况
		24. 清洁能源使用率（零排放交通比例）
		25. 公共交通占有率
		26. 低碳交通基础设施利用率
		27. 交通体系结构优化率
		28. 生态停车场占有率
	低碳游览	29. 低碳旅游线路占有率
		30. 低碳游览设施使用率
		31. 节能设备使用率（节能路灯、指示牌、垃圾桶等）
	低碳购物与娱乐	32. 低碳旅游商品占有率
		33. 旅游商品低碳包装占有率
		34. 低碳娱乐设施占有率
	低碳环境	35. 垃圾回收率
		36. 垃圾低碳化处理率
		37. 污水零排放处理率
		38. 再生水回用率
	低碳教育与投入	39. 低碳内容占解说系统的比例
		40. 森林旅游从业人员低碳意识教育与培训情况
		41. 森林旅游低碳投入率
		42. "碳中和"活动成效
		43. ISO14001 认证率

（续）

准则层	子准则层	指标层
森林旅游低碳保障	低碳旅游宣传与引导	44. 低碳旅游宣传情况
		45. 低碳旅游消费倡导力度
	政策与技术保障	46. 低碳旅游政策与法规的制定与执行情况
		47. 低碳技术保障情况
森林旅游低碳效益	低碳意识	48. 低碳旅游知识普及率
		49. 公众对低碳森林旅游方式的认同率
		50. 参与低碳旅游游客比重
	经济效益	51. 碳生产率
		52. 碳排放弹性系数
	环境效益	53. 空气质量达标率
		54. 生物多样性指数
		55. 水质达标率
	社区效益	56. 社区居民占就业人数的比重
		57. 景区周边社区居民旅游经济收入增长率
	满意度	58. 游客满意度
		59. 社区居民满意度

　　研究组在 2013 年 3 月向森林旅游学、旅游经济学、生态旅游学、低碳经济学、企业管理学等相关领域的 33 位专家学者前后进行了三轮的专家意见征询，专家对森林旅游低碳化评价指标的初步假设给予一定的肯定，同时也提出了宝贵的意见，具体包括以下几个内容。

　　第一，指标体系存在层次不同的问题。准则层中的森林旅游低碳资源、森林旅游低碳经营与管理、森林旅游低碳保障、森林旅游低碳效益四个因素不属于同一个层次，森林旅游低碳资源、森林旅游低碳经营与管理、森林旅游低碳保障等是低碳化的前提和过程，森林旅游低碳效益是低碳化的成果，在后面的权重计算中不能进行比较，可从政府、企业和旅游者角度进行分析。"森林旅游低碳投入率"与其他指标相比属于能直接反映森林旅游低碳化程度的一个衡量指标，其他指标是在共同作用下达到森林旅游低碳化的总体效果，所以应将这个指标删除；"绿色住宿占有率"指标涵盖了低碳住宿中的其他指标，应将此指标改为"低碳建筑设施占有率(帐篷、房车、当地民居等)"。

　　第二，部分指标之间存在重复的现象。"垃圾回收率"与"垃圾低碳化处理率"，"污水零排放处理率"与"再生水回用率"存在重复的部分，"垃圾回收率"和"再生水利用率"都是垃圾低碳化处理和污水零排放处理结果的一个指标，垃圾低碳化处理和污水零排放处理的结果直接影响"垃圾回收率"和"再生水利用率"，应将"垃圾回收率"和"再生水利用率"两个指标删除；"低碳旅游商品占有率"包括了商品的低碳包装，应将"旅游商品低碳包装占有率"删除。

第三，资源管理属于森林旅游企业经营与管理的范畴，指标中植物资源与湿地资源也是森林旅游的生物环境，因此也可以归属于环境范畴；森林旅游低碳保障包括政策、法规、行业标准、技术等，用"政策与技术保障"局限了政府保障的内容，可改为"低碳保障"；"低碳内容占解说系统的比例"范围太小，应改为"低碳教育与宣传"，可从旅游者和社区居民两个方面着手。"本地生产的食品占有率"与"当季食品占有率"归属为"本地与当季食品占有率"更合理，"公共交通占有率"中公共交通指代不明，在旅游者因素中使用"绿色出行比例"更佳；在"低碳制度"中应增加"能源管理体系制定与实施情况"，能源管理是森林旅游业实现低碳化的核心；同时可将社区共建的指标移至森林旅游企业经营管理体系中，与低碳教育组成"低碳教育与社区共建"指标。

第四，专家们还建议增加"森林旅游低碳化监管体系制定与实施情况""餐具、台布、餐巾清洗洗涤剂减少率""倡导客人低碳健康饮食，适量用餐，提倡打包和存酒服务情况""其他节能技术与方法采用情况""客房节约资源提示卡，提倡棉织品一客一换情况""低碳公共交通占有率""碳汇项目执行与管理情况""低碳消费优惠力度"等指标。

根据专家咨询结果，对初步假设进行修正，最后得出森林旅游低碳化评价指标结构模型(图7-1)及体系(表7-2)。

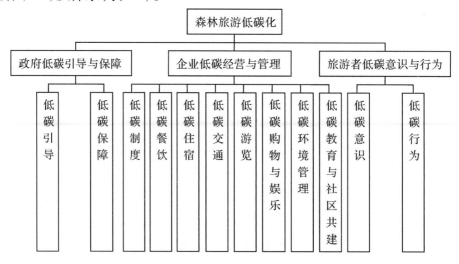

图7-1   森林旅游低碳化评价指标结构模型

表 7-2　森林旅游低碳化评价指标体系

目标层	准则层	子准则层	指标层
森林旅游低碳化水平	政府低碳引导与保障（A）	低碳引导（A_1）	1. 低碳旅游宣传力度（A_{11}）
			2. 低碳旅游消费倡导力度（A_{12}）
		低碳保障（A_2）	3. 低碳旅游政策与法规的制定与执行情况（A_{21}）
			4. 森林旅游低碳发展规划和行业标准的制定与执行情况（A_{22}）
			5. 低碳技术支持率（A_{23}）
			6. 森林旅游低碳化监管体系制定与实施情况（A_{24}）
	企业低碳经营与管理（B）	低碳制度（B_1）	7. 森林旅游企业低碳发展规划制定与实施情况（B_{11}）
			8. 六要素低碳化操作制度制定与执行情况（B_{12}）
			9. 环境管理体系制定与实施情况（B_{13}）
			10. 能源管理体系制定与实施情况（B_{14}）
			11. 碳排放监测、统计和监管体系制定与实施情况（B_{15}）
		低碳餐饮（B_2）	12. 本地与当季食品占有率（B_{21}）
			13. 低碳烹饪方法使用率（B_{22}）
			14. 节能环保餐具使用率（B_{23}）
			15. 低碳建筑材料与低碳建筑技术使用率（B_{24}）
			16. 低碳设备使用率（烹饪、冷藏和照明设备等）（B_{25}）
			17. 清洁能源使用率（餐厅与厨房）（B_{26}）
			18. 餐具、台布、餐巾清洗洗涤剂减少率（B_{27}）
			19. 倡导客人低碳健康饮食，适量用餐，提倡打包和存酒服务情况（B_{28}）
		低碳住宿（B_3）	20. 低碳建筑设施（帐篷、房车、当地民居、木屋等）占有率（B_{31}）
			21. 低碳建筑材料与低碳建筑技术使用率（B_{32}）
			22. 建筑空间结构优化率（B_{33}）
			23. 节能设备使用率（节能灯、太阳能热水器等）（B_{34}）
			24. 清洁能源使用率（供热、供电等）（B_{35}）
			25. 余热回收率（B_{36}）
			26. 其他节能技术与方法采用情况（B_{37}）
			27. 客房节约资源提示卡，提倡棉织品一客一换情况（B_{38}）
			28. "六小件"减少率（B_{39}）

（续）

目标层	准则层	子准则层	指标层
森林旅游低碳化水平	企业低碳经营与管理（B）	低碳交通（B_4）	29. 森林旅游区 TOD 模式建设情况（B_{41}）
			30. 清洁能源使用率（零排放交通比例）（B_{42}）
			31. 低碳公共交通占有率（混合动力机车、压缩天然气汽车、氢燃料电池汽车）（B_{43}）
			32. 低碳交通基础设施占有率（B_{44}）
			33. 交通结构优化情况（B_{45}）
		低碳游览（B_5）	34. 低碳旅游项目占有率（B_{51}）
			35. 低碳游览设施占有率（B_{52}）
			36. 节能设备使用率（节能路灯、指示牌、垃圾桶等）（B_{53}）
		低碳购物与娱乐（B_6）	37. 低碳旅游商品占有率（原材料、生产与包装等）（B_{61}）
			38. 商店低碳建筑材料与低碳建筑技术使用率（B_{62}）
			39. 低碳娱乐设施占有率（B_{63}）
		低碳环境管理（B_7）	40. 碳汇密度（森林、湿地和草地）（B_{71}）
			41. 碳汇项目执行与管理情况（B_{72}）
			42. 垃圾低碳化处理率（B_{73}）
			43. 污水零排放处理率（B_{74}）
			44. 生态厕所占有率（B_{75}）
			45. "碳中和"活动成效（B_{76}）
			46. 低碳消费优惠力度（B_{77}）
		低碳教育与社区共建（B_8）	47. 旅游者低碳教育与宣传成效（B_{81}）
			48. 森林旅游从业人员低碳教育与培训情况（B_{82}）
			49. 社区居民低碳教育与宣传成效（B_{83}）
			50. 社区居民占森林旅游从业人员比重（B_{84}）
			51. 制定与社区相关的低碳发展计划的居民参与率（B_{85}）
	旅游者低碳意识与行为（C）	低碳意识（C_1）	52. 低碳旅游知识普及率（C_{11}）
			53. 低碳旅游者比重（C_{12}）
		低碳行为（C_2）	54. 低碳餐饮选择率（C_{21}）
			55. 低碳住宿选择率（C_{22}）
			56. 绿色出行选择率（C_{23}）
			57. 低碳游览和娱乐活动选择率（C_{24}）

7.3.2　森林旅游低碳化评价指标体系结构层次分析

本研究构建的森林旅游低碳化评价指标体系共分为四个层次，为总目标层—准则层—子准则层—指标层。

准则层部分，从政府、企业与旅游者三个方面进行分析，不是从低碳经济发展的能源、技术等核心要素进行划分，主要因为从能源、技术等要素划分不能系统地将森林旅游低碳化发展的全部要素融入其中，系统之间存在重叠部分；而从政府、企业与旅游者层面能系统地反映森林旅游低碳化发展的总体情况。且目前学者们对低碳旅游发展的研究中，大部分学者都从政府、企业和旅游者三个方面提出相应的举措，因此，本研究从政府、企业和旅游者三个方面构建森林旅游低碳化评价指标体系也与目前的研究相适应。

子准则层部分，政府从宏观层面对森林旅游低碳化发展进行指导，主要包括对低碳森林旅游的宣传和相关保障的提供，因此政府层面包括政府低碳引导与保障两方面，在指标层选择了"低碳旅游宣传力度""低碳旅游消费倡导力度""低碳旅游政策与法规的制定与实行情况""森林旅游低碳发展规划和行业标准的制定与执行情况""低碳技术支持率"和"森林旅游低碳化监管体系制定与实施情况"6 个指标。

子准则层部分，企业从具体的经营与管理层面实践森林旅游的低碳化。低碳制度指导森林旅游企业的低碳化经营与管理；低碳餐饮是企业低碳经营与管理的重要内容，餐厅建筑、食物、餐具、厨房设备、能源等都与碳排放密切相关；低碳交通是森林旅游企业节能减排的关键，根据世界旅游组织的统计，旅游交通的碳排放占了全球碳排放总量的 2%，旅游交通的碳排放量占旅游部门碳排放总量的 75%；旅游住宿的碳排放仅次于旅游交通，森林旅游住宿中碳排放的主体是建筑、能源和一次性用品；"游"是旅游六要素中的核心内容，低碳游览不仅减少了森林旅游过程二氧化碳的排放量，更是游客增加低碳知识，提高低碳意识的重要环节。"购"和"娱"是旅游六要素中的配套服务，随着人们生活水平的提高和"慢游"体验方式的出现，游客在旅游地停留的时间将增加，"购"和"娱"在森林旅游中的地位也不断提高，森林旅游企业低碳化运营与管理过程中应提高对"购"和"娱"要素的重视度。环境管理是森林旅游企业低碳化运营与管理过程中的重要内容，包括碳汇密度、垃圾低碳化处理、污水零排放处理、生态厕所建设和"碳中和"活动等内容。低碳教育是森林旅游企业提高旅游者、社区居民和企业员工低碳意识的重要方式，包括低碳意识的教育、宣传与培训等。因此，企业层面选择了低碳制度、低碳餐饮、低碳住宿、低碳交通、低碳游览、低碳购物与娱乐、低碳环境管理、低碳教育与社区共建八个子系统，45 个指标，其中六要素中存在部分相同指标，在指标解释中进行分析。

在森林旅游企业的低碳运营与管理系统下从"吃""住""行""游""购""娱"六要素出发，融入管理制度、环境管理、低碳教育和社区共建等内容，不仅能全面地反映森林旅游企业经营与管理的总体情况，也与目前旅游业研究中交通碳排放量占最大比重、住宿次之的要素研究现状相适应。根据世界旅游组织 2008 年出版的《气候变化与旅游业：应对全球挑战》研究报告显示，2005 年旅游业 CO_2 排放量达 13 亿 t，其主要来源于旅游交通、旅游住宿和旅游活动三个方面。从旅游六要素的角度进行划分将企业的运营与管理细化，可为森林旅游低碳化运营与管理提供具体和可操作的建议。

子准则层中，旅游者通过自身行为来实现森林旅游的低碳化，旅游者低碳意识、低碳消费观念直接影响旅游者在森林旅游过程中的行为。旅游者的低碳行为表现为旅游者在"吃""住""行""游""购""娱"过程中的低碳消费行为。因此，旅游者层面选择了"低碳旅游知识普及率""低碳旅游者比重""低碳餐饮选择率""低碳住宿选择率""绿色出行选择率""低碳游览与娱乐活动选择率"等 6 个指标。

7.3.3　森林旅游低碳化评价指标解释

7.3.3.1　政府低碳引导与保障指标

（1）低碳旅游宣传力度。政府宣传是引导旅游者参与低碳森林旅游的重要方式，低碳旅游宣传力度反映了政府在电视广播、杂志报刊、公共设施等载体上宣传低碳森林旅游的力度。

（2）低碳旅游消费倡导力度。倡导低碳旅游消费是政府引导低碳旅游的重要内容，低碳旅游消费倡导力度反映了政府对低碳旅游消费的引导与支持力度。

（3）低碳旅游政策与法规的制定与执行情况。政策和法律法规的制定是实现森林旅游低碳化的有力保障，低碳旅游政策与法规的制定与执行情况反映了政府对森林旅游低碳化的实现所出台的碳汇政策、能源价格政策、融资激励政策、补贴政策及环境税、能源税、碳税等税收政策的相关政策及其执行情况。

（4）森林旅游低碳发展规划和行业标准的制定与执行情况。森林旅游低碳发展规划和相关行业标准指导和规范森林旅游的低碳化发展，森林旅游低碳发展规划和行业标准的制定与执行情况，反映了政府对森林旅游低碳化的总体策划和政府对森林旅游低碳化中碳排放、能源利用、绿色酒店等相关标准的制定、执行、监督及核查情况。

（5）低碳技术支持率。低碳技术是指涉及电力、交通、建筑、冶金、化工、石化等部门以及在可再生能源及新能源、煤的干净高效应用、油气资源和煤层气的勘察开发、二氧化碳捕获与埋存等范畴开发的有效掌握温室气体排放的新技术。森林旅游低碳化发展中运用的低碳技术主要是减碳技术和无碳技术，减碳技术包括煤的干净高效利用，无碳技术包括太阳能、风能、生物质能等可再生能源技术。

低碳技术的利用是低碳经济发展的核心动力。由于当前低碳技术的开发和应用处于起步阶段，技术利用成本高，森林旅游低碳化发展所需的低碳技术需要政府的大力支持，低碳技术支持率是衡量政府对森林旅游低碳化的技术贡献程度。

(6)森林旅游低碳化监管体系制定与实施情况。森林旅游低碳化监管体系是森林旅游低碳化可持续运作的有效保障，森林旅游低碳化监管体系制定与实施情况反映了政府对森林旅游低碳化运作监管体系的完善程度及执行情况。

7.3.3.2　企业低碳经营与管理指标

(1)森林旅游企业低碳发展规划制定与实施情况。森林旅游企业低碳发展规划是森林旅游企业实现低碳化发展的先导，低碳发展规划的制定与实施情况反映了森林旅游企业低碳发展规划的制定与落实情况。

(2)六要素低碳化操作制度制定与执行情况。六要素低碳化操作制度是森林旅游低碳化落实到具体举措的直接指导，六要素低碳化操作制度制定与执行情况反映了"吃""住""行""游""购""娱"低碳化运作的总体计划、具体规范及其落实情况。

(3)环境管理体系制定与实施情况。环境管理体系是森林旅游低碳化发展实现的重要内容，低碳化的实质是保障生态环境。环境管理体系制定与实施情况反映了森林旅游企业制定和实施其环境方针，并管理其环境要素的情况，包括制定、实施、实现、评审和保持环境方针所需要的组织机构、计划活动、职责、惯例、程序、过程和资源等，及环境管理措施的实施情况。

(4)能源管理体系制定与实施情况。能源管理是森林旅游企业提高能源利用效率，实现低碳化的核心；能源管理体系制定与实施情况具体包括制定能源管理目标与实施方案，建立能源计量系统、能源使用数据库等及能源管理措施的实施情况。

(5)碳排放监测、统计和监管体系制定与实施情况。碳排放监测、统计和监管体系是森林旅游低碳化实现的重要基础，森林旅游碳排放的统计所确定的碳排放量值是森林旅游低碳化水平的直接反映，碳排放的监测与监管是实现低碳化的有力保证；碳排放监测、统计和监管体系制定与实施情况反映了森林旅游低碳化发展中对碳排放的管理情况。

(6)清洁能源使用率。清洁能源是不排放污染物的能源，它包括核能和太阳能、风能、水能、生物能、海潮能等可再生能源。森林旅游中以旅游交通、住宿供暖、供电、餐饮食品与制作冷藏等能源消耗为主体。清洁能源的利用包括太阳能、风能、水能、沼气等，清洁能源使用率反映了森林旅游业能源消费结构的优化程度。在餐饮、住宿与交通中，反映了"吃""住""行"的能源消费结构，促进相关企业改进能源消费结构。特别是交通中清洁能源的使用率对森林旅游低碳化的实现具有重要意义。

$$清洁能源使用率 = 清洁能源使用量 / 森林旅游能源使用总量$$

(7) 节能设施设备使用率。节能设施设备的利用是提高能源利用效率的另一途径，森林旅游中节能设备有新型采暖系统、加热器、电热膜、余热余压回收等节能型供热设备，节电变压器、节能风机等节电设备，节煤灶芯、节煤锅炉等节能灶具，节水器、节水水龙头等节水设备，节能灯及新能源设备等。节能设施主要包括低碳游览设施与低碳娱乐设施。节能设施设备使用率是衡量森林旅游能源低碳化的一个重要指标。通过计算使用节能设施设备减少的二氧化碳排放量，能直接反映节能设施设备的使用对森林旅游能源低碳化的贡献。

(8) 低碳建筑材料与低碳建筑技术使用率。目前低碳建筑材料主要有建筑保温材料、建筑墙体材料、建筑吸音材料、建筑化学材料和建筑防护材料。国内外关于低碳型建筑技术的研发主要有墙体节能工艺，门窗节能工艺，采暖、制冷和照明工艺，新能源的开发利用，屋顶节能工艺等成果。通过计算利用低碳建筑材料与低碳建筑技术减少的二氧化碳排放量，能直接反映低碳建筑材料与低碳建筑技术对森林旅游建筑低碳化的贡献程度。

(9) 本地与当季食品占有率。本地与当季食品所产生的碳排放量最少，本地食品减少了食品运输过程中的成本和碳排放量，当季食品减少了反季节食品生产过程中的高成本及碳排放量；本地与当季食品占有率反映了森林旅游中食品生产的低碳化水平。通过计算本地与当季食品减少的碳排放量，能直接反映本地与当季食品对森林旅游食品生产低碳化的贡献程度。

(10) 低碳烹饪方法使用率。低碳营养的烹饪方法不仅能降低二氧化碳的排放，同时也符合现代人追求营养健康的餐饮要求；低碳烹饪方法使用率反映了森林旅游餐饮加工的低碳化水平。通过计算使用低碳烹饪方法减少的二氧化碳排放量，能直接反映低碳烹饪方法的使用对森林旅游餐饮加工低碳化的贡献率。

(11) 节能环保餐具使用率。节能环保餐具不仅易降解，无污染，而且符合现代社会便捷的需求，节能环保餐具的使用是解决目前森林旅游中使用一次性餐具产生大量环境污染问题的重要方式。节能环保餐具使用率反映了森林旅游餐饮餐具使用的低碳化水平。

$$节能环保餐具使用率 = 节能环保餐具使用量 / 餐具使用总量$$

(12) 餐具、台布、餐巾清洗洗涤剂减少率。餐具、台布、餐巾清洗是餐饮中产生污水的主要环节，洗涤剂或肥皂中含磷化合物污染环境。减少餐具、台布、餐巾清洗洗涤剂的使用将减少对环境的污染；餐具、台布、餐巾清洗洗涤剂减少率反映了餐具、台布、餐巾清洗的低碳化程度。

(13)餐厅倡导客人低碳健康饮食，适量用餐，提倡打包和存酒服务情况。餐厅倡导客人低碳健康饮食，适量用餐，提倡打包和存酒服务是引导游客低碳消费的有效举措之一；餐厅倡导客人低碳健康饮食，适量用餐，提倡打包和存酒服务情况反映了森林旅游企业餐饮环节引导游客低碳消费的情况。

(14)低碳建筑设施(帐篷、房车、木屋、当地民居等)占有率。低碳建筑设施包括绿色酒店、帐篷、房车、木屋、当地民居等，绿色酒店主要依托低碳建筑材料与低碳建筑技术，其他低碳建设设施通过降低用地面积、利用原有设施等不同的途径实现低碳，低碳建筑设施占有率反映森林旅游企业低碳住宿设施的占有情况。

(15)建筑空间结构优化率。建筑空间结构优化要求既满足旅游者的生活要求，又满足旅游者的感官要求，在节省空间的同时，让旅游者感到舒适、惬意。建筑空间结构优化率反映了森林旅游建筑的空间利用水平。

$$建筑空间结构优化率 = 节省的空间面积/建筑的总面积$$

(16)余热回收率。余热回收指利用余热应用技术(目前主要是空调余热应用技术)，通过余热回收制备洗浴或游泳池等用水的过程，余热回收将降低污染物排放，提高原机组工作效率，延长机组寿命；余热回收率反映了森林旅游企业回收余热的情况。根据具体情况进行计算，如中央空调余热、高温空气燃烧余热等。

(17)其他节能技术与方法采用情况。饭店其他节能技术与方法采用情况反映了森林旅游饭店其他节能技术与方法的应用及其效果。

(18)节约资源提示卡，提倡棉织品一客一换情况。客房节约资源提示卡，提倡棉织品一客一换情况反映了森林旅游企业住宿环节引导游客低碳消费的情况。

(19)"六小件"减少率。住宿中使用"六小件"造成了严重的环境污染，"六小件"的减少是森林旅游住宿减少环境污染的重要措施，且容易实现。

$$"六小件"减少率 = 自带生活日用品游客人数/住宿游客总人数$$

(20)森林旅游区 TOD 模式建设情况。森林旅游区 TOD 模式是以公共交通为导向的开发，将公共交通与社区开发相结合，远距离时采用公共交通，而近距离时使用低碳排放的交通工具。建设森林旅游区 TOD 模式可以最大限度地利用资源，减少碳排放。森林旅游区 TOD 模式建设情况反映了森林旅游企业低碳交通管理模式的建设情况。

(21)低碳公共交通占有率。低碳公共交通在低碳旅游目的地使用，目前包括混合动力机车、压缩天然气汽车、氢燃料电池汽车等；低碳公共交通占有率反映了森林旅游企业低碳公共交通的使用情况。

低碳公共交通占有率＝使用低碳公共交通的游客和工作人员数量/游客和工作人员总量

（22）交通结构优化情况。交通结构优化指森林旅游景区内部交通结构的优化，在营造景观的同时缩短交通距离，减少碳排放量大的交通设施，使用自行车、电瓶车等绿色交通工具，增加步行路程。

（23）低碳旅游项目占有率。低碳旅游项目占有率反映了森林旅游企业将低碳理论转化为具体项目的努力程度，是森林旅游的核心内容。

低碳旅游项目占有率＝低碳旅游项目量/森林旅游项目总量

（24）低碳旅游商品占有率。低碳旅游商品是低碳旅游购物的核心，低碳旅游商品占有率是衡量森林旅游中购物环节低碳化水平的重要指标，旅游商品低碳化包括旅游商品原料、生产和包装整个过程的低碳化。

低碳旅游商品占有率＝低碳旅游商品量/森林旅游商品总量

（25）碳汇密度。碳汇指吸收并储存二氧化碳的能力。森林是吸收二氧化碳的重要资源，美国林务局科学家潘裕德表示："新信息表明，森林独自占据了最重要的陆地碳汇地位。"除了森林外，森林旅游区中经常有大面积的湿地，湿地上的植物和湿地中的微生物也是储存二氧化碳的重要载体，湿地吸收二氧化碳的能力仅次于森林。此外，草地也有吸收二氧化碳的能力，但与森林和湿地相比，草地吸收二氧化碳的能力最弱。因此，森林旅游中的碳汇主要包括森林碳汇、湿地碳汇和草地碳汇。碳汇密度反映了森林旅游资源吸收二氧化碳的能力。

碳汇密度＝森林旅游资源吸收的碳汇量/森林旅游区总面积

（26）碳汇项目执行与管理情况。碳汇项目是以吸收固定二氧化碳等为主要目的的植树造林、森林经营活动以及与碳汇相关的技术规范和标准制定、科学研究和成果推广、技术培训和宣传等项目；碳汇项目执行与管理情况反映了森林旅游企业对碳汇项目的重视与执行程度。

（27）垃圾低碳化处理率。垃圾低碳化处理是通过垃圾低碳处理技术减少垃圾处理中碳排放量的过程，目前垃圾低碳处理的方法主要有垃圾厌氧产沼利用、填埋气收集利用和焚烧发电等；垃圾低碳化处理同时还促进了能源的回收利用。

垃圾低碳化处理率＝垃圾低碳化处理量/垃圾总量

（28）污水零排放处理率。污水零排放指通过低碳技术，使污水处理后达到回用标准，实现循环利用的过程。目前公认高效的污水低碳处理工艺主要包括反硝化除磷、自养脱氮等组合工艺技术。

污水零排放处理率＝污水零排放处理量/污水总量

污水零排放处理率和垃圾低碳化处理率既是森林旅游环境低碳管理的一个指标，同时也是森林旅游低碳技术利用的一个衡量指标。

(29)生态厕所占有率。生态厕所能减少或根除人类粪污带来的环境污染问题，同时减少了厕所对外界资源的依赖性，并节省资源，特别是水资源。目前生态厕所的类型已有多种，如太阳能型、免水冲洗型、循环水冲洗型等。生态厕所占有率也是森林旅游环境管理的一个衡量指标。

$$生态厕所占有率 = 生态厕所数量 / 森林旅游目的地厕所总量$$

(30)"碳中和"活动成效。碳中和(carbon neutral)，是通过计算二氧化碳的排放总量，然后通过植树等方式吸收同等量的二氧化碳，以达到环保的目的。"碳中和"活动成效反映了森林旅游企业引导旅游者补偿自身碳排放的效果。

$$"碳中和"活动成效 = "碳中和"吸收的二氧化碳量 / 森林旅游二氧化碳排放总量$$

(31)低碳消费优惠力度。低碳消费优惠力度反映了森林旅游企业对游客低碳消费的引导和鼓励程度。

(32)旅游者低碳教育与宣传成效。对旅游者低碳意识的教育与宣传是森林旅游企业低碳化发展的一个重要责任，旅游者低碳意识教育与宣传成效反映了森林旅游企业对低碳意识的宣传和教育力度，是森林旅游企业宣传低碳理念的重要体现。森林旅游企业对旅游者低碳教育与宣传包括内外两方面，对外通过电视、报纸、网站等媒体宣传低碳环保理念，对内通过宣传片、信息触摸屏、解说牌及导游讲解等方式进行低碳意识宣传与教育。

(33)森林旅游从业人员低碳意识教育与培训情况。森林旅游从业人员低碳意识教育与培训情况反映了森林旅游低碳化发展中森林旅游企业对从业人员低碳意识教育的重视程度。通过计算对森林旅游从业人员低碳意识教育与培训的内容与时间占日常培训的比重，可以反映森林旅游从业人员低碳意识教育与培训的情况。

(34)社区居民低碳教育与宣传成效。社区居民是森林旅游业发展的一个重要群体，社区居民的低碳意识宣传是促进森林旅游低碳化实现的一个条件，也侧面反映了森林旅游低碳化发展的水平。

(35)社区居民占森林旅游从业人员比重。社区居民占森林旅游从业人员比重是森林旅游企业促进社区发展，参与社区共建的一个重要衡量指标。

$$社区居民占森林旅游从业人员比重 = 森林旅游从业人员中社区居民数量 / 森林旅游从业人员总数$$

(36)制定与社区相关的低碳发展计划的居民参与率。森林旅游企业，特别是森林旅游景区在制定相关的低碳发展计划时，应征询当地居民意见，建档记录，处理并答复社区居民意见及建议。制定与社区相关的低碳发展计划的居民参与率是森林旅游企业参与社区共建的另一个重要指标。

$$\frac{制定与社区相关的低碳}{发展计划的居民参与率} = \frac{社区居民参与的低碳}{发展计划数量} \bigg/ \frac{森林旅游低碳}{发展计划总量}$$

7.3.3.3　旅游者低碳意识与行为指标

（1）低碳旅游知识普及率。低碳旅游知识普及率反映了低碳旅游知识的普及程度。

$$低碳旅游知识普及率 = 知道森林旅游知识的游客量/森林旅游游客总量$$

（2）低碳旅游者比重。低碳旅游者比重是指参与森林低碳旅游的游客比重，是旅游者对低碳森林旅游方式认同的实践，是森林旅游低碳化实现的基础，低碳旅游者比重越高说明参与森林低碳旅游的旅游者越多。

$$低碳旅游者比重 = 参与低碳森林旅游的游客量/森林旅游游客总量$$

（3）低碳餐饮选择率。低碳餐饮指运用安全、健康、节能、环保理念，坚持低碳管理，倡导低碳消费，以维持生态的平衡性和资源的可持续利用性的绿色食物和饮料的生产和消费过程。

$$低碳餐饮选择率 = 选择低碳餐饮的游客人数/森林旅游游客总人数$$

（4）低碳住宿选择率。低碳住宿指将低碳理念贯穿于住宿经营与管理的整个过程中，以低能耗低污染低排放为运营特征，提供短暂居住的场所。

$$低碳住宿选择率 = 选择低碳住宿的游客人数/森林旅游游客总人数$$

（5）绿色出行选择率。绿色出行指采用对环境影响最小的出行方式，是一种既节约能源、提高能效、减少污染，又有益于健康、兼顾效率的出行方式。森林旅游中绿色出行主要指旅游者到达森林旅游目的地的外部交通，具体指旅游者能选择火车或汽车出行的就不选择飞机，能选择公共汽车的就不选择自驾车，选择自驾车的尽量减少空座率，使自己的出行采用最低碳的方式。

$$绿色出行选择率 = 选择绿色出行的游客人数/森林旅游游客总人数$$

（6）低碳游览与娱乐活动选择率。低碳游览与娱乐活动选择率是旅游者对其低碳消费意识的实践表现，是衡量旅游者低碳消费意识的一个重要指标。

$$低碳游览与娱乐活动选择率 = 选择低碳游览与娱乐活动的游客量/森林旅游游客总量$$

7.4　森林旅游低碳化评价指标权重的确定及结论分析

7.4.1　森林旅游低碳化评价指标权重确定的方法

权重反映了指标在各系统中的重要程度。合理的权重是一个评价指标结果科学性与正确性的保障。指标权重确定常用的方法有主观赋值法和客观赋值法两种。主观赋值法反映了调查对象的主观想法，一般针对相关行业的专家学者进行调查，包括专家咨询法（Delphi）、层次分析法（AHP）等；客观赋值法对各评价指标原始数据通过统计分析方法进行处理，得出最终结论，包括嫡值法、主成分分析法等。主客观赋值法在计算权重中都存在局限性，将主客观赋值法进行优化组合来确定指标权重是目前众多学者采用的方法。

本研究评价指标的原始数据需在所调查区域森林旅游低碳化发展有一定实践的基础上才能获得；而目前，中国森林旅游的低碳化发展理念刚萌芽，整个旅游业低碳化的发展只有少数景区采取了一些低碳举措，本研究的原始数据暂时未能获得，所以，此处的权重只能通过主观赋值法获得。本研究选择改进的层次分析法来确定评价指标的权重。

层次分析法是美国运筹学家 Saaty 于 20 世纪 70 年代提出的，是一种针对具有多重评估准则的决策问题，进行定性和定量分析，最终确定因子权重的科学方法，广泛应用于社会、经济、管理等评价领域。

传统的层次分析法在实践中逐渐暴露其不足之处。首先 Saaty 的 1～9 标度法构造的比较矩阵出现不合理结果的可能性较大，1～9 标度不能准确反映指标之间的相对重要倍数，判断标度的差别也不容易掌握；其次，一致性检验比较复杂，检验不通过时，要人工对判断矩阵进行不断调整，工作量大且带有一定的盲目性。许多学者提出了相应的改进措施，如三标度法、I－AHP 法、迭代法、指数标度法等。经过专家的研究验证，指数标度与其他标度相比具有良好的判断传递性与标度值的合理性，有利于决策者在两两比较判断过程中提高准确性；同时也最符合一致性检验的要求。因此，本研究选择指数标度法对层次分析法进行改进。

根据专家学者的研究，指数标度法将两因素之间重要程度的主观感觉判断等差距地分为六个等级，分别用 a^0、a^1、a^2、a^4、a^6、a^8 表示，分别代表同等重要、稍微重要、重要、明显重要、强烈重要、极端重要，其中 $a^8 = 9$，$a = 1.136$，以 c_i、c_j(i，j =

1，2，…，n）表示对比两个指标，得出指数标度法的重要性标度及含义见表 7-3。

表 7-3　指数标度法的重要性标度及其含义

标度		标度含义
指数	数值	
a^0	1	c_i 与 c_j 同等重要
a^1	1.316	c_i 比 c_j 稍微重要
a^2	1.732	c_i 比 c_j 重要
a^4	3	c_i 比 c_j 明显重要
a^6	5.197	c_i 比 c_j 强烈重要
a^8	9	c_i 比 c_j 极端重要
a^3、a^5、a^7		上述两两比较的中值
$(a^m)^{-1}$		与 a^m 表示的含义相反

设相邻两级客观重要性比率为 $a(a > 1)$，则 c_i 与 c_j 的客观重要性比率 $w_i / w_j = a^{c_{ij}}$，分别称 $C = (c_{ij})_{m \times n}$，$A = (a^{c_{ij}})_{n \times n}$ 为主观感觉矩阵和客观差别判断矩阵（秦波涛和李增华，2002）。

7.4.2　森林旅游低碳化评价指标权重确定的数理分析过程

7.4.2.1　构建判断矩阵

将同一层各因素相对于上一层的影响力或重要性进行两两比较，各层次因素的两两比较结果使用本研究提出的指数标度数值来表示（表 7-3）。向确定森林低碳化评价指标体系的 33 位专家进行两因子间相对重要性的定性比较，经过两轮专家的反馈意见，最终得到评价因素权重值的原始数据，构造判断矩阵 $A = (a_{ij})$。

7.4.2.2　计算权重

权重是指测评指标在总分中所占有的比重，其数量表示即为权数。计算各判断矩阵 $AX = \lambda X$ 对应的特征向量，特征向量正规化后 $W = (w_1, w_2 \cdots \cdots w_n)$ 所得的分向量 W_i 就是同层次因素相对于上一层次因素的权重值（杨俊平，2009）。

其中，

$$W_i = \sqrt[m]{\prod_{j=1}^{n} u_{ij}} \div \sum_{i=1}^{n} \sqrt[m]{\prod_{j=1}^{n} u_{ij}} \tag{7-1}$$

7.4.2.3　层次单排序及一致性检验

计算以上各判断矩阵 $AX = \lambda X$ 的最大特征根 λ_{max}，并对判断矩阵进行一致性检验，确保层次单排序的可信度。本研究通过计算检验系数 CR 来检验判断矩阵的一致性，计算公式如下：

$$\lambda_{\max} = \frac{1}{n} \sum_{i=1}^{n} \frac{(AW)_i}{W_i} ; \qquad (7\text{-}2)$$

$$CI = (\lambda max - n)/(n - 1) ; \qquad (7\text{-}3)$$

$$CR = CI/RI \qquad (7\text{-}4)$$

其中，CI 为一致性指标，RI 为平均一致性指标。采用指数标度法的 RI 值见表 7-4。

表 7-4　RI 取值表（吕跃进，2006）

n	1	2	3	4	5	6	7	8	9	10	11	12	13
RI	0	0	0.36	0.58	0.72	0.82	0.88	0.93	0.97	0.99	1.01	1.03	1.04

若 CR < 0.10，即认为判断矩阵具有满意的一致性；否则，需要对判断矩阵进行重新调整。

7.4.2.4　权重量化及层次总排序

根据得到的判断矩阵的权重结果，计算子准则层和指标层对森林旅游低碳化这个总目标的总权重，将子准则层的权重乘以准则层的权重即是子准则层的总权重，将子准则层的总权重乘以指标层的权重即可得到指标层的总权重，并按各个总权重的大小进行排序。

根据以上步骤，对森林旅游低碳化评价指标体系问卷调查的结果进行计算，首先对准则层的权重进行计算：

首先，构建判断矩阵，在森林旅游低碳化水平的总目标下，其准则层有 3 个指标，分别为政府低碳引导与保障（A），企业低碳经营与管理（B），旅游者低碳意识与行为（C），根据专家对这 3 个指标两两比较的结果，得到比较矩阵总目标 A、B、C 和重要性排序指数，见表 7-5。

表 7-5　目标层的判断矩阵

总目标	A	B	C
A	1	0.394	0.623
B	2.683	1	1.628
C	1.628	0.623	1

其次，计算权重，根据公式(7-1)，得出各指标的权重如下：

$$\sqrt[3]{1 \times 0.394 \times 0.623} = 0.6263$$

B_1 的权重为 $0.6263/(0.6263 + 1.6347 + 1.0047) = 0.1918$

$$\sqrt[3]{2.683 \times 1 \times 1.628} = 1.6347$$

B_2 的权重为 $1.6347/(0.6263 + 1.6347 + 1.0047) = 0.5006$

$$\sqrt[3]{1.628 \times 0.623 \times 1} = 1.0047$$

B_3 的权重为 $1.0047/(0.6263 + 1.6347 + 1.0047) = 0.3077$

7.4.2.5 层次单排序及一致性检验

根据公式(7-2)、(7-3)和(7-4)，得出层次单排序及一致性检验结果如下：

$$AW = \begin{bmatrix} 1 & 0.3943 & 0.6230 \\ 2.683 & 1 & 1.628 \\ 1.628 & 0.6230 & 1 \end{bmatrix} \begin{bmatrix} 0.1918 \\ 0.5006 \\ 0.3077 \end{bmatrix} = \begin{bmatrix} 0.5809 \\ 1.5161 \\ 0.9318 \end{bmatrix} \Rightarrow \begin{matrix} (AW)_1 = 0.5809 \\ (AW)_2 = 1.5161 \\ (AW)_3 = 0.9318 \end{matrix}$$

$$\lambda_{max} = \frac{1}{n} \sum_{i=1}^{n} \frac{(AW)_i}{W_i} = \frac{1}{3} \times \left(\frac{0.5809}{0.1918} + \frac{1.5161}{0.5006} + \frac{0.9318}{0.3077} \right) = 3.0286$$

$$CR = \frac{CI}{RI} \frac{(3.0286 - 1)/(3 - 1)}{0.36} = 0.0397$$

$CR = 0.0397 < 0.1$，因此可以认为层次单排序结果是满意的。

按照以上方法，本指标体系可建立 16 个判断矩阵，其他 15 个矩阵及其计算结果见表7-6 至表7-20。

表7-6 "政府低碳引导与保障"判断矩阵

A	A_1	A_2	权向量
A_1	1.0000	0.3021	0.2320
A_2	3.3097	1.0000	0.7680

注：A_1，低碳宣传；A_2，低碳保障。

表7-7 "低碳引导"判断矩阵

A_1	A_{11}	A_{12}	权向量
A_{11}	1.0000	0.3880	0.2795
A_{12}	2.5773	1.0000	0.7205

注：A_{11}，低碳旅游宣传力度；A_{12}，低碳旅游消费倡导力度。

表7-8 "低碳保障"判断矩阵

A₂	A₂₁	A₂₂	A₂₃	A₂₄	权向量
A₂₁	1.0000	0.5774	3.0000	1.5240	0.2671
A₂₂	1.7320	1.0000	5.1970	3.0000	0.4776
A₂₃	0.3333	0.1924	1.0000	0.6686	0.0954
A₂₄	0.6686	0.3333	1.5240	1.0000	0.1599
一致性检验	$\lambda_{max}=4.0165$, $RI=0.58$, $CR=0.0095<0.1$				

注：A_{21}，低碳旅游政策与法规的制定与执行情况；A_{22}森林旅游低碳发展规划和行业标准的制定与执行情况；A_{23}，低碳技术支持率；A_{24}，森林旅游低碳化监管体制制定与实施情况。

表7-9 "企业低碳经营与管理"判断矩阵

B	B₁	B₂	B₃	B₄	B₅	B₆	B₇	B₈	权向量
B₁	1.0000	0.7599	0.5774	0.3333	0.5774	1.7320	0.5774	1.3160	0.0809
B₂	1.3160	1.0000	0.7599	0.5774	0.7599	3.0000	0.7599	1.7320	0.1141
B₃	1.7320	1.3160	1.0000	0.7599	1.0000	5.1970	1.0000	3.0000	0.1608
B₄	3.0000	1.7320	1.316	1.0000	1.316	9.0000	1.316	5.1970	0.2347
B₅	1.7320	1.3160	1.0000	0.7599	1.0000	5.1970	1.0000	3.0000	0.1608
B₆	0.5774	0.3333	0.1924	0.1111	0.1924	1.0000	0.1924	0.7599	0.0343
B₇	1.7320	1.3160	1.0000	0.7599	1.0000	5.1970	1.0000	3.0000	0.1608
B₈	0.7599	0.5774	0.3333	0.1924	0.3333	1.3160	0.3333	1.0000	0.0536
一致性检验	$\lambda_{max}=8.0592$, $RI=0.93$, $CR=0.0091<0.1$								

注：B_1，低碳制度；B_2，低碳餐饮；B_3，低碳住宿；B_4，低碳交通；B_5，低碳游览；B_6，低碳购物与娱乐；B_7，低碳环境管理；B_8，低碳教育与社区共建。

表7-10 "低碳制度"判断矩阵

B₁	B₁₁	B₁₂	B₁₃	B₁₄	B₁₅	权向量
B₁₁	1.0000	1.5240	2.3660	1.1580	4.0985	0.3201
B₁₂	0.6687	1.0000	1.3160	0.7599	1.7320	0.1868
B₁₃	0.45535	0.7599	1.0000	0.5774	1.3160	0.1389
B₁₄	0.87995	1.3160	1.7320	1.0000	3.0000	0.2597
B₁₅	0.26285	0.5774	0.7599	0.3333	1.0000	0.0945
一致性检验	$\lambda_{max}=5.0565$, $RI=0.72$, $CR=0.0196<0.1$					

注：B_{11}，森林旅游企业低碳发展规划制定与实施情况；B_{12}，六要素低碳化操作制度制定与执行情况；B_{13}，环境管理体系制定与实施情况；B_{14}，能源管理体系制定与实施情况；B_{15}，碳排放监测、统计和监管体系制定与实施情况。

表7-11   "低碳餐饮"判断矩阵

B_2	B_{21}	B_{22}	B_{23}	B_{24}	B_{25}	B_{26}	B_{27}	B_{28}	权向量
B_{21}	1.0000	1.3660	1.7320	1.3660	1.0000	0.5774	3.0000	1.7320	0.1462
B_{22}	0.7887	1.0000	1.3660	1.0000	0.7887	0.4554	2.3660	1.5240	0.1147
B_{23}	0.5774	0.7887	1.0000	0.7887	0.5774	0.3333	1.7320	1.3160	0.0873
B_{24}	0.7887	1.0000	1.1580	1.0000	0.7887	0.4554	2.3660	1.5240	0.1124
B_{25}	1.0000	1.3660	1.7320	1.3660	1.0000	0.5774	3.0000	1.7320	0.1462
B_{26}	1.7320	2.3660	3.0000	2.3660	1.7320	1.0000	5.1970	3.0000	0.2531
B_{27}	0.3333	0.4554	0.5774	0.4554	0.3333	0.1924	1.0000	0.7599	0.0504
B_{28}	0.5774	0.6687	0.7599	0.6687	0.5774	1.3160	1.3160	1.0000	0.0897
一致性检验			$\lambda_{max} = 8.4597$，$RI = 0.93$，$CR = 0.0706 < 0.1$						

注：B_{21}，本地与当季食品占有率；B_{22}，低碳烹饪方法使用率；B_{23}，节能环保餐具使用率；B_{24}，低碳建筑材料与低碳建筑技术使用率；B_{25}，低碳设备使用率（烹饪、冷藏和照明设备等）；B_{26}，清洁能源使用率（餐厅与厨房等）；B_{27}，餐具、台布、餐巾清洗洗涤剂减少率；B_{28}，倡导客人低碳健康饮食，适量用餐，提倡打包和存酒服务情况。

表7-12   "低碳住宿"判断矩阵

B_3	B_{31}	B_{32}	B_{33}	B_{34}	B_{35}	B_{36}	B_{37}	B_{38}	B_{39}	权向量
B_{31}	1.0000	1.7320	3.0000	3.0000	1.7320	3.0000	5.1970	3.0000	2.3660	0.2360
B_{32}	0.5774	1.0000	1.7320	1.7320	1.0000	1.7320	3.0000	1.7320	1.3660	0.1363
B_{33}	0.3333	0.5774	1.0000	1.0000	0.5774	1.0000	1.7320	1.3160	0.6686	0.0796
B_{34}	0.3333	0.5774	1.1580	1.0000	0.5774	1.0000	1.7320	1.3160	0.7887	0.0825
B_{35}	0.5774	1.0000	1.7320	1.7320	1.0000	1.7320	3.0000	1.7320	1.3660	0.1363
B_{36}	0.3333	0.5774	1.1580	1.0000	0.5774	1.0000	1.7320	1.3160	0.7887	0.0824
B_{37}	0.1924	0.3333	0.6686	0.5774	0.3333	0.5774	1.0000	0.7599	0.4554	0.0476
B_{38}	0.3333	0.5774	0.880	0.7599	0.5774	0.7599	1.3160	1.0000	0.6686	0.0695
B_{39}	0.5774	1.0000	1.5240	1.7320	1.0000	1.7320	3.0000	1.7320	1.0000	0.1298
一致性检验				$\lambda_{max} = 9.3975$，$RI = 0.97$，$CR = 0.0512 < 0.1$						

注：B_{31}，低碳建筑设施占有率（帐篷、房车、当地民居、木屋等）；B_{32}，低碳建筑材料与低碳建筑技术使用率；B_{33}，建筑空间结构优化率；B_{34}，节能设备的使用率（节能灯、太阳能热水器等）；B_{35}，清洁能源使用率（供热、供电等）；B_{36}，余热回收率；B_{37}，其他节能技术与方法采用情况；B_{38}，客房节约资源提示卡，提倡棉织品一客一换情况；B_{39}，"六小件"减少率。

表7-13 "低碳交通"判断矩阵

B₄	B₄₁	B₄₂	B₄₃	B₄₄	B₄₅	权向量
B₄₁	1. 0000	1. 3160	1. 7320	3. 0000	5. 1970	0. 3620
B₄₂	0. 7599	1. 0000	1. 3160	1. 7320	3. 0000	0. 2465
B₄₃	0. 5774	0. 7599	1. 0000	1. 3160	1. 7320	0. 1772
B₄₄	0. 3333	0. 5774	0. 7599	1. 0000	1. 3160	0. 1275
B₄₅	0. 1924	0. 3333	0. 5774	0. 7599	1. 0000	0. 0868
一致性检验		$\lambda_{max}=5.0303$，RI $=0.72$，CR $=0.0105<0.1$				

注：B_{41}，森林旅游区 TOD 模式建设情况；B_{42}，清洁能源使用率(零排放交通比例)；B_{43}，低碳公共交通占有率；B_{44}，低碳交通基础设施占有率；B_{45}，交通结构优化率。

表7-14 "低碳游览"判断矩阵

B₅	B₅₁	B₅₂	B₅₃	权向量
B₅₁	1. 0000	3. 0000	5. 1970	0. 6408
B₅₂	0. 3333	1. 0000	3. 0000	0. 2565
B₅₃	0. 1924	0. 3333	1. 0000	0. 1027
一致性检验	$\lambda_{max}=3.0335$，RI $=0.36$，CR $=0.0465<0.1$			

注：B_{51}，低碳旅游项目设置率；B_{52}低碳游览设施占有率；B_{53}，节能设备使用率(节能路灯、指示牌、垃圾桶)。

表7-15 "低碳购物与娱乐"判断矩阵

B₆	B₆₁	B₆₂	B₆₃	权向量
B₆₁	1. 0000	5. 1970	1. 3160	0. 5251
B₆₂	0. 1924	1. 0000	0. 3333	0. 1108
B₆₃	0. 7599	3. 0000	1. 0000	0. 3641
一致性检验	$\lambda_{max}=3.0083$，RI $=0.36$，CR $=0.0116<0.1$			

注：B_{61}，低碳旅游商品占有率；B_{62}，商店低碳建筑材料与低碳建筑技术使用率；B_{63}，低碳娱乐设施占有率。

表7-16 "低碳环境管理"判断矩阵

B₇	B₇₁	B₇₂	B₇₃	B₇₄	B₇₅	B₇₆	B₇₇	权向量
B₇₁	1. 0000	1. 7320	1. 3160	1. 3160	3. 0000	3. 0000	3. 0000	0. 2507
B₇₂	0. 5774	1. 0000	0. 7634	0. 7599	1. 3160	1. 3160	1. 3160	0. 1287

（续）

B_7	B_{71}	B_{72}	B_{73}	B_{74}	B_{75}	B_{76}	B_{77}	权向量
B_{73}	0.7599	1.3160	1.0000	1.0000	1.7320	1.7320	1.7320	0.1693
B_{74}	0.7599	1.3160	1.0000	1.0000	1.7320	1.7320	1.7320	0.1693
B_{75}	0.3333	0.7599	0.5774	0.5774	1.0000	1.0000	1.0000	0.0940
B_{76}	0.3333	0.7599	0.5774	0.5774	1.0000	1.0000	1.0000	0.0940
B_{77}	0.3333	0.7599	0.5774	0.5774	1.0000	1.0000	1.0000	0.0940
一致性检验	$\lambda_{max} = 7.0145$，RI $= 0.88$，CR $= 0.0028 < 0.1$							

注：B_{71}，碳汇密度（森林、湿地和草地）；B_{72}，碳汇项目执行与管理情况；B_{73}，垃圾低碳化处理率；B_{74}，污水零排放处理率；B_{75}，生态厕所占有率；B_{76}，"碳中和"活动成效；B_{77}，低碳消费优惠力度。

表 7-17 "低碳教育与社区共建"判断矩阵

B_8	B_{81}	B_{82}	B_{83}	B_{84}	B_{85}	权向量
B_{81}	1.0000	3.0000	3.0000	1.7320	3.0000	0.3928
B_{82}	0.3333	1.0000	1.0000	0.7599	1.0000	0.1383
B_{83}	0.3333	1.0000	1.0000	0.7599	1.0000	0.1383
B_{84}	0.5774	1.3160	1.3160	1.0000	1.3160	0.1923
B_{85}	0.3333	1.0000	1.0000	0.7599	1.0000	0.1383
一致性检验	$\lambda_{max} = 5.0090$，RI $= 0.72$，CR $= 0.0031 < 0.1$					

注：B_{81}，游客低碳教育与宣传成效；B_{82}，森林旅游从业人员低碳意识教育与培训情况；B_{83}，社区居民低碳教育与宣传成效；B_{84}，社区居民占森林旅游从业人员比重；B_{85}，制定与社区相关低碳发展计划的居民参与率。

表 7-18 "旅游者低碳意识与行为"判断矩阵

C	C_1	C_2	权向量
C_1	1.0000	0.6369	0.3660
C_2	1.9107	1.0000	0.6340

注：C_1，低碳意识；C_2，低碳行为。

表 7-19 "低碳意识"判断矩阵

C_1	C_{11}	C_{12}	权向量
C_{11}	1.0000	0.3677	0.2500
C_{12}	3.3097	1.0000	0.7500

注：C_{11}，旅游者对低碳森林旅游的认知率；C_{12}，低碳旅游者比重。

表 7-20　"低碳行为"判断矩阵

C_2	C_{21}	C_{22}	C_{23}	C_{24}	权向量
C_{21}	1.0000	0.5774	0.2629	0.8799	0.1347
C_{22}	1.7320	1.0000	0.6686	1.5240	0.2568
C_{23}	4.0985	1.5240	1.0000	2.3660	0.4368
C_{24}	1.1580	0.6686	0.4554	1.0000	0.1717
一致性检验		$\lambda_{max}=4.0741$，$RI=0.58$，$CR=0.0426<0.1$			

注：C_{21}，低碳餐饮选择率；C_{22}，低碳住宿选择率；C_{23}，绿色出行选择率；C_{24}，低碳游览和娱乐活动选择率。

根据以上计算的结果，并计算子准则层和指标层的总权重，森林旅游低碳化评价指标体系各个指标的权重见表 7-21。

表 7-21　森林旅游低碳化评价各指标综合权重表

准则层	权重	子准则层	权重(总权重)	指标层	权重/(总权重)	
政府低碳引导与保障（A）	0.1918	低碳引导（A_1）	0.2320 (0.0445)	A_{11} 低碳旅游宣传力度	0.2795	0.0124
				A_{12} 低碳旅游消费倡导力度	0.7205	0.0321
		低碳保障（A_2）	0.7680 (0.1473)	A_{21} 低碳旅游政策与法规的制定与执行情况	0.2672	0.0394
				A_{22} 森林旅游低碳发展规划和行业标准的制定与执行情况	0.4776	0.0704
				A_{23} 低碳技术支持率	0.0954	0.0140
				A_{24} 森林旅游低碳化监管体系制定与实施情况	0.1599	0.0235
企业低碳经营与管理（B）	0.5006	低碳制度（B_1）	0.0809 (0.0405)	B_{11} 森林旅游企业低碳发展规划制定与实施情况	0.3201	0.0130
				B_{12} 六要素低碳化操作制度制定与执行情况	0.1868	0.0076
				B_{13} 环境管理体系制定与实施情况	0.1389	0.0056
				B_{14} 能源管理体系制定与实施情况	0.2597	0.0105
				B_{15} 碳排放监测、统计和监管体系制定与实施情况	0.0945	0.0038
		低碳餐饮（B_2）	0.1141 (0.0571)	B_{21} 当地与当季食品占有率	0.1462	0.0084
				B_{22} 低碳烹饪方法使用率	0.1147	0.0065
				B_{23} 节能环保餐具使用率	0.0873	0.0050
				B_{24} 低碳建筑材料与低碳建筑技术利用率	0.1124	0.0064

（续）

准则层	权重	子准则层	权重（总权重）	指标层	权重/（总权重）	
企业低碳经营与管理（B）	0.5006	低碳餐饮（B_2）	0.1141（0.0571）	B_{25}低碳设备使用率（烹饪、冷藏和照明设备等）	0.1462	0.0083
				B_{26}清洁能源使用率（餐厅与厨房）	0.2531	0.0145
				B_{27}餐具、台布、餐巾清洗洗涤剂减少率	0.0503	0.0029
				B_{28}倡导客人低碳健康饮食，适量用餐，提倡打包和存酒服务情况	0.0897	0.0051
		低碳住宿（B_3）	0.1608（0.0805）	B_{31}低碳建筑设施占有率（帐篷、房车、当地民居、木屋等）	0.2360	0.0190
				B_{32}低碳建筑材料与低碳建筑技术利用率	0.1363	0.0110
				B_{33}建筑空间结构优化率	0.0796	0.0064
				B_{34}节能设备使用率（节能灯、太阳能热水器等）	0.0825	0.0066
				B_{35}清洁能源使用率（供热、供电等）	0.1363	0.0110
				B_{36}余热回收率	0.0824	0.0066
				B_{37}其他节能技术与方法采用情况	0.0476	0.0038
				B_{38}客房节约资源提示卡，提倡棉织品一客一换情况	0.0695	0.0056
				B_{39}"六小件"减少率	0.1298	0.0105
		低碳交通（B_4）	0.2347（0.1175）	B_{41}森林旅游区 TOD 模式建设情况	0.3620	0.0425
				B_{42}清洁能源使用率（零排放交通比例）	0.2465	0.0290
				B_{43}低碳公共交通占有率	0.1772	0.0208
				B_{44}低碳交通基础设施利用率	0.1275	0.0150
				B_{45}交通结构优化情况	0.0868	0.0102
		低碳游览（B_5）	0.1608（0.0805）	B_{51}低碳旅游项目占有率	0.6408	0.0516
				B_{52}低碳游览设施占有率	0.2565	0.0206
				B_{53}节能设备使用率（节能路灯、指示牌、垃圾桶等）	0.1027	0.0083
		低碳购物与娱乐（B_6）	0.0343（0.0172）	B_{61}低碳旅游商品占有率（原材料、生产与包装等）	0.5251	0.0090
				B_{62}商店低碳建筑材料与低碳建筑技术使用率	0.1108	0.0019
				B_{63}低碳娱乐设施占有率	0.3641	0.0063

（续）

准则层	权重	子准则层	权重（总权重）	指标层	权重/（总权重）	
企业低碳经营与管理（B）	0.5006	低碳环境管理（B_7）	0.1608 (0.0805)	B_{71}碳汇密度（森林、湿地和草地）	0.2507	0.0202
				B_{72}碳汇项目执行与管理情况	0.1287	0.0103
				B_{73}垃圾低碳化处理率	0.1693	0.0136
				B_{74}污水零排放处理率	0.1693	0.0136
				B_{75}生态厕所占有率	0.0940	0.0076
				B_{76}"碳中和"活动成效	0.0940	0.0076
				B_{77}低碳消费优惠力度	0.0940	0.0076
		低碳教育与社区共建（B_8）	0.0536 (0.0268)	B_{81}旅游者低碳教育与宣传成效（外部与内部）	0.3928	0.0105
				B_{82}森林旅游从业人员低碳教育与培训情况	0.1383	0.0037
				B_{83}社区居民低碳教育与宣传成效	0.1383	0.0037
				B_{84}社区居民占森林旅游从业人员比重	0.1923	0.0052
				B_{85}制定与社区相关的低碳发展计划的居民参与率	0.1383	0.0037
旅游者低碳意识与行为（C）	0.3076	低碳意识（C_1）	0.3660 (0.1126)	C_{11}低碳旅游知识普及率	0.2500	0.0281
				C_{12}低碳旅游者比重	0.7500	0.0845
		低碳行为（C_2）	0.6340 (0.1950)	C_{21}低碳餐饮选择率	0.1347	0.0262
				C_{22}低碳住宿选择率	0.2568	0.0501
				C_{23}绿色出行选择率	0.4368	0.0852
				C_{24}低碳游览和娱乐活动选择率	0.1717	0.0335

根据各指标总权重的大小，对其进行排序，结果见表7-22至表7-24。

表 7-22　森林旅游的低碳化评价指标体系准则层的总权重排序

排名	准则层要素	总权重排序
1	企业低碳经营与管理（B）	0.5006
2	旅游者低碳意识与行为（C）	0.3076
2	政府低碳引导与保障（A）	0.1918

表 7-23 森林旅游的低碳化评价指标体系子准则层的总权重排序

排名	子准则层要素	总权重排序
1	低碳行为(C_2)	0.1950
2	低碳保障(A_2)	0.1413
2	低碳交通(B_4)	0.1175
4	低碳意识(C_1)	0.1126
5	低碳住宿(B_3)	0.0805
6	低碳游览(B_5)	0.0805
7	低碳环境管理(B_7)	0.0805
8	低碳餐饮(B_2)	0.0571
9	低碳引导(A_1)	0.0445
10	低碳制度(B_1)	0.0405
11	低碳教育与社区共建(B_8)	0.0268
12	低碳购物与娱乐(B_6)	0.0172

表 7-24 森林旅游的低碳化评价指标体系指标层的总权重排序

排名	指标层	总权重排序
1	绿色出行选择率(C_{23})	0.0852
2	低碳旅游者比重(C_{12})	0.0845
3	森林旅游低碳发展规划和行业标准的制定与执行情况(A_{22})	0.0704
4	低碳旅游项目占有率(B_{51})	0.0516
5	低碳住宿选择率(C_{22})	0.0501
6	森林旅游区 TOD 模式建设情况(B_{41})	0.0425
7	低碳旅游政策与法规的制定与执行情况(A_{21})	0.0394
8	低碳游览和娱乐活动选择率(C_{24})	0.0335
9	低碳旅游消费倡导力度(A_{12})	0.0321
10	清洁能源使用率(零排放交通比例)(B_{42})	0.0290
11	低碳旅游知识普及率(C_{11})	0.0281
12	低碳餐饮选择率(C_{21})	0.0262
13	森林旅游低碳化监管体系制定与实施情况(A_{24})	0.0235
14	低碳公共交通占有率(B_{43})	0.0208
15	低碳游览设施占有率(B_{52})	0.0206
16	碳汇密度(森林、湿地和草地)(B_{71})	0.0202
17	低碳建筑设施占有率(帐篷、房车、当地民居、木屋等)(B_{31})	0.0190

（续）

排名	指标层	总权重排序
18	低碳交通基础设施利用率(B_{44})	0.0150
19	清洁能源使用率(餐厅与厨房)(B_{26})	0.0145
20	低碳技术支持率(A_{23})	0.0140
21	垃圾低碳化处理率(B_{73})	0.0136
22	污水零排放处理率(B_{74})	0.0136
23	森林旅游企业低碳发展规划制定与实施情况(B_{11})	0.0130
24	低碳旅游宣传力度(A_{11})	0.0124
25	低碳建筑材料与低碳建筑技术利用率(B_{32})	0.0110
26	清洁能源使用率(供热、供电)(B_{35})	0.0110
27	能源管理体系制定与实施情况(B_{14})	0.0105
28	"六小件"减少率(B_{39})	0.0105
29	旅游者低碳教育与宣传成效(外部与内部)(B_{81})	0.0105
30	碳汇项目执行与管理情况(B_{72})	0.0103
31	交通结构优化情况(B_{45})	0.0102
32	低碳旅游商品占有率(原材料、生产与包装等)(B_{61})	0.0090
33	当地与当季食品占有率(B_{21})	0.0084
34	低碳设备使用率(烹饪、冷藏和照明设备等)(B_{25})	0.0083
35	节能设备使用率(节能路灯、指示牌、垃圾桶等)(B_{53})	0.0083
36	六要素低碳化操作制度制定与执行情况(B_{12})	0.0076
37	生态厕所占有率(B_{75})	0.0076
38	"碳中和"活动成效(B_{76})	0.0076
39	低碳消费优惠力度(B_{77})	0.0076
40	节能设备使用率(节能灯、太阳能热水器等)(B_{34})	0.0066
41	余热回收率(B_{36})	0.0066
42	低碳烹饪方法使用率(B_{22})	0.0065
43	低碳建筑材料与低碳建筑技术利用率(B_{24})	0.0064
44	建筑空间结构优化率(B_{33})	0.0064
45	低碳娱乐设施占有率(B_{63})	0.0063
46	环境管理体系制定与实施情况(B_{13})	0.0056
47	客房节约资源提示卡，提倡棉织品一客一换情况(B_{38})	0.0056
48	社区居民占森林旅游从业人员比重(B_{84})	0.0052
49	倡导客人低碳健康饮食，适量用餐，提倡打包和存酒服务情况(B_{28})	0.0051

（续）

排名	指标层	总权重排序
50	节能环保餐具使用率（B_{23}）	0.0050
51	碳排放监测、统计和监管体系制定与实施情况（B_{15}）	0.0038
52	其他节能技术与方法采用情况（B_{37}）	0.0038
53	森林旅游从业人员低碳意识教育与培训情况（B_{82}）	0.0037
54	社区居民低碳教育与宣传成效（B_{83}）	0.0037
55	制定与社区相关的低碳发展计划的居民参与率（B_{85}）	0.0037
56	餐具、台布、餐巾清洗洗涤剂减少率（B_{27}）	0.0029
57	商店低碳建筑材料与低碳建筑技术使用率（B_{62}）	0.0019

7.4.3　森林旅游低碳化评价指标权重确定的结论分析

从准则层、子准则层和指标层总权重的排序可以得出以下结论：

准则层中，企业低碳经营与管理占的比重最大，占了 50.06%；其次为旅游者低碳意识与行为，占了 30.76%；最后为政府低碳引导与保障，占了 19.18%；这与旅游企业的主体作用、旅游者的基础作用和政府的保障作用相呼应。

子准则层中，排名前四的依次为低碳行为、低碳保障、低碳交通、低碳意识，占了子准则层指标总权重的 57.24%，低碳住宿、低碳游览、低碳环境管理并列第五，占了总权重的 24.15%；说明旅游者、政府和旅游企业在森林旅游低碳化评价中都起重要作用，其中旅游者的低碳行为最重要，占了 19.50%，其次为政府的低碳保障，占了 14.73%，低碳交通和低碳意识所占的权重也都超过了 10%。森林旅游低碳化发展中应加大对这七个指标的重视度，特别是前面四个指标。

指标层中，前十名为绿色出行选择率、低碳旅游者比重、森林旅游低碳发展规划和行业标准的制定与执行情况、低碳旅游项目占有率、低碳住宿选择率、森林旅游区TOD模式建设情况、低碳旅游政策与法规的制定与执行情况、低碳游览和娱乐活动选择率、低碳旅游消费倡导力度和清洁能源使用率（零排放交通比例），占了指标总权重的 51.83%，说明森林旅游业的低碳化发展应该重点突出这十个指标，针对存在的不足及时改进提升，促进森林旅游低碳化的实现。

7.5　森林旅游低碳化评价评分方法及标准确定

7.5.1　森林旅游低碳化评价评分方法确定

本研究建立的评价指标体系共 48 项指标(其中清洁能源使用率、节能设施设备使用率、低碳建筑材料和低碳建筑技术使用率为六要素的共同指标),其中 18 项定性指标,30 项定量指标(表 7-25 和表 7-26)。

表 7-25　森林旅游低碳化评价定性指标评分方法

定性指标	评分方法
1. 低碳旅游宣传力度	
2. 低碳旅游消费倡导力度	
3. 低碳旅游政策与法规的制定与执行情况	
4. 森林旅游低碳发展规划和行业标准的制定与执行情况	
5. 森林旅游低碳化监管体系制定与实施情况	
6. 森林旅游企业低碳发展规划制定与实施情况	
7. 六要素低碳化操作制度制定与执行情况	
8. 环境管理体系制定与实施情况	组织森林旅游学、旅游经济学、低碳经济学、旅游规划学、环境经济学等相关专家根据森林旅游目的地提供的这 18 项指标的基本资料,进行实地的考查评分。
9. 能源管理体系制定与实施情况	
10. 碳排放监测、统计和监管体系制定与实施情况	
11. 倡导客人低碳健康饮食,适量用餐,提倡打包和存酒服务情况	
12. 其他节能技术与方法采用情况	
13. 客房节约资源提示卡,提倡棉织品一客一换情况	
14. 森林旅游区 TOD 模式建设情况	
15. 交通结构优化情况	
16. 碳汇项目执行与管理情况	
17. 低碳消费优惠力度	
18. 森林旅游从业人员低碳意识教育与培训情况	

表7-26 森林旅游低碳化评价定量指标评分方法

定量指标	评分方法
1. 社区居民低碳教育与宣传成效	通过对社区居民低碳意识的测度，从了解低碳知识的途径进行判断，专家组进行监督。
2. 旅游者低碳教育与宣传成效	通过对旅游者的随机抽样调查进行测度，调查样本和时间应科学合理，评价专家组进行监督。
3. 低碳旅游知识普及率	
4. 低碳旅游者比重	
5. 低碳技术支持率	根据森林旅游企业提供的实际数据，低碳技术、森林旅游等研究方向的专家根据森林旅游企业提交的数据进行实地验证，根据考核的结果进行评分。
6. 本地与当季食品占有率	
7. 低碳烹饪方法使用率	
8. 节能环保餐具使用率	
9. 低碳建筑材料与低碳建筑技术使用率	
10. 节能设施设备使用率	
11. 清洁能源使用率	
12. 餐具、台布、餐巾清洗洗涤剂减少率	
13. 低碳建筑设施占有率	
14. 建筑空间结构优化率	
15. 余热回收率	
16. "六小件"减少率	
17. 低碳公共交通占有率	
18. 低碳旅游项目占有率	
19. 低碳旅游商品占有率	
20. 碳汇密度	
21. 垃圾低碳化处理率	
22. 污水零排放处理率	
23. 生态厕所占有率	
24. "碳中和"活动成效	
25. 社区居民占森林旅游从业人员比重	
26. 制定与社区相关的低碳发展计划的居民参与率	
27. 低碳餐饮选择率	
28. 低碳住宿选择率	
29. 绿色出行选择率	
30. 低碳游览和娱乐活动选择率	

7.5.2　森林旅游低碳化评价评分标准确定

本研究指标体系中指标参考值的确定应遵循以下准则:

(1)采用国家旅游局、中华环保联合会、中国旅游协会等与旅游、环保相关部门或行业协会规定的低碳旅游相关指标的达标值。

(2)采用全国生态或低碳旅游景区中低碳化发展程度最好的相关指标作为参考值。

(3)没有参考标准的,根据专家咨询法确定指标值。

定性指标评分参考值根据专家咨询法进行确定,本处探讨 30 项定量指标评分参考值的确定(表 7-27)。

表 7-27　森林旅游低碳化评价定量指标评分参考值

评分参考值确定	定量指标
近期:全国低碳试验区评分标准 远期:100	低碳建筑技术与低碳建筑材料使用率(低碳建筑不低于60%); 社区居民占森林旅游从业人员比重(不低于70%)
近期:全国低碳景区最高值 远期:100	节能设施设备使用率;低碳旅游项目设置率;低碳旅游商品占有率;垃圾低碳化处理率;污水零排放处理率;低碳烹饪方法使用率;节能环保餐具使用率;餐具、台巾、餐巾清洗洗涤剂减少率;低碳建筑设施占有率;余热回收率;"六小件"减少率;生态厕所占有率;低碳旅游知识普及率;低碳公交占有率;低碳旅游者比重
专家咨询确定	低碳技术支持率;建筑空间结构优化率;清洁能源使用率;碳汇密度;旅游者低碳教育与宣传成效;本地与当季食品占有率;"碳中和"活动成效;社区居民低碳教育与宣传成效;制定与社区相关的低碳发展计划的居民参与率;低碳餐饮选择率;低碳住宿选择率;绿色出行选择率;低碳游览和娱乐活动选择率

本研究将森林旅游低碳化评价指标分为五个等级,每个等级的分值段分别为(80,100]、(60,80]、(40,60]、(20,40]、(0,20]。在实际操作中,专家组对评价地森林旅游低碳化的发展情况进行实地考查,结合确定的参考值来确定分数。

7.5.3　森林旅游低碳化评价等级标准确定

森林旅游低碳化评价结果总分为 100 分,不同的分数段代表了不同的低碳化水平,本研究将森林旅游低碳化分为 5 个等级,具体见表 7-28。

表7-28 森林旅游低碳化评价等级及分值指标表

分值指标	等级	等级说明
≥80 分	低碳化程度五级	政府对低碳森林旅游引导力度大，低碳保障措施完善；森林旅游企业低碳制度完善，在"吃""住""行""游""购""娱"及环境管理等方面低碳化程度高，且低碳教育与社区共建效果好；森林旅游者低碳意识和低碳行为选择率高
≥60~79 分	低碳化程度四级	政府对低碳森林旅游引导力度较大，低碳保障措施较完善；森林旅游企业低碳制度较完善，在："吃""住""行""游""购""娱"及环境管理等方面低碳化程度较高，且低碳教育与社区共建效果较好；森林旅游者低碳意识和低碳行为选择率较高
≥40~59 分	低碳化程度三级	政府对低碳森林旅游引导力度和低碳保障措施一般；森林旅游企业低碳制度建设一般，在"吃""住""行""游""购""娱"及环境管理等方面低碳化程度一般，且低碳教育与社区共建效果一般；森林旅游者低碳意识和低碳行为选择率一般
≥20~39 分	低碳化程度二级	政府对低碳森林旅游引导力度较小，低碳保障措施较不完善；森林旅游企业低碳制度较不完善，在"吃""住""行""游""购""娱"及环境管理等方面低碳化程度较低，且低碳教育与社区共建效果较差；森林旅游者低碳意识和低碳行为选择率较低
≥0~19 分	低碳化程度一级	政府对低碳森林旅游引导力度小，低碳保障措施不完善；森林旅游企业低碳制度不完善，在"吃""住""行""游""购""娱"及环境管理等方面低碳化程度低，且低碳教育与社区共建效果差；森林旅游者低碳意识和低碳行为选择率低

7.6 森林旅游低碳化评价指标构建对实践的指导

首先，政府应加大对低碳森林旅游的引导力度，制定与实行相应的低碳旅游政策与法规及森林旅游低碳发展规划与行业标准。

其次，森林旅游企业应制定低碳发展规划、环境管理体系、能源管理体系及碳排放监测、统计和监管体系，通过利用低碳建筑材料和低碳建筑技术、清洁能源、节能设施设备等实现六要素的低碳化，同时重视森林旅游强大的碳汇功能，做好环境管理，重视对旅游者、社区居民和森林旅游从业人员的低碳教育，并积极参与社区共建；特别突出清洁能源在交通中的使用，以及低碳森林旅游项目的设置及森林旅游中森林、湿地和草地等强大碳汇功能的发挥。

最后，森林旅游者应注重低碳意识的提高，使森林低碳旅游者比重不断提高；并将低碳意识转化为实践，形成低碳旅游行为，突出绿色出行、住宿能源节省和低碳游览和娱乐活动的选择。

第 8 章   森林旅游景区规划低碳化路径研究

8.1   森林旅游景区规划的理论基础与理念演变

8.1.1   森林旅游景区规划的理论概述

8.1.1.1   相关概念界定

（1）森林旅游景区。森林旅游景区是旅游景区的类型之一，是在森林区域内依托森林资源及生态环境建立的景区。结合 2.1 节所述森林旅游的内涵，本书认为从广义上讲，凡是以森林为主要旅游资源或景观背景的景区都可以视为森林旅游景区；从狭义上说，森林旅游景区是以森林景观和生态环境为主体，融合自然资源与人文资源，利用森林多种功能，以开展森林旅游、进行生态教育、保护遗产资源为宗旨，满足旅游者多层次精神需求，具有相应旅游服务设施并提供相应服务、从事商业性经营的相对独立的各类森林区域，主要包括森林公园、湿地公园、自然保护区旅游小区、森林植物园（树木园）和林业观光园等类型。狭义上对森林旅游景区概念的阐述与广义的阐述相比，更强调以森林景观和生态环境为主体提供的森林旅游、生态教育、资源与环境保护的功能。

（2）森林旅游景区规划。旅游规划是一个地域综合体内旅游系统的发展目标和实现方式的整体部署过程，是对旅游发展的前瞻性谋划，是旅游开发建设的重要依据和指导。旅游景区规划属于微观层面的实施性旅游规划，注重景点及服务设施的建设设计与布局，以旅游吸引物、设施和服务综合体组合分析以及旅游景区组织分析为基础（吴必虎和俞曦，2010）。中华人民共和国《旅游规划通则》（GB/T 18971—2003）将旅游（景）区规划界定为为了保护、开发、利用和经营管理旅游区，使其发挥多种功能和作用而进行的各项旅游要素的统筹部署和具体安排。

本书根据学术界对旅游规划及旅游景区规划的界定，对森林旅游景区规划的概念进行阐述，认为森林旅游景区规划是对森林旅游景区未来发展的设想和策划，具体指在对森林公园、自然保护区、森林型风景名胜区等森林旅游景区的资源、环境及市场等要素的调研和评价基础上，运用旅游规划理论及森林学、生态学等学科理论，将旅游者的旅游活动和森林环境特性有机地结合起来，进行森林旅游要素在空间和时间上的合理组合与布局，保持森林旅游的永续、健康发展，实现景观生态、经济和社会的可持续性，它强调在保护与发展之间建立一种中长期的景观均衡模式，注重资源的合理、高效利用和传统景观的有效保护（吴章文和吴楚材，2008）。

8.1.1.2　森林旅游景区规划的任务

森林旅游景区肩负发展旅游经济与保护森林资源与生态环境的双重任务，规划的目的在于对区域内森林旅游资源进行科学合理的配置与开发，通过确定森林旅游景区发展定位和总体目标，综合考虑旅游项目建设及旅游配套设施体系、旅游保障体系规划，优化森林旅游产品的结构，同时保护森林资源与生态环境，保证旅游地获得良好的生态效益、社会效益和经济效益的协调发展。由于森林生态系统对人类生存发展发挥着重要的经济作用和生态作用，丰富的森林资源与良好的生态环境是森林旅游景区立足的根本，而森林资源具有一定的脆弱性和不可再生性，因此森林旅游景区规划的首要任务是保护森林资源与生态环境，其次才是谋划旅游经济增长的途径。

8.1.1.3　森林旅游景区规划的特点

（1）科学性。旅游规划不是旅游开发商或政府部门依据个人喜好或利益诉求决定的，而必须遵照一定的规划标准进行。森林旅游景区的规划应严格遵循自然生态发展规律和区域社会经济发展规划，符合规划地的实际情况和森林保护的要求。同时，必须采用先进、科学的规划方法和技术手段。

（2）前瞻性。森林旅游景区规划，尤其是总体规划，是根据未来发展变化，设定森林旅游景区发展目标和实现方式，着眼于森林旅游景区的长期运营管理。因此，森林旅游景区规划应当适应现代社会发展潮流，充分考虑旅游市场需求的转变，有效把握最新规划理念，采用先进规划手段，科学引导森林旅游景区的长远发展。

（3）可操作性。森林旅游景区规划的最终目的是指导森林旅游景区开发建设，使景区开发有章可循、有据可依，避免森林旅游景区盲目开发引起的森林资源与生态环境的破坏。因此，要求森林旅游景区规划必须符合实际，具有可操作性，不切实际、缺乏可操作性的旅游规划无法科学指导景区的开发建设，也便失去存在的意义。

（4）强制性。森林旅游景区规划实际上是景区在总体规划和投资建设的一系列过程中的强制性约束，规划内容要符合旅游局、建设局、林业局、环保局等部门的相关规定与标准。从效力来看，旅游规划通常表现为地方性法规，通常受政府或旅游部门委托制定，经相关部门审批后可以作为旅游开发建设的法律依据，要求旅游开发商在景区开发建设过程中要严格执行(马聪玲和张金山,2007)。

(5)系统性。旅游规划作为旅游景区开发、建设的指导性规范,需加以全盘考虑和全面分析,除了需要研究市场需求和资源禀赋,设计旅游项目、旅游产品外,还需要对有关旅游产业如配套设施建设、环境保护、社区居民管理、旅游市场营销、效益评估、旅游管理组织等方面进行研究。通过建立一整套运作科学的系统性方式方法,并按照相应规划程序有步骤、有条不紊地进行,才能保证旅游规划的有效指导作用。

8.1.1.4 森林旅游景区规划的内容

森林旅游景区的规划内容一般遵循一定的标准和依据。1872年3月美国国会《黄石公园法案》的通过开启了森林旅游景区规划的里程碑,随后伴随着森林旅游的持续发展和相应问题的产生,学术界和规划实践界制定了相应旅游规划标准,不断优化和丰富了森林旅游景区规划的内容。我国森林旅游景区规划在借鉴国外相关规划标准的基础上,制定了相应的旅游规划规范,发展出一套相对成熟的景区规划内容体系(图8-1)。目前,指导我国森林旅游景区规划的规范标准主要有《旅游规划通则》(GB/T 18971—2003)、《风景名胜区规划规范》(GB 50298—1999)和《森林公园总体设计规范》(LY/T 5132—1995)3项,而《中华人民共和国自然保护区条例》中也涉及自然保护区规划的问题。

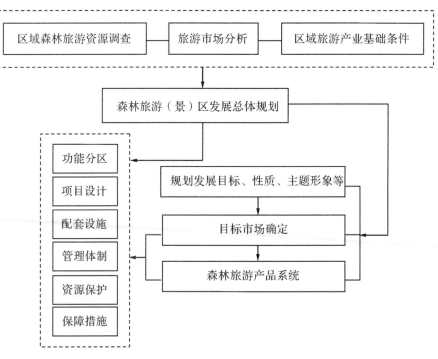

图8-1 森林旅游景区总体规划内容体系

(根据《旅游规划通则》内容整理而得)

《旅游规划通则》参考建设部《城市规划编制办法》的相关规定，系统地阐述了旅游规划编制的内容体系，适用于包括森林旅游景区在内的任何类型的旅游规划，是目前旅游规划实践中参考最广泛的规划标准。《旅游规划通则》规定旅游（景）区的开发建设包括总体规划、控制性详细规划和修建性详细规划 3 个循序渐进的规划步骤：旅游（景）区总体规划是规划综合性、整体性和法制性的集中体现，任务主要是解决森林旅游景区的发展目标、原则、规模、容量、发展形态、战略部署等重大问题，主要包括旅游资源及市场分析、发展战略及目标、功能分区、产品特色及内容、旅游项目、旅游配套设施、旅游保障措施、投资估算等内容；旅游（景）区控制性详细规划主要解决景区项目用地及建筑控制问题，主要包括土地使用具体空间组织、功能分类、兼容范围及开发强度等内容，是土地开发的重要技术依据；旅游（景）区修建性详细规划是控制性详细规划的深化和具体化，主要是对近期建设范围内的景观系统、道路交通系统、绿地系统、旅游服务设施及附属设施、环境保护和环境卫生系统等要素的具体规划。

《风景名胜区规划规范（GB 50298—1999）》和《森林公园总体设计规范（LY/T5132—1995）》在规划内容体系要求上与《旅游规划通则》中的要求基本相似，但风景名胜区的规划更强调风景资源的保护和培育，对风景区保护规划、风景资源保护与利用规划、全区容量与分区容量分析测算等内容提出了具体要求；森林公园规划在森林公园的总体布局、环境容量与游客规模、景点与游览线路设计、植物景观设计、保护工程设计、旅游服务设施工程设计、基础设施工程设计等方面做出了具体规定。《中华人民共和国自然保护区条例》侧重强调自然保护区的建设和管理，较少涉及景区规划。

8.1.2　森林旅游景区规划的理念演变

8.1.2.1　国外森林旅游景区规划的理念演变

20 世纪 60 年代中期至 70 年代，旅游需求的快速增长对国家公园等森林旅游区域环境、资源等造成了一定压力，于是有关旅游容量的研究日趋丰富，其中门槛理论、旅游地生命周期理论在旅游景区规划中的运用最为广泛。直到 90 年代，"生态化""可持续发展"等理念开始成为森林旅游景区规划的主流理念，学术界对森林旅游景区生态化规划进行了多角度研究，"岛屿理论""环境容量""游憩地等级理论"等理论在规划中广泛引用。不少学者提出通过科学合理的功能分工来实现森林旅游资源的保护，其中美国景观建筑师 Richard Forster 将国家公园从里往外分成核心保护区、游憩缓冲区和密集游憩区，为学术界普遍认为最早的分区模式，得到世界自然保护联盟

(ICUN)的认可。学者们还对前人研究进行总结,编制了《生态旅游:规划者、管理者指导》《生态旅游:规划者和管理者们的参考文献注解》《旅游规划:一种集成的和可持续的方法》《可持续旅游开发:地方规划师指南》和《自然经营者的生态旅游原则》(生态旅游协会,1993)等指导国家公园旅游规划的著作。

生态理念、可持续发展理念在国外森林旅游景区的规划建设实践中得到全面贯彻。国外森林旅游景区在发展过程中十分注重自然景观的开发和生态环境的保护,强调游客的参与和感受,注重景区建设与自然生态环境的统一协调关系。美国将国家公园划分为自然类、人文类和娱乐类三大类。在国家公园内商业性、娱乐性建筑受到严格限制,服务性建筑也规定分散布置,且每组建筑规模不大,造型与环境融为一体;加拿大森林公园和自然保护区的建立通常是为了保护特殊的自然特征,保护濒危物种及其赖以生存的栖息地,任何管理政策都把生态作用考虑进去。日本对自然景观、森林资源极为爱惜,在木材大量进口的情况下,也极力保护好本国的森林资源,不乱采伐。前苏联对森林公园的规划建设、管理等制订了一整套系统的理论和做法,为使森林不遭破坏,森林公园的规划和建设都严格控制建筑物,甚至限制游览路线,以较完整地保护自然风景(古新仁,1995)。

8.1.2.2 国内森林旅游景区规划的理念演变

1982年张家界国家森林公园建立后,我国开始出现森林公园规划,这也是中国以发展旅游为目的的旅游规划的开端。自20世纪80年代至今,中国森林旅游景区规划的理念演变随着旅游规划的发展经历了资源导向规划理念、市场导向规划理念、产品导向规划理念和生态导向规划理念4个阶段。

(1)资源导向规划理念(20世纪70年代末至80年代初)。"资源导向"最早运用于风景名胜区的规划,旅游规划主要挖掘的是自然和人文旅游资源,有什么样的资源就开发相应的旅游产品,旅游开发说到底就是旅游资源的开发。这一时期森林旅游景区开发建设的目的是吸引更多旅游者,追求的是旅游者数量的增长。旅游规划的编制侧重旅游基础设施等硬件规划建设,而对景区旅游资源保护、客源市场确定、游客规模预测、形象策划与营销等方面内容缺乏足够的重视。

(2)市场导向规划理念(20世纪80年代至90年代初期)。随着旅游业正式确认为产业部门,各类主题公园、旅游度假区、出境旅游等新事物迭现,旅游规划从以旅游资源为导向,逐渐转向以旅游市场为导向。这一阶段,旅游发展已经不再局限在观光旅游,政府部门及旅游开发商纷纷开始在旅游区位和客源市场条件优越的区域建人造旅游吸引物,如主题公园、城郊森林公园等。旅游市场分析、旅游产品可行性论证、旅游市场细分和旅游业营销规划是这一时期森林旅游景区规划的主要内容。

（3）产品导向规划理念（20 世纪 90 年代）。20 世纪 90 年代中期，市场导向型规划逐渐滞后于森林旅游的发展，旅游市场分析与旅游资源评价没有实现很好的整合，一些旅游规划仍然是就资源论资源，缺乏对旅游资源的市场价值评估，资源分析及其市场分析与旅游产品开发相脱节（陆林，2005）。这一时期，企业形象识别系统被引入旅游景区的开发与规划中，在一定程度上实现了旅游供给与需求的整合，开创了形象和营销导向型旅游规划理论。针对森林旅游规划中出现的一系列严重问题，政府部门和专家学者开始借鉴并应用其他类型旅游地的各种技术手段和理论方法来进行旅游规划，如吴必虎的北京市旅游发展规划中所运用的旅游地形象策划方法被广泛应用于景区旅游规划的实践中（吴必虎，2000）。

（4）生态导向规划理念（20 世纪 90 年代后期至今）。90 年代后期，"生态旅游""绿色旅游""可持续发展"等成为发展潮流，倡导旅游可持续发展的生态导向型旅游规划应运而生，森林旅游景区的环境容量、承载力、生态环境保护等问题受到学术界和规划界的广泛关注。学术研究方面，唐丽（1999）、彭翔（2000）、王兴国（1998）、邱晓荣（2000）等都从可持续发展的角度，提出森林公园规划建设坚持保护与开发并重的思路，认为确定森林公园的容量阀值可以避免过度开发所带来的恶果，森林公园旅游资源的评价是开发的先导；不少学者对地方森林公园、自然保护区、风景名胜区等各类森林旅游景区生态规划做了研究。与此同时，政府部门相关单位也陆续出台了相应的旅游规划规范和管理条例，如 1994 年国务院出台了《中华人民共和国自然保护区条例》，1995 年的《森林公园总体设计规范（LY/T 5132—1995）》，1999 年国务院颁布实施了《风景名胜区规划管理条例》，2003 年，建设部发布了《国家重点风景名胜区总体规划编制报批管理规定》，2003 年国家旅游局颁布实施了《旅游规划通则》与《旅游资源分类、调查与评价》，2011 年国家林业局颁布了《国家级森林公园管理办法》等，都提出规划应当遵循生态性原则，并把"资源与环境保护"作为重要的规划内容。

8.2　森林旅游景区规划低碳化的提出

"低碳"理念在规划领域的应用最早出现在城市规划中，作为城市发展的指导性纲领，低碳化的城市规划是建设低碳城市的关键技术和行动指南。国内外学者对低碳城市规划进行了研究，认为仅仅通过节能减排的技术手段尚不足以解决减少温室气体排放问题，还需要以更加多元的标准衡量城市规划与建设，通过低碳城市规划寻求城市发展的低碳化方向，探索可持续的低碳城市发展模式。旅游业被称为"无烟工业""环境友好型产业",但同时也是温室气体排放量高的产业,旅游学界目前甚少提及低碳旅游规划和低碳旅游景区规划,但部分学者对低碳旅游景区开发建设进行了探讨,内容也涉及低碳化的旅游景区规划。

8.2.1 森林旅游景区规划低碳化提出的背景

8.2.1.1 森林旅游景区开发建设的环境问题日益凸显

作为以"保护环境"和"回归自然"为主题的森林旅游,承担着旅游发展、维持森林生态系统、固碳、净化大气、调节气候等生态责任,是生态旅游、环保旅游的重点领域。但在实践中,不少森林旅游经营者及地方政府为获得更多经济效益,在没有进行任何环境调查,缺少必要论证和旅游规划的条件下,对森林旅游景区进行无节制、超容量开发建设,或景区规划和开发趋于城市化、商业化和奢侈化,对旅游资源重开发轻保护或只开发不保护,由此导致旅游景区能源大量消耗、温室气体排放增多、植被及地形破坏、水质污染排放等生态环境问题的产生。

8.2.1.2 森林旅游景区规划理念发展凸显对生态环境的重视

旅游规划生态化、可持续化代表了当前森林旅游规划的核心理念,是现代旅游规划思想的集中体现。随着旅游景区开发建设及管理的发展,森林旅游景区规划在理念上提出了比"生态化"更具体的要求。

(1)资源低消耗理念。供旅游开发建设的森林资源在区域范围内属稀缺性资源,在旅游规划开发中极易被消耗甚至受到不可恢复的破坏。森林旅游规划的资源低消耗理念即通过部署保证森林旅游景区开发建设尽可能保持森林原始面貌,减少森林植被、动物、土地的利用,保护森林资源和生态环境,推动森林旅游持续发展。目前我国正努力建设资源节约型和环境友好型社会,森林旅游规划的资源低消耗理念是资源节约型社会与和谐社会建设的重要战略步骤。

(2)人与自然和谐共生理念。人与自然和谐发展是可持续发展的具体要求之一,森林旅游景区规划的最终目标之一便是实现人与自然和谐共生。现代生态学强调景区发展应该以人与自然和谐共生为基础目标,森林作为陆地生态系统主体,是人类赖以生存发展的重要资源,起着平衡地球生态环境、供养人类的使命。因此,要求森林旅游景区在规划和建设中,应充分利用大自然的原始风貌,避免过多人造景观出现,让人与自然融为一体,为森林旅游者提供适宜环境,使旅游者体验自然生态,同时为自己增长生活见识与生命感知,达到一种忘却城市生活烦忧的轻松休闲境界,感悟人与自然和谐共生的时空景象。

8. 2. 1. 3　森林旅游景区规划理论的实践指导性不强

（1）现有景区规划规范标准对森林旅游景区规划实践的适用性有限。目前中国尚未建立起系统的森林旅游景区规划理论体系来指导规划实践，学术界关于森林旅游、森林旅游规划的专著较为缺乏，景区规划多数借鉴景观规划、园林规划、城市规划的内容。从现有《旅游规划通则》（GB/T 18971—2003）、《风景名胜区规划规范》（GB 50298—1999）和《森林公园总体设计规范》（LY/T 5132—1995）3 个森林旅游景区规划普遍参考的基础标准的内容和要求来看，在森林旅游景区规划的指导上各有利弊。《旅游规划通则》面向一般性旅游景区规划，更多是原则性的阐述，过于笼统，且其编制参考借鉴建设部《城市规划编制办法》的相关规定，各阶段规划中设施建设的相关规定及具体指标直接套用城市规划建设的标准，而未考虑森林旅游发展的资源与环境的保护问题，无法对森林资源与生态环境保护、能源利用与温室气体排放等森林旅游景区运营重要问题进行科学指导。《风景名胜区规划规范》（GB 50298—1999）总体上偏向对风景名胜区总体规划编制的引导与控制，而缺乏对详细规划内容与方法的规范。《森林公园总体设计规范》（LY/T 5132—1995）是针对森林公园制定的规划标准，但目前森林公园规划建设多半还处在以经济和美学价值为导向的旅游设施建设和视觉景观规划阶段。

（2）森林旅游景区规划缺乏对能源与环境问题的关注。传统的森林旅游景区规划虽然也遵循生态原则、讲究可持续发展，但从实际操作来看，"生态原则""可持续发展"由于概念模糊，缺乏统一的实际量化的指标进行解释、控制，在实际操作中存在诸多困难而远未达到预期的效果。从现有规划标准来看，《旅游规划通则》《风景名胜区规划规范》（GB 50298—1999）和《森林公园总体设计规范》（LY/T 5132—1995）虽然将资源和生态环境保护、环境容量等作为规划的内容，但多为定性阐述，具体到控制性详细规划和修建性详细规划缺乏合理的指标控制，大多引用城市规划中的指标，如《城市区域环境噪声标准》（GB 3096—1993）、《生活饮用水卫生标准》（GB 5749—2006）、《环境空气质量标准》（GB 3095—1996）等，既未考虑通过规划控制手段支持绿色建筑，抑制不合理能源需求，又缺乏对各种节能技术措施的集成优化，对森林旅游景区规划的适用性有限。

8. 2. 1. 4　低碳经济时代对森林旅游景区规划提出新要求

森林旅游景区规划的前瞻性原则要求现代森林旅游景区规划应顺应时代的发展，把握先进的规划理念。在低碳经济浪潮席卷全球的背景下，低碳城市规划及建设成为落实低碳理念、发展经济的重要落脚点，而森林旅游景区为谋求可持续发展，其规划也必将朝着低碳化的方向发展。国务院《关于加快发展旅游业的意见》（国发〔2009〕41

号），明确指出："推进节能环保，实施旅游节能节水减排工程。积极利用新能源新材料，广泛运用节能节水减排技术，实行合同能源管理，实施高效照明改造，减少温室气体排放，积极发展循环经济，创建绿色环保企业。5年内将星级饭店、A级景区用水用电量降低 20%。合理确定景区游客容量，严格执行旅游项目环境影响评价制度，加强水资源保护和水土保护，倡导低碳旅游方式。"森林旅游景区规划实行低碳化顺应了世界时代发展，响应了我国"节能减排"的发展需求。

8.2.2　森林旅游景区规划低碳化的概念及内涵

8.2.2.1　森林旅游景区规划低碳化的概念

响应低碳经济时代的要求，为解决森林旅游景区建设存在的环境问题，丰富森林旅游规划的理论研究，本文提出森林旅游景区规划低碳化的概念。

所谓森林旅游景区规划低碳化，即以低碳经济的理念和方法来指导森林旅游景区规划实践，强调在景区规划全过程中充分贯彻低碳经济理念，倡导采用绿色环保技术方法及手段进行景区开发建设，减少景区在开发建设中的能源消耗、环境污染和温室气体排放，进而实现景区经营管理和旅游活动全过程"低排放、高能效、高效率"的低碳目标，引导森林旅游景区走低能耗、低污染、低排放的可持续发展道路。其规划的思想符合循环经济"减量化""再利用""再循环"的"3R 原则"和低碳经济"以更少的能源消耗、排放和污染获得更高效益、效率和效能"的目标。森林旅游景区规划低碳化是响应低碳经济的发展要求而提出的一种新的森林旅游景区规划理念和方法，其目的是通过具有前瞻性的规划引导循环型低碳森林旅游景区的构建，实现森林旅游景区的可持续发展。

8.2.2.2　森林旅游景区规划低碳化的内涵

"低碳化"对森林旅游景区规划提出了具体要求，其内涵主要体现为以下几个方面。

（1）低碳化是贯穿于森林旅游景区开发运营全过程的规划理念与方法。旅游规划低碳化是在全球气候变暖的环境背景下提出的应对资源与环境问题的新理念，更是一种新的规划技术与方法，强调"低碳化"的全程性，即从景区的前期建设、中期运营和后期管理等全过程严格遵循低碳化的标准和要求。

首先，低碳化作为一种全新的规划理念，强调从规划目标体系的确定到具体编制操作及最后的编制成果全程把握低碳的要求，在低碳理念的指导下通过运用低碳技术，推行碳汇机制和倡导低碳旅游消费方式，以获得更高的旅游体验质量和更大的旅游经济、社会、环境效益。将"低碳化"理念渗透到景区开发建设及运营管理的食、住、行、游、购、娱各环节,在每一个环节体现节能减排。其次,森林旅游景区规划低碳化实质上是将低碳发展理念落到实施层面,作用于森林旅游景区总体规划、控制性详细规划和修建性详细规划全过程中。与传统森林旅游规划实现生态化、可持续发展相比,"低碳化"要求森林旅游规划过程中运用先进的碳排放量计算方法衡量规划的项目、建筑设施、旅游活动等的碳排放量和固碳能力等可量化的问题,运用能源清洁技术、资源循环利用技术、可再生能源技术和温室气体减排技术等先进方法和手段来控制景区温室气体的排放。

(2)森林旅游景区规划低碳化的主要任务是实现景区的减碳增汇。"低碳化"的本质就是降低能源消耗及温室气体排放,优化能源结构和增强碳汇能力。森林旅游景区在资源消耗、污染排放及对自然生态系统的干扰方面相比其他旅游景区较少,但由于高度的关联性及旅游的迅速扩张,它在发展过程中也产生大量碳排放。因此,森林旅游景区规划的低碳化导向要求减少景区开发建设过程及后续运营可能存在的温室气体排放,降低能源消耗,尽可能降低旅游运营对环境的不利影响,并充分发挥森林的碳汇能力,通过植树造林、合理配置树种、扩大景观绿化面积等行为最大限度地吸收储存 CO_2,减少已经释放到大气中的 CO_2 含量,起到固碳、节能减碳的作用。

(3)森林旅游景区规划低碳化的目标是建立循环型低碳景区。低碳经济强调生产的低消耗、低污染、低排放,资源的高利用率和高循环,从而提高资源的综合利用水平,把经济活动对自然资源的需求和气候环境、生态环境的影响降低到最小程度,有效解决经济发展与资源可持续利用、气候和生态环境保护之间的突出矛盾。森林旅游景区规划低碳化发展本质上就是创建循环性低碳景区,它要求在森林旅游景区规划过程中,坚持循环经济减量化、再利用、再循环的"3R"原则,科学开发与合理利用森林旅游资源,建立"资源—产品—再生资源"的闭环反馈系统,以达到"合理开采、高效利用,最低能耗和最低污染"的目的,实现资源利用的最优化与环境损害的最小化,实现森林旅游景区清洁生产、旅游资源综合利用、旅游产品生态设计和旅游者可持续消费融为一体。

(4)森林旅游景区规划低碳化是景区可持续发展理念的实践与深化。旅游景区规划的"生态化"与"低碳化"理念在核心思想上都关注旅游与环境的关系问题,生态化规划重点关注和解决自然环境与旅游活动的和谐共生,内容较宽泛;而低碳化规划强调以减少温室气体为主要切入点构建生态型的森林旅游景区,重点应对全球气候变暖的环境问题,理论上要求将低碳目标与生态理念相融合,实践上是将量化工作落实到各项标准及相应指标体系的建立,在实践过程中加强低碳管理,避免出现生态旅游存在的诸如生态旅游标志等问题,坚持从低碳理念出发,通过标准化规范,指导其实践活动，反馈并完善低碳理念的发展模式，促进旅游业的可持续发展（戈双剑，2010）。因此，从某种意义上说，森林旅游景区规划"低碳化"是可持续发展理念的升级和具体表现。

8.2.2.3 森林旅游景区规划低碳化的意义

一方面，旅游规划的低碳化发展是旅游景区实现低碳化发展的基本依据和根本保证，因此，森林旅游景区规划低碳化能从规划层面、从森林景区开发建设源头，以更广阔的视野和更长远的眼光引导土地资源、温室气体排放、空间可持续利用和旅游与生态环境保护的协调发展，最大程度地减少景区开发与发展的能源与环境问题，是响应低碳经济时代号召、实现低碳经济的必要条件。另一方面，在森林旅游景区规划阶段引入低碳策略，能避免"低碳"沦为空谈，提高森林旅游景区规划的可操作性，有助于森林旅游景区的开发建设和规范管理，进而实现景区的可持续发展。

8.3 森林旅游景区规划低碳化的路径

8.3.1 森林旅游景区规划低碳化的前提基础

森林旅游景区规划涉及景区开发建设、运营管理各个方面，要实现低碳化必须在深入分析碳排放及能源消耗来源的基础上，明确节能减碳的渠道，进而在开发建设及后续运营阶段予以控制与调节，实现"减碳增汇"的森林旅游景区低碳化发展要求。

8.3.1.1 森林旅游景区发展的"高碳"现象

从森林旅游景区开发运营过程来看，温室气体排放及能源消耗主要来源于两个部分：开发建设过程和运营过程的碳排放与能源消耗。

8.3.1.1.1 开发建设过程的碳排放与能源消耗

森林旅游景区开发建设过程的碳排放和能源消耗问题主要体现在建设和布局两个方面。

（1）建设方面。景区交通、项目建设需要推整土地、运输材料、硬化路面、维持工程设备运转等活动，会造成大量碳排放。部分景区开发商为最大限度谋求经济利益，在建设度假别墅、商务会所等高档休闲度假项目设施时占用大量耕地、林地，甚至开山炸石、砍树毁林，侵占动物栖息地等，导致森林区域水土流失、植被破坏及生态失衡，并间接影响森林的固碳能力，增加碳的排放量。

（2）布局方面。景区项目、设施布局不合理将导致不必要的能源消耗和碳排放，如在河流上游大量建设旅游设施致使原始森林和天然生态林遭受滥砍滥伐，覆盖面积减少，造成山体滑坡、江河污染严重，影响下游水质。旅游设施的集中分布加剧生态环境破坏及污染的可能性，直接导致游客空间分布不均，违反生态旅游最大限度保护自然状态的开发原则，导致旅游资源退化及景观和生态的破坏。但旅游项目分散，景区开发建设需要修建道路并准许通行，这在一定程度上会增加交通能耗及污染。

8.3.1.1.2　运营过程的能源消耗与碳排放

森林旅游景区在运营过程中的碳排放是持续、不间断的，是森林旅游景区碳排放的主要环节，主要来自与旅游活动有关的交通设施、旅游基础设施与服务设施的使用，以及维持各类旅游项目装备、机械运转的能源消耗。此外，旅游活动行为本身也产生大量温室气体。

（1）交通的能源消耗与碳排放。从旅游交通的空间范围来看，森林旅游景区旅游交通分为旅游景区外部交通和旅游景区内部交通两类：外部交通包括从旅游客源地、旅游集散中心或其他旅游景区到景区的交通，主要交通工具包括飞机、火车、旅游大巴、自驾车、轮船等；内部交通包括森林旅游景区范围内连接各游览区及景点的交通，目前主要交通工具有景区观光巴士、环保汽车、电瓶车、自行车、人力车、畜力车、步行等，部分森林旅游景区还允许少量自驾车进入。森林旅游景区运营过程的交通碳排放主要来源于交通工具尾气的排放，能源消耗来源于交通设施运行对碳基能源的使用，与旅游交通工具使用的能源燃料、交通工具运行的路程及交通工具每公里消耗能源强度 3 个主要因素有关（石培华等，2010）。

（2）配套设施的能源消耗与碳排放。旅游基础设施与服务设施使用产生的碳排放涉及餐饮、住宿（表 8-1）、游览等设施建筑建材、清洁能源使用、废弃物处理等因素；能源消耗主要涉及各项旅游建筑设施的供电、水、热等，如旅游饭店的炊事、空调、家电等。目前早期发展起来的森林公园建设使用的工程材料多为污染、高耗能的材料，节能减排设施设备落后，清洁能源开发利用不够。交通、餐饮的能源选择多为高碳的煤炭、化石燃料，部分旅游经营者为节约成本、增大游客接待量，对食材的培育过度使用农药和化肥，有的甚至使用高毒高残留农药，在

表8-1　住宿设施能源消耗量（2001 年）

住宿设施	单位能源消耗（MJ/每床每晚）
饭店	130
野营地	50
便民住宿设施	25
自助旅馆	120
度假村	90
度假小屋	100

资料来源：GOSSLING S. Global environmental consequences of tourism[J]. Global Environment Change, 2002, 12(4).

旅游生活中大量使用洗衣粉、洗涤剂，生活污水、废水没有经过处理或循环利用直接排入水中、田中，导致水质污染、土壤板结、植被破坏、水生生物死亡等。

（3）旅游活动的能源消耗和碳排放。2007年政府气候变化专门委员会（IPCC，2007）报告指出，当前气候变暖有90%以上的可能性是由人类活动造成的。首先，森林旅游景区大部分旅游活动与水、电力消耗及碳排放相关，如维持水上运动项目、游乐场项目、夜间实景表演等大型娱乐节目及设施运转需要消耗大量水能、电能（表8-2至表8-4）；露天烧烤、篝火晚会等旅游项目需要燃耗木柴或炭，水上娱乐项目需要消耗石油来提供动力（王润等，2010）。其次，旅游活动行为本身也产生二氧化碳。一般来说旅游者旅游活动的强度越高，旅游者人数越多，旅游者呼出的CO_2越多，以CO_2为主的温室气体排放量就越多。森林旅游景区在减碳方面的优势是能通过光合作用吸收因呼吸产生的CO_2，但如果旅游者人数超过景区环境容量，造成旅游活动的频繁和分布的过于集中，将引起一些物质和生态资源的变化，导致过量CO_2的产生。第三，旅游者在旅游活动过程中由于游览、住宿、餐饮、交通、购物等行为产生的大量生活垃圾废渣、废气、废水及一些旅游者践踏草地、折枝摘花、刻字、捕鸟等一些不良行为造成的动植物破坏。如安徽黄山风景区每年的垃圾生产量约3000t，黄金周每天的垃圾生产量在10t左右，垃圾收集、运输、清理的过程则会造成大量的碳排放（彭波等，2006）。

表8-2   不同类型旅游活动的能源消耗及二氧化碳排放量（中国台湾，2009）

旅游活动	能源消耗（MJ/人）	CO_2排放（g/人）
观光	8.5	417
使用动力的水上运动（水上摩托、橡胶船等）	236.8	15300
使用人力的水上运动（划船、皮划艇、冲浪等）	35.1	2240
游泳、垂钓等休闲运动	26.5	1670

资料来源：KUO N, CHEN P. Quantifying energy usecarbon dioxide emissions and other environmental loads from island tourism based on a life cycle assessment approach[J]. Journal of cleaner production, 2009, (17).

8.3.1.2   森林旅游景区的碳汇机制

森林旅游景区的碳储存功能主要体现在森林、湿地等森林植被的光合作用和林业生物质能源材料的生产两个方面。首先，作为陆地生态系统的主体，森林植被在生长过程中，通过光合作用将排放到大气中的二氧化碳吸收后以生物量的形式固定下来，有强大的碳汇功能。研究显示，森林蓄积每增长$1m^3$，平均吸收1.83t二氧化碳，放出1.62t氧气（贾治邦，2007）。其次，森林作为生物类材料，是一种低碳经济材料，林业生物质能源材料的生产既能固碳，又能减少对化石材料的需求(铁铮，2009)。

表 8-3　不同类型旅游活动的能源消耗量(新西兰，2000)

旅游活动	能源消耗(MJ/人)	旅游活动	能源消耗(MJ/人)
滑雪	1300	森林漫步	110
观光飞机	340	体验中心	29
潜水	800	动物园	16
乘船水上观光	165	博物馆	10
航行(动力)	140	游客服务中心	7
森林探险	57	皮划艇运动	36

资料来源：BECKEN S，SIMMONS D G. Understanding energy consumption patterns of tourist attractions and activities in New Zealand[J]. Tourism Management，2002，(23).

表 8-4　不同类型旅游活动的能源消耗(新西兰，2003)

	旅游活动	能源消耗(MJ/人)
吸引物	建筑：博物馆、艺廊、历史遗迹	3.5
	公园：植物园、动物园	8.4
	文娱活动：体验中心、泛舟	22.4
	产业：农业观光、酒庄探访	11.5
	自然吸引物：地热吸引物、萤火虫岩洞	8.5
娱乐	表演：电影院、音乐会、艺术表演、剧院	12.0
	其他：酒吧、赌场、购物	6.9
活动	空中活动：空中体育运动、空中观光、空中观鲸	424.3
	使用动力的水上活动：喷水推进艇、帆船、海钓、观鲸	236.8
	探险活动：蹦极、爬山、直升机滑雪、皮划艇、山地自行车	35.1
	自然活动：脚踏车、骑马、高尔夫、湖钓、健步	26.5

资料来源：BECKEN S，SIMMONS D G. Understanding energy consumption patterns of tourist attractions and activities in New Zealand[J]. Tourism Management，2002，(23).

8.3.2　森林旅游景区规划低碳化的关键领域

"低碳化"是森林旅游景区规划的重要理念和方法之一，森林旅游景区规划的低碳化不可能面面俱到，而应当重点把握"减碳增汇"的关键领域。结合上述森林旅游景区

"高碳"现象及碳汇机制情况，本书认为森林旅游景区规划实现低碳化的关键领域主要是旅游空间布局、旅游项目与产品策划、旅游基础设施三个方面。其中，旅游项目按旅游要素分为旅游交通项目、旅游住宿项目、旅游餐饮项目、旅游娱乐项目、旅游游览项目和旅游购物项目；旅游基础设施规划涉及的内容包括给排水规划、电力规划、废弃物处理规划等。但低碳化规划作为区别于生态化规划、绿色规划等的全新规划理念和方法，又强调规划的全过程低碳化特性。因此，制定低碳化的规划目标和各阶段低碳控制指标体系，也是森林旅游景区规划低碳化的首要前提和重要内容。

8.3.3　森林旅游景区规划低碳化的基本思路

基于以上分析，本书认为森林旅游景区规划低碳化应围绕旅游规划全程低碳化的核心理念，重点把握旅游发展目标、旅游空间布局、旅游项目及产品、旅游基础设施四大关键领域进行具体规划。与此同时，为保障规划低碳化的顺利实施，必须得到政府、旅游企业、旅游者三大旅游利益相关者的支持。因此，森林旅游景区规划低碳化发展的总体思路可概括为"遵循一个理念、把握四大要点、推进三方保障"，即：

遵循一个理念——遵循全程低碳化的规划理念。

把握四大要点——制定低碳发展目标及低碳控制指标体系，实现旅游空间布局低碳化，设计低碳旅游活动项目，完善低碳化旅游基础设施。

推进三方保障——推进森林旅游景区规划低碳化的政府政策保障、旅游企业运营保障和旅游者参与保障。

8.3.4　森林旅游景区规划低碳化的具体路径

8.3.4.1　遵循全程低碳化的规划理念

低碳化的森林旅游景区规划理念应当充分贯彻到景区前期开发建设、中期运营及后期管理全过程，在景区定位、建筑设计、空间布局、项目及产品策划、产业运营、景区管理等方面进行科学合理的配置，让"低碳"体现在森林旅游景区发展的各个环节。低碳化理念作用于旅游规划编制中，主要体现为：在总体规划层面，综合考虑区域政策经济发展状况及客源市场状况，明确以低碳理念为主导的规划定位及概念方案，就低碳发展目标、旅游空间布局、旅游项目及产品设计、旅游配套设施建设、固碳及政策保障等方面提出发展思路及基本策略；在控制性详细规划层面，提出以低碳发展目标为核心的各领域低碳控制指标体系，使低碳策略可执行、可量化、可评估，并就土地利用性质、规模及可建设区域建筑建材、风格、建筑容积率、建筑密度、绿地率、配套设施用地规模等具体问题进行低碳控制；在修建性详细规划层面，给出以低碳控制指标体系为目标的技术方案及设计导则，使管理者有抓手、执行者有依据。

8.3.4.2　把握森林旅游低碳化规划四大要点

8.3.4.2.1　制定低碳发展目标及低碳控制指标体系

规划目标和规划指标体系作为规划实施的主要控制手段，是将景区规划建设由理论研究到实际操作的关键所在。与传统旅游景区不同，衡量森林旅游景区是否低碳的标准相对简单，即碳排放量指标。因此，森林旅游景区规划低碳化的首要问题是确立合理的低碳发展目标及一系列低碳控制指标体系。在总体规划编制中，应当在景区发展经济目标、社会目标的基础上，在生态目标方面增加一个综合碳排放量指标。衡量森林旅游景区碳排放水平的综合指标通常有三个：一是碳排放总量，指森林旅游景区在一定时期的总碳排放量；二是人均碳排放量，指森林旅游景区碳排放总量除以游客接待人次得出的碳排放均值；三是碳排放强度，指单位森林旅游经济收入所产生的碳排放量，它主要是用来衡量森林旅游景区旅游经济发展水平与碳排放量之间的关系。一般情况下，制定景区低碳发展目标选择碳排放强度作为标准，选择适当的碳排放强度下降幅度作为总体目标，且该项总体目标与国家同期的应对气候变化目标必须一致（陈洪波，2011）。

围绕综合碳排放量指标，建立森林旅游景区开发建设和运营管理过程中与碳排放及能源消耗紧密相关的领域确定相应的低碳控制指标（具体低碳控制指标制定见第 8 章 8.4 节），用以指导具体景区的开发与运营。目前，旅游业未被纳入国家应对气候变化与节能减排战略中，学术界尚无系统的旅游景区低碳评价指标体系或低碳控制标准，但目前世界旅行旅游理事会、中国国家旅游局、各地方政府出台的与绿色旅游景区、旅游景区节能减排等相关的规范标准在理念和思路上与"低碳化"理念相符，在具体的温室气体排放、空气质量和噪声控制、废弃物处理等方面提出了相应要求，可以作为森林旅游景区低碳目标和低碳指标体系构建的参考，如世界旅行旅游理事会《绿色环球 21 景区规划设计标准》、国家《生态旅游示范区标准》、深圳出台的全国首部《绿色景区标准》，国家制定的各项节能减排规范规定、绿色旅游相关标准等如《绿色旅游景区》（LB/T 015—2011）、《国家生态旅游示范区建设与运营规范》（GB/T 26362—2010）、《绿色旅游饭店》（LB/T 007—2006）及其他具体的建筑节能标准、绿色建筑标准等等。

8.3.4.2.2　实现旅游空间布局的低碳化

旅游空间布局具有很强的锁定效应，一旦空间布局确定下来，就难以改变。研究低碳城市规划建设的学者从城市形态结构、土地利用和空间规划的角度，研究了通过优化空间布局来实现低碳发展目标。他们认为不合理的城市空间布局会增加交通出行的次数和距离，人为增加能耗和碳排放。作为森林旅游景区，不合理的旅游功能布局同样会增加碳的排放。森林旅游景区功能布局的低碳化发展，一方面可以避免因旅游服务设施布局分散、旅游项目活动不集中或游览区与服务区距离远等直接导致内部交通工具使用和森林区域土地利用的增加；另一方面，通过合理的功能布局提高景区的碳汇能力，改善景区的碳排放问题。在森林旅游规划中实现旅游功能布局的低碳化主要有以下两种形式。

（1）紧凑式空间布局：紧凑式空间布局最早在低碳城市建设中提到，低碳城市建设研究学者 Glaeser 和 Kahn（2008）研究发现城市碳排放随着城区人口密度增加和空间规模紧凑发展，汽油消耗量和碳排放随之减少（马丰敏，2009）。森林旅游景区的紧凑式空间布局是一种高密度和功能混合的空间布局模式，强调景区交通、旅游项目及设施与森林用地规划的紧密结合，其目的主要有两个：①以较少的土地利用提供更多的森林旅游活动空间，提高森林土地资源利用效率；②减少高碳交通工具使用，支持步行、自行车、节能型交通工具在森林旅游景区内出行，降低交通能耗，减少温室气体的排放。森林旅游景区实行紧凑式空间布局主要表现为科学地进行功能分区和合理的道路建设；可以规划在距离森林核心区域较远的、允许开发建设的区域建设相对集中的森林旅游服务区，包括景区停车场、游客服务中心、食宿设施、娱乐设施、商业设施、水电等基础设施等，便于能耗与碳排放的统一控制与调节。项目组在编制《德化县浔中镇生态旅游总体规划》时遵循低碳化原则，考虑到唐寨山森林公园的节能减碳问题，将游客服务中心、景区停车场、唐寨山度假酒店和唐寨山商务会所等集中布局在景区南侧入口处，保证游客高耗能、高排放的旅游活动在森林公园区域外进行。此外，景区内交通网络的建设要保证所连接的项目或设施之间的空间距离最短，并在景区交通主轴线上实现吃、住、购、娱等功能混合统一的空间组织模式。例如，把度假设施布置在交通设施以及配套设施发达的建成区，使游客以步行的方式即可往返于各活动区。

（2）绿色空间布局。森林旅游景区的基础是森林自然景观，而目前不少森林旅游规划中，人工景观设计过多，反而使得森林成为陪衬。绿色空间布局强调在开发建设中尽量做到"多利用，少开发"，尽量在不改变自然资源原貌的前提下，进行合理开发及布局。充分发挥森林植物的"吸附"和"转化"作用，多建生态景观，保留森林区域的植被资源，增加景区的森林覆盖率，积极配种碳吸附能力强的植被，加大植被数量与面积。规划构建以一定面积景观绿地为主，以道路绿带、建筑绿化带为辅的丰富的绿地系统，实现建筑与绿化相融合，减少建筑的供冷需求。同时，尽可能增加乔木数量，以增加碳汇吸收能力。

8.3.4.2.3　设计低碳化旅游活动项目

（1）旅游游览项目低碳化规划。森林旅游景区游览项目即旅游规划中的旅游项目，其规划的低碳化发展可直接引导森林旅游者旅游行为的低碳化，最大程度减少能源消耗和温室气体的排放。

旅游者离开喧嚣的都市到森林旅游景区休闲游玩，就是为了亲身接触、感受大自然。因此在项目策划上要把握以下四点：首先，森林旅游景区不宜建设现代化、大型休闲娱乐项目，尽量减少甚至取消游乐场项目、夜间实景表演、露天烧烤、篝火晚会、动力水上运动项目等高排碳、高能耗的游览项目，而应充分利用原生态的森林旅游资源和生态环境，策划原始、天然、静谧的低碳、生态的游览项目。低碳旅游项目的设计应突出低碳环保性及游客的参与性，倡导游客去体验最自然朴实的生活方式。第二，在游览项目配置上应减少化石燃料使用，尽量采用自然光源和自然游览。第三，在游览项目布局上，采用节能建筑材料，缩短交通距离，采用环保新能源。第四，发挥森林旅游景区的生态教育与自然旅游功能，开展诸如低碳科普教育游、自然观光游、森林养生度假游、户外康体健身游、乡村体验游等多样化的森林生态旅游产品，引导游客融入当地特定背景生活状态之中，体验真正的低碳生活。根据森林旅游景区资源特点与市场需求，结合低碳经济的要求，森林旅游景区可规划设计森林观光游览类、森林养生度假类、森林康体娱乐类、森林科普教育类和森林生态体验类游览活动项目。

①森林观光游览类旅游项目。对森林旅游景区来说，观光游览类旅游是其最基础的游览活动，无需大规模建设，耗能少。森林旅游景区依托丰富的动植物和秀丽的自然风光规划设计动植物观赏、自然景观观赏、森林奇观观赏、古迹观光等旅游活动，建设观赏园等低碳旅游项目。项目组在规划福建省德化县唐寨山森林公园时，对公园内影响生态环境及景观的建筑、步道进行整修，重点优化"六

图8-2　福州国家森林公园鸟语林

园三林"的旅游项目，即百花园、百竹园、百果园、珍稀植物园、亚热带植物园、动物园、桉树林、杨树花灌木林、鸟语林（图8-2）等的生态旅游功能，将其打造为森林公园的主打旅游项目。

②森林养生度假类旅游项目。养生度假旅游产品是当前森林旅游的热点，森林旅游景区在建设养生度假旅游产品时应力求自然、生态，尽量不建高档酒店、商务会所等城市化建筑。以树木、竹木、花卉作为度假设施建设的原材料，规划森林木屋、竹楼、花房等特色度假住宿设施及商务娱乐设施，配套娱乐项目规划应贴近自然、设计成露天开放式的。项目组在规划建设泉州市德化县唐寨山森林公园时，将其发展定位确定为森林养生度假游，在公园内建设唐寨山森林度假村，配备森林医院养生娱乐项目，依托唐寨山森林公园北片区茂盛的森林植被和丰富的药用植物，设计了森林瑜伽、森林武术、森林理疗、森林沐浴、鹅卵石足浴、森林茶室等养生保健项目。

③森林康体娱乐类旅游项目。低碳化的森林康体娱乐类旅游项目应体现体验性和原生态性。森林旅游景区内尽量不建设室内运动中心，一切康体健身活动在户外进行，减少因维系运动器材运转、运动馆运营带来的能耗。设计具有挑战性、使游客完全沉浸其中的户外深度体验项目，通过身体的接触，调动各种感觉器官，使游客获得独特的个人体验，产生愉悦的情感。野外生存训练、户外拓展、攀岩、登山、森林CS、山地铁人三项比赛、定向越野、森林极限运动、森林寻宝等都是森林旅游景区低碳化康体类旅游项目的优选。不宜建设滑雪场、高尔夫球场、滑草场等电能消耗大、对森林植被造成破坏的健身项目。水上及空中娱乐设备考虑使用人力，如帆船、水上自行车等，增加游客的体验性。

④森林科普教育类旅游项目。森林物种丰富，是天然的"碳汇体"，在开展低碳旅游过程中应充分挖掘森林在科普教育方面的价值。例如观光类旅游项目配备低碳化的解说系统便可发展成为森林科普教育园，如百花园、百竹园可以向旅游者介绍天然花卉、竹的品种和功效。建设低碳植树园，一来引导游客进行"碳补偿"，二来游客通过认领、亲手栽种、挂名字牌等活动(如健康树、友情树、事业树等)，以许愿与还愿方式体现游客心灵的寄托，同时也增加了游客重游率。建设专门的森林低碳博物馆，向游客普及森林低碳常识，介绍碳汇能力高的植物、生物循环利用的知识等。项目组在规划福建省德化县唐寨山森林公园的旅游项目时，响应低碳旅游发展要求，将公园内原星级酒店所在地改建为以科普为主、观光为辅的低碳科普博物馆，设置各类低碳主题展示厅，如昆虫、鸟类、植物标本展示厅，生物演变史展馆及主题碳馆等教育科普类项目。

⑤森林生态体验类旅游项目。提供全天然、无人工痕迹的森林体验旅游活动，设计如森林溯溪、露营、生态考察、户外摄影等旅游活动，这类活动不依托建筑实体，能源消耗小。但必须配备交通指示牌、安全提醒标志，开辟森林步道，在适当位置设置休息点，引入水源及信号，保障生态体验活动的进行。

（2）旅游交通项目低碳化规划。对森林旅游景区而言，旅游交通项目规划实现低碳化应重点把握绿色旅游道路系统构建、低碳化景区交通方式规划和生态停车场打造3个方面。

①绿色旅游道路系统构建。森林旅游景区对外道路低碳化规划强调依山势及植被生长之势而建，尽量避免以开山炸石、毁林拆房为代价，在条件允许的情况下构建城区或镇区、其他景区到森林旅游景区的快速专道，引导旅游者快速进入景区，减少行车过程的能源消耗和温室气体排放。内部道路规划设计建设避免水泥硬化道路、柏油路等高碳道路的出现，将旅游主干道打造成为供电瓶车、新型能源车等通行的景区慢行车道，倡导慢行；重点规划建设多样化的自行车道、游步道、观景栈道、水道等，让景区内部道路发挥观景和娱乐功能。内部道路建设就地取材，选用当地林木或无污染生态材料，如石板、卵石、沙子等，而自行车道可选择本地原有的交通土路扩宽、平整，或以山势修路，并保证自行车道沿途风景优美。此外，为缩短景区内部交通工具的行驶路程，减少碳排放，主干道的设计应遵循"保证距离最小，道路服务范围最大"的原则，减少迂回道路，减少旅游者对交通工具的依赖。

②低碳化景区交通方式规划。外部交通工具在自驾车、旅行社旅游大巴等高碳交通工具的基础上，森林旅游景区应倡导发展观光大巴的公共交通方式。内部交通方式使用节能化、公共化、轻型化及新能源的交通工具，如电瓶车、燃料电池汽车、纯电动汽车、混合动力汽车、新型能源车、环保森林小火车、电动丛林缆车等电能及使用清洁能源的交通工具。规划设计传统的以人力畜力为动力的交通工具，如徒步、自行车、轿子、滑索、骑马、牛车、热气球等，这些交通工具不但低碳环保，还能作为森林景区旅游项目给游客带来旅游体验。

③生态停车场打造。生态停车场由于具有明显的遮阴效果，可以降低空调使用率，减少温室气体排放。规划在森林旅游景区入口处设置生态停车场，旅游大巴和自驾车必须在停车场换乘低碳化的交通工具进入景区。停车场的建造遵循"生态环保"原则，配套设施取材符合环保标准，停车地面铺设草坪、草坪砖、草地砖或能吸收更多太阳辐射的透水透气性的材料，并在停车位之间种植大量能吸收 CO_2 及其他废气的植物，减少汽车尾气对景区环境的破坏（尤文锦等，2011）。景区停车场的面积应严格按照景区环境容量的标准建设，在车辆管理上采用差别化收费的方式适当提高机动车停车费的收取，间接引导旅游者由机动车出行向公共交通出行转变。

（3）旅游住宿项目低碳化规划。旅游住宿项目实现低碳化，应重点把握建筑建材的选择、建筑建设和住宿配套设施的使用三个方面。森林旅游住宿项目规划必须遵循建筑节能标准和绿色建筑标准。作为体验森林生态的自然区域，钢筋水泥材料、落地门窗、大户型等高耗能、高碳排放的城市建筑模式不适合作为森林旅游景区的住宿项目，森林旅游景区住宿项目的建设应因地制宜考虑建筑标准，结合气候、自然、资源等条件进行建设。首先，建材的选择就地取材，优先选用木材、竹材等本地资源。其次，建筑风格上体现本土化，少建旅游宾馆、高星级酒店，使独特的住宿项目成为景区的吸引物，如北京的四合院风格、湘西吊脚楼风格等。第三，建筑的建设方面应保证良好的通风、采光和温控情况。一般情况下建筑容积率越小、建筑位置正南正北的，自然通风的效果越好，空调等高碳设备的利用率便随之降低。第四，森林旅游景区住宿设施内采用低碳新能源（太阳能、风能、地热、生物能）、新技术，减少温室气体的排放，坚持清洁生产，倡导绿色消费，保护生态环境并合理使用资源。

低碳森林旅游住宿项目的策划遵循特色化和生态化的原则，尽量减少人工建材的使用。可考虑规划建设的低碳森林旅游住宿项目包括：乡村民宿、地方特色民居（如傣族的吊脚楼、藏族的帐篷、内蒙古的蒙古包等）、露营帐篷和吊床、森林木屋、竹楼、树屋、茅草屋等。

（4）旅游餐饮项目低碳化规划。森林旅游景区餐饮设施在建筑建材的选择、建筑建设和餐饮配套设施的使用方面与住宿设施具有相似的要求。森林旅游景区餐饮项目低碳化设计还应重点把握食品原材料生产、加工方式及菜品本身的生态养生功能。森林旅游景区要提供绿色食品，食品原材料生产及成品烹调要体现本土化、特色化和生态化的原则。选用森林旅游区域或其周边社区的当季果蔬、家禽、野生菌类等。一方面减少原材料运送、包装、贮藏产生的能源消耗和温室气体排放，另一方面体现森林旅游景区餐饮的生态性和乡土风味。食品采用炖、蒸、清炒等少油、少热量、有益身体健康的烹调方法加工。规划设计创意性低碳餐厅、素菜馆、有机健康餐厅，设计养生素食系列菜品及低脂低盐健康农家菜品，如粗粮食品、果蔬食品、花卉食品等，并设计个性低碳营养套餐，打造低热量、低脂肪、低动物蛋白、低盐、低糖和高维生素、高纤维的"五低"＋"两高"旅游餐饮方式。低碳餐厅的建设应体现森林生态风格，在创意上可参考上海世博园伦敦"零碳馆"的建设，青岛啤酒瓶做的灯具、冰块做的酒杯、轮胎做的桌子、水管做的椅子、会发光的墙、能发电的窗户以及用饼干做成的餐具，用餐结束后，可以把"餐具"当饭后小点吃掉，没被吃掉的"餐具"则可和厨余垃圾一起，被收集到生物能量炉内，用于发电、发热，或形成生物肥料（田培，2010）。

（5）旅游娱乐项目低碳化规划。规划健康惬意的森林旅游景区娱乐项目，改变传统KTV、烧烤、泡吧、森林游乐场、高尔夫球等耗能高、对森林环境造成污染的娱乐项目，发展耗能少、参与性强的新型健康、修身养性的娱乐方式，如森林漫步、品茗、自行车漫游、赏花、垂钓、欣赏民俗表演、瑜伽、体验农事活动及植树、种花等碳汇活动。此外，可以针对年轻游客，发展互动低碳、不需要电子设备的辅助"桌游"项目。这类游戏大多使用纸牌、棋类等纸质材料开始 2 人以上的多人游戏，大家以游戏会友、交友，享受游戏沟通过程中的休闲和快乐。

（6）旅游购物项目低碳化规划。生产销售以绿色、生态为导向的土特产品和旅游纪念品，合理利用森林旅游景区全生态、无污染的原材料，规划设计如土特产礼盒、绿色果蔬礼盒、植物标本、根雕、盆景等本土化的特色旅游商品。抵制旅游商品过度、奢华包装，不主动提供包装塑料袋，商品包装袋采用原生态的材质，如竹篮包装、荷叶包装、纸袋包装等。采用绿色、生态标志，为旅游商品贴上"碳标志"，让游客在旅游消费过程中自觉培养和提高生态环保意识。规划建设低碳营业商店，销售低碳旅游商品、绿色旅游商品。

8.3.4.2.4　完善低碳化旅游基础设施

森林旅游景区旅游基础设施规划主要包括给排水、供电、燃气、供热及环卫规划等几个系统，涉及能源、技术等集中体现碳排放轨迹的领域。因此，旅游基础设施的低碳化规划主要从能源使用、资源利用和废弃物处理几个方面入手。

（1）发展清洁能源及可再生能源。森林旅游饭店、森林旅游项目设备的运作需要消耗大量能源、排放大量温室气体。森林旅游景区低碳化发展应当提高非化石能源的使用，发电方面尽可能开发利用风能、太阳能、地热和生物质能等可再生能源，烹饪方面使用天然气等相对低碳的清洁能源替代高碳能源。同时，提高能源转换和传输效率，减少单位能源供应量的碳排放，并预留碳捕获与碳埋存。生物质能发电在森林旅游景区低碳化规划中应优先考虑，景区内枯竭植被、死亡动物等农林废弃物可直接燃烧或气化发电，垃圾可通过焚烧、填埋等方式发电。

（2）建立水资源循环利用体系。森林旅游规划涉及供水、污水处理及雨水利用三个方面，建立水资源循环利用体系是响应低碳经济、构建循环低碳森林旅游景区的直接表现。其中，污水处理是建立水资源循环利用体系中最重要的环节。目前较为成熟的污水深度处理技术有以微滤、超滤及反渗透技术为代表的膜滤技术，可将污水处理到循环冷却水补水、甚至锅炉冷却水水质指标，回用到景区生活用水体系，有效缓解景区供水问题；此外，将深度处理的污水用于农田灌溉、喷洒绿地和洗车、冲厕等，实现污水循环利用，符合国家节能减排的要求。

（3）构建垃圾废弃物资源化利用系统。随着科学技术的不断进步，垃圾被认为是最具开发潜力的、永不枯竭的"矿藏"，是"放错地方的资源"。森林旅游景区环卫系统规划中对旅游生活垃圾进行减量化、资源化和无害化处理是森林旅游景区低碳化发展的趋势。森林旅游景区垃圾可以运用堆肥为主、填埋为辅的形式进行处理。堆肥处理一般以生活垃圾、有机污泥、人畜粪便以及农林废物等含有堆肥微生物所需要的各种基质为原料，在微生物作用下进行生物化学反应，最后形成一种类似腐殖质土壤的物质，用作肥料或改良土壤，是一种垃圾资源化利用的处理形式（具体步骤如图 8-3）。非堆肥原料垃圾仍需填埋处理，但填埋占地面积大，浪费土地资源。为克服这一缺点，可以将无法堆肥的垃圾集中运至景区所在镇区进行统一处理。

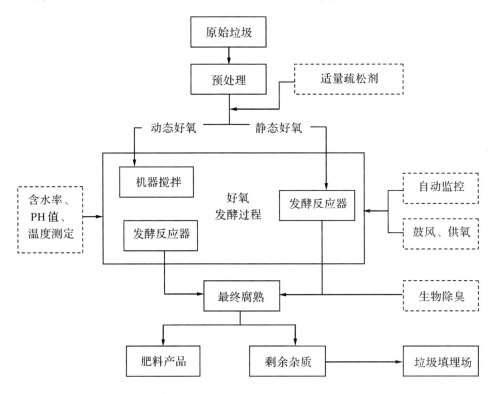

图 8-3　垃圾废弃物堆肥处理流程

8.3.4.3　推进森林旅游景区规划低碳化的三方保障

森林旅游景区各利益相关者出于经济利益的考虑，在旅游景区开发建设与运营管理过程中往往忽视旅游规划对旅游资源与生态环境保护方面的要求和规定，造成森林旅游规划处于"纸上画画，墙上挂挂"的尴尬境地。因此，森林旅游景区规划实现低碳化，在确定低碳发展目标及实施关键领域的基础上，必须建立适宜的保障机制，谋求政府、企业、旅游者三大主体的努力与配合，方能使旅游规划落到实处。

8.3.4.3.1　政府政策保障

（1）制定"低碳"旅游规划标准。将低碳经济理念融入现行旅游规划标准及政府文件中，在森林旅游景区的规划、开发、运营、管理以及软硬件建设方面出台符合低碳经济发展的新标准，从法律和制度层面实现旅游规划低碳化的标准化和制度化。一方面，制定低碳森林旅游景区规划技术规范，设定低碳效益量化考核指标，强化低碳发展在森林旅游景区规划评审中的分量；以《绿色环球 21 景区规划设计标准》《绿色景区标准》等规范标准为依据，制定符合森林旅游景区发展的规划标准，引入《低碳经济法》《清洁能源法》《二氧化碳排放法规》《环境影响评价法》《环境税收法》、ISO14000、Smart Voyager 及 NEAP 认证体系和森林领域的法律法规等的建设。另一方面，在《旅游规划通则》《风景名胜区规划规范》和《森林公园总体设计规范》三项规划依据中强调"低碳化"原则，并就具体领域如景区碳排放量、垃圾处理、低碳公共交通方式、建筑建材等制定严格标准，特别是在星级酒店和 A 级景区的评定标准中，突出增加和细化对各项设施碳排放标准的制定。旅游主管部门尽快制订符合森林旅游景区低碳化发展要求的森林旅游产品质量标准、森林旅游标准与森林旅游景区管理标准等。此外，紧扣国务院会议确定的降碳和节能减排目标及国家应对气候变化、节能减排的方案，在阶段性旅游发展文件，尤其是森林旅游景区发展相关政府文件及政府工作报告中提出具体的森林旅游景区低碳发展目标，如在国家或地区旅游业发展"十三五"规划中提出森林旅游景区发展的碳排放目标。森林旅游主管部门根据总体目标设置各个可控制、可实施的指标，建立指标体系，并将指标落实到各个责任单位，明确控制的内容、标准、环节和时限，便于责任单位在用地审批、建设招标和招商引资等实际操作中直接控制。

（2）加强规划低碳化的政策扶持与激励。政府应通过制定相应的政策法规和激励机制来推动森林旅游景区规划的低碳化运作。制定一系列扶持低碳旅游景区建设的激励政策，在景区或旅游项目招商引资时可以在征地和税收方面给予优惠或补偿；加强与银行的合作，建议银行对企业投资低碳景区在贷款方面可以给予一定的优惠政策；对森林旅游景区引入节能设备、进行节能改造、建筑引入高效节能系统给予一定的资金补助；建立专项的低碳基金，专门用于支持低碳景区采用新能源和低碳技术。加强与技术研发单位的合作，重点研究旅游建筑节能、旅游酒店节水、旅游新能源利用、低碳旅游交通工具研发及控污减排等关键技术，为低碳化的森林旅游景区提供技术支撑。在官方网站、旅游宣传片、旅游节上以政府推荐形式为低碳森林景区做宣传工作。对于那些不采用低碳经济模式发展、对环境造成污染、浪费资源的旅游企业征收费用，促使其改变发展模式。

（3）成立森林旅游景区低碳化监管小组。由旅游、环保、能源、交通、财政、建设等各相关部门负责人组成森林旅游景区低碳化监管小组，负责对森林旅游景区规划或森林旅游项目的审批、森林旅游景区低碳化建设与运营的监督管理。一方面，严格把好森林旅游景区规划的审批关，将是否"低碳"纳入森林旅游规划或旅游项目建设的考核和评价因素，优先审批符合低碳经济理念的森林旅游规划或森林生态旅游项目，对不符合低碳理念的森林旅游规划或旅游项目不予通过。另一方面，制订符合森林旅游低碳化发展要求的森林旅游产品质量标准、森林旅游管理标准等，鼓励森林旅游企业研发"低碳旅游"产品、服务及项目。就各相关部门根据自身碳排放量要求，对森林旅游景区运营过程中的碳排放问题定期监督、调查，对可能导致碳排放增加的景区行为及时上报及处理。此外，建立公众参与机制，通过教育、宣传等方式进行公众引导，使公众树立低碳旅游的理念，逐步养成节约、低碳行为习惯和生活方式，形成绿色消费、低碳消费和节约型消费模式，提高公众对森林低碳旅游的认同和喜爱，进一步扩大森林旅游景区低碳化市场。

8.3.4.3.2　旅游企业运营保障

森林旅游景区旅游企业要响应和践行政府的低碳政策与标准规范，接受政府的规范与监管，树立低碳经营管理理念，以发展低碳型旅游企业为经营思路，制定旅游企业低碳发展规划、节能减排目标及碳排放监测、统计和监管方案，积极推进景区低碳化发展的具体落实。

(1)培育低碳旅游吸引物，配备低碳旅游设施。旅游景区应积极打造低碳旅游吸引物，资源开发尽量不改变自然资源原貌。森林旅游项目开发建设应严格进行前期可行性论证，严格测算旅游项目可能产生的碳排放和能源消耗，策划森林低碳旅游项目，积极推进"碳补偿"项目的落地实施。旅行社设计森林旅游产品应针对不同旅游消费群体和消费需求，开发设计具有体验性、知识性、教育性、受益性的低碳化产品，如森林生态游、农业体验游、低碳科普教育游、保健养生游、民情风俗游等，并引导游客选择环保节能的出游方式。

严格执行森林旅游饭店、森林旅游餐厅等服务设施的低碳建设标准，配置低碳化旅游设施，重点关注建筑节能减排，采用新型节能设备和建筑材料，推进节能技术改进。尽量采取原生态材料建设景区，降低消耗，形成较完善的循环经济模式。倡导森林旅游景区内部使用电瓶车、自行车等低碳或无碳通行方式，旅游接待设施尽可能利用太阳能、风能、地热等清洁能源，景区饭店建造符合绿色饭店的标准。

(2)制定景区低碳服务机制，引导旅游者低碳消费。首先，加强景区员工、饭店服务人员、导游员、社区居民的低碳意识培训，重点培养一批有低碳理念和低碳知识的专业讲解员，为旅游者提供森林低碳旅游的各种资讯，在景区讲解过程中融入低碳知识，培养旅游者的低碳旅游消费意识。其次，建立完善的低碳旅游服务设施，在标识引导、设施配套等方面积极营造节能减排氛围，提供低碳旅游咨询、查询自行车租借点、提供低碳饮食及住宿资讯等服务。标示"低碳营业商店"，鼓励森林旅游者购买当地的土特产品、绿色食品及旅游纪念品。落实"不使用一次性餐具""垃圾分类回收""不主动提供包装塑料袋"等低碳服务措施，对将垃圾带出景区的旅游者给予适当奖励等措施，推动森林旅游景区低碳化发展。同时，设置"碳减量计数器"及森林旅游者碳汇账户，计算森林旅游者本次旅游活动相比一般旅游模式的碳排放减少量，开辟植树区，鼓励森林旅游者通过植树增加碳汇积分，由积分换取景区服务及产品优惠。

8.3.4.3.3　旅游者参与保障

森林旅游者是最重要的旅游参与者之一，其旅游活动直接导致碳排放和能源消耗。森林旅游者的消费行为在很大程度上决定了森林旅游景区规划建设方向。因此，森林旅游者应当转变奢华享受的旅游消费观念，强化旅游的生态性、文化性与品味性，积极培育低碳旅游意识。在旅游消费行为上，旅游者应积极配合森林旅游景区的低碳发展对策，将低碳环保理念付诸到食、住、行、游、购、娱的每一个细节。餐饮方面选择绿色无公害食品，并尽量减少使用一次性餐具，不乱丢垃圾，不污染水土；住宿方面尽量选择入住绿色酒店、森林木屋或帐篷，节约用水用电；选择低碳或无碳交通工具，景区游览尽量步行、使用自行车或以人力、畜力为交通工具；景区游览过程中摒弃高能耗的旅游项目，积极参与生态、养生、观光、科普教育类旅游项目，自觉进行"碳补偿"；购物方面尽量购买简易包装的当地土特产或纪念品；娱乐方面尽量选择有低碳设施的娱乐场所。

第9章   森林旅游低碳化游客管理

9.1   游客行为影响

9.1.1   游客行为对森林旅游低碳化的影响

游客作为森林旅游最重要的参与者，其旅游活动、旅游消费偏好、旅游行为方式等将给森林旅游环境带来压力，对森林旅游低碳化的发展产生影响。

9.1.1.1   游客行为对森林旅游区大气的影响

虽然森林旅游区相对于其他旅游区而言，具有绿化率高、空气清新、环境优良等特点，但游客的旅游活动不可避免地会加剧废气的排放，增加森林旅游区空气中的含菌量和含尘量，从而改变空气的质量。在一些汽车到达的森林旅游区中，汽车尾气的过多排放会导致空气污染。

9.1.1.2   游客行为对森林旅游区植被的影响

森林旅游区植被是游客活动的重要场所，其遭破坏主要由于被游客践踏、胡乱采集、燃烧和污染，从而影响森林旅游区的植被面积、草地密度、植物的多样性，降低了森林旅游植被碳汇能力，阻碍了森林旅游低碳化。

9.1.1.3   游客行为对森林旅游区土壤的影响

森林旅游区中，游步道及其沿线产生的土壤问题最为突出。随着游客的践踏、植被的减少，土壤的裸露面积增加，土壤大孔隙数量降低，减少了空气和水分的流动，阻碍土壤的通气和渗透，减少了土壤有机质含量，限制了植物根系的生长，影响了植物的生长，从而减弱了森林碳汇能力。

9.1.1.4   游客行为对森林旅游区动物的影响

游客通过狩猎、食用、影响动物的生存环境等影响动物数量，影响动物的再生繁殖能力，干扰原有森林旅游区的生态系统平衡，甚至造成濒危珍稀物种的灭绝，不利于森林旅游低碳化发展。

9.1.1.5　游客行为对森林旅游区水体的影响

森林旅游区游客的剧增直接增加了水资源的需求量，给森林旅游区的水资源利用带来巨大的压力，同时制造更多的生活污水，影响水体质量；游客从事的漂流、水上摩托、游艇等水上项目也会造成不同程度的水体污染，改变水体中的生物成分含量，从而影响森林旅游低碳化发展。

9.1.2　影响游客行为碳排放量的因素

影响碳排放量的因素有很多，包括人口的增长、经济的发展、技术的革新与进步、城镇化的发展以及制度变迁等各种社会、经济发展因素。本书从森林旅游系统的构成——森林旅游主体、媒介、客体三个角度入手，研究影响游客行为碳排放量的因素。首先，来自森林旅游主体，即森林旅游者的因素，包括游客的碳排放意识、游客总量、分布密度及停留时间、游客活动类型及行为方式；其次，来自森林旅游媒介的因素，包括森林旅游规划与游客管理水平、政府管理部门的低碳政策等因素；第三，来自森林旅游客体——森林旅游资源的因素，即森林生态系统的抗干扰能力及社区居民方面的因素。

9.1.2.1　森林旅游主体因素

（1）游客的碳排放意识。游客的碳排放意识体现了游客对环境的态度，是影响游客行为的关键因素，主要包括游客对低碳旅游的认知水平、游客低碳行为的自觉程度两个方面。游客的碳排放意识将影响游客在森林旅游消费过程中的出行方式选择、活动项目选择和行为方式，从而影响森林旅游活动的碳排放量。游客的低碳排放意识及自我约束能力越强，越能从道德、法律的角度出发，约束自己的行为，甚至影响其他游客的行为，引导其他游客的低碳消费行为，限制其在旅游过程中的碳排放量。反之，森林旅游碳排放量会增大。

（2）游客总量、分布密度及逗留时间。随着区域内游客总量的增加，为满足游客的物质、通信、交通等方面的需要，将有更多的化石能源被开采和消耗，从而增加了二氧化碳的排放量；为了向游客提供住宿、餐饮、娱乐空间，将有部分森林资源被采伐和燃烧，大大限制森林生态系统作为碳汇主体重要功能的发挥，并且随着游客分布密度的增加和停留时间的延长，游客向区域排放的二氧化碳量将有所增加，给森林旅游环境带来更大的压力。

（3）游客活动类型及行为方式。不同旅游活动类型将会向环境排放出不同数量的二氧化碳。实践证明，狩猎活动对野生动物的影响大于动物观光，而近距离的观光活动比远距离的观光活动对碳排放量的影响要大。同一活动类型，不同的行为方式也将影响游客的碳排放量。同样是观光活动，驾车观光比步行观光，驾驶快艇在水上观光比乘坐小木船产生更多的二氧化碳(张健华，2004)。

9.1.2.2 森林旅游媒介因素

(1)森林旅游规划和游客管理水平。森林旅游合理的规划和科学的游客管理能有效控制并降低游客的碳排放量，减少游客对环境的影响。科学的功能分区、合理的游线设计、完善的解说系统能有效分散游客，降低游客分布密度，控制其活动区域及旅游行为方式等，引导其低碳旅游行为，减少游客的碳排放量，限制游客行为对森林生态系统尤其是脆弱生态系统的影响。

(2)低碳政策。有关管理部门推行有效的节能减排政策、低碳服务政策，实行正确的低碳经济消费政策、低碳生活政策，实施碳税政策及生态补偿政策，倡导低碳旅游行为，能引导游客消费，培养游客形成良好的低碳旅游消费习惯，营造低碳旅游氛围。

9.1.2.3 森林旅游客体因素

(1)森林生态系统的抗干扰能力。森林生态系统具有一定的自我调节能力，但在一定条件下，游客对环境的干扰过大，超出森林生态系统自身的调节能力，生态平衡将受到破坏。因此，在面对同等程度的二氧化碳排放量，越是脆弱的生态系统受到的负面影响越大；同一生态系统在不同时间和季节的抗干扰能力也不尽相同(彭维纳，2008)。

(2)社区居民的态度与行为。社区居民是森林旅游文化的承载主体，是森林旅游的重要组成部分，因此作为森林旅游客体因素考虑。森林旅游区周边社区居民对环境的态度和行为会对森林旅游者产生影响。社区居民较高的低碳环保意识能引导和影响森林旅游者行为，增强其环境友好意识，从而采取有利于森林生态系统的行为，减少森林旅游碳排放量。反之，社区居民的抵触心理和高碳行为也会对旅游者产生负面的引导与示范作用。

9.2 森林低碳旅游者

9.2.1 森林低碳旅游者界定

低碳旅游者是指在旅游活动中，以旅游行为的碳零排放或低排放为标准，主动承担旅游业节能减排的社会责任，自愿选择能耗少、污染小的旅游体验过程的旅游者

（侯文亮，2010）。相对于低碳旅游者的概念，森林低碳旅游者的范围要窄些，有广义和狭义之分。广义的森林低碳旅游者是指进入森林旅游区进行旅游活动的全部游客，而狭义的森林低碳旅游者是指在森林旅游活动过程中，具有强烈的低碳意识，能自觉选择低碳排放的旅游活动方式，积极主动地参与森林低碳旅游，获取低碳知识的旅游者。一般来讲，狭义的森林低碳旅游者才是真正的低碳旅游者。

9.2.2 森林低碳旅游者的特点

9.2.2.1 森林低碳旅游者与传统大众旅游者的区别

从表 9-1 中可以看出，森林低碳旅游者与传统大众旅游者在旅游目的地选择、旅游目的、消费准则、旅游形式、旅游参与、自身素质要求上存在着很大的区别，森林低碳旅游者的低碳意识、素质要求等都要高于传统大众旅游者。

表 9-1 森林低碳旅游者与传统大众旅游者的区别

	森林低碳旅游者	传统大众旅游者
旅游目的地	森林旅游区，包括森林自然景观和森林生态文化景观，如森林公园、自然保护区	所有吸引旅游者的自然景观、人文景观地
旅游目的	在最低碳排放量的前提下，实现对森林旅游生态系统、森林文化的认识与理解	对旅游目的地的认识与享用
消费准则	选择低碳旅游消费方式	效用最大化，不在乎碳排放量多少
旅游形式	寓教于游、寓教于乐，形式多样	以观光为主，形式单一
旅游参与	主动参与低碳旅游，感受森林生态与人文环境，获得低碳旅游知识	被动，一般不参与低碳旅游活动，跟随旅游团队行动，感受不深
自身素质	有较高的低碳意识，能自觉保护森林生态环境和人文环境	对游客素质的要求不高

9.2.2.2 森林低碳旅游者的特点

根据低碳旅游的概念（详见第 1 章 1.2 节）及相关调查分析结果，结合森林低碳旅游者与传统大众旅游者的对比结果，可以概括出森林低碳旅游者具有强烈的低碳旅游意识，在森林旅游过程中高度尊重自然和文化生态，并且追求高质量的旅游体验。

9.2.2.2.1 强烈的低碳旅游意识

森林低碳旅游作为一种以碳零排放或低排放为标准的负责任的旅游，强调低碳旅游者在旅游过程中能以自身的行为为森林旅游低碳化作出自己的贡献，因此要求低碳旅游者具有强烈的低碳旅游意识、自律性和社会责任感，能自觉约束自身行为，甚至向其他旅游者宣传森林低碳旅游，引导其他旅游者的行为向低碳化方向发展。

9.2.2.2.2   尊重森林自然及文化生态

森林低碳旅游者注重通过亲身体验来认识和理解自然，倾向使用简单、原始、低碳排放的旅游住宿、餐饮设施及交通工具，选择对自然和文化影响较小的旅游活动，减少对森林旅游区的影响；入乡随俗，适应性强，充分尊重当地自然与文化生态，热衷于接触原始大自然和原汁原味的特色文化，并在感受自然与文化之美中体验人与自然的和谐，渴望通过旅游活动获得森林低碳知识，认识社区文化，感受到其中的美学、科学、哲学等价值。

9.2.2.2.3   追求高层次旅游体验

森林低碳旅游者通常拥有更高的文化背景和更强烈的求知欲，更加注重通过低碳旅游行为亲身接触和感受森林旅游区的自然与文化的真实面貌，愿意与社区居民深入沟通和交流，感悟森林旅游自然与文化的灵性，体验人文的积淀，强调在森林旅游过程中获得较高的精神价值，实现自我。

9.2.3   游客对森林旅游低碳化的感知及行为分析实例

9.2.3.1   调查设计

本研究以福州为例，以福州国家森林公园、旗山森林公园的旅游者为调查对象，主要调查福州森林旅游者对森林旅游低碳化的感知及其在森林旅游过程中的旅游行为特征。

9.2.3.1.1   问卷设计

本研究设计了"游客对森林旅游低碳化的感知和行为调查问卷"，主要涉及三个主要部分。第一部分是被调查者对森林旅游低碳化及低碳旅游的认知，包括认知程度、认知渠道、倡导森林低碳旅游的态度和推荐森林低碳旅游的意愿；第二部分是森林旅游者的消费行为过程，包括森林旅游者的森林旅游动机、动机产生的原因，以及森林旅游者在森林旅游消费过程中的交通、餐饮、住宿、购物、旅游活动等的选择。第三部分为被调查者的基本情况，包括其性别、年龄、文化程度、职业、月收入等基本信息。

9.2.3.1.2   数据来源

本研究的数据来源于研究团队在福州国家森林公园和旗山国家森林公园的问卷调查。研究结合分层抽样和简单随机抽样方法，首先从福州多家森林公园中选取具有代表性的两家森林公园进行实地调查，选择恰当的调查时间，进入调查区域进行调查，进而采取简单随机抽样方法，随机抽取游客进行问卷调查，提高了样本的代表性，保证问卷的真实性和有效性。本次研究共发放问卷 150 份，回收 126 份，其中有效问卷 106 份，回收问卷有效率为 84. 13%。

9. 2. 3. 2　调查结果分析

本研究在通过问卷调查获得原始数据的基础上，运用 Excel 和 SPSS 等统计软件进行统计分析，从人口统计学特征、低碳旅游认知特征、动机特征和行为特征四个方面对统计结果进行分析。

9. 2. 3. 2. 1　人口统计学特征分析

（1）性别。现实中，由于男性和女性在家庭和社会中扮演的角色不同，不同性别的旅游者对低碳旅游的认知和态度不尽相同。从调查结果看，男性和女性旅游者占被调查者的比例分别为 51. 9% 和 48. 1%，比例均衡，说明性别并不构成森林旅游的障碍或者促进因素。但其在旅游活动偏好上存在着差异，女性旅游者相比男性旅游者更喜爱休闲观光活动，而男性旅游者则更推崇康体运动、科普教育活动。总之，森林旅游者中，男性旅游者和女性旅游者的比例趋于平衡，但对于特定的旅游活动，男性旅游者和女性旅游者表现出不同程度的兴趣。

（2）年龄。不同年龄的游客由于体力、生活阅历、成熟程度和追求不同，在旅游动机、个人价值、旅游偏好和消费水平方面存在着差异，对其选择旅游目的地、旅游时间、旅游方式和旅游活动等方面有很大的影响，行为方式也有着较大的区别。调查结果显示，福州森林旅游者的年龄主要集中在 16～40 岁之间，占调查总人数的 81. 2%，其中，年龄在 16～25 岁之间的游客占 42. 5%，而年龄在 26～40 岁之间的游客占 38. 7%，说明森林旅游者以中青年为主。这与中青年旅游者平日紧张的工作氛围和繁重的生活压力有关，其对于到森林旅游环境中放松自我有着强烈的渴望。在旅游活动的选择中，老年人更重视能满足其精神价值的旅游活动，选择静态的休闲观光类活动，而年轻人对漂流、攀岩等康体运动表现出较大的兴趣。总的来说，森林旅游者以中青年为主，不同年龄的旅游者对旅游活动有不同的偏好。

（3）文化程度。通常来讲，文化程度越高的人对于通过旅游获得精神享受的愿望越强烈。调查结果显示，森林旅游者的文化程度主要是大学本科或专科以上学历，占 64. 2%，这说明森林旅游者的受教育程度较高。由于受教育程度的提高，人们对于森林旅游低碳化的认知比较深入，对于低碳旅游的理解也比较深刻，因此更易于参与森林旅游低碳化行动。

（4）职业。由于社会职业的不同，游客的个人素养、思想观念有所差异，旅游行为、旅游需求和偏好也不尽相同，从而影响其对旅游活动的选择。调查结果表明，森林旅游者在职业上没有呈现出规律性，但在本次调查中，企事业单位管理人员、学生的比重较大。可以看出，森林旅游者除了受文化程度的影响外，还受到经济条件、闲暇时间等因素的限制。而学生虽然经济收入较低甚至没有经济来源，但闲暇时间较多，容易激发旅游动机，并且对低碳旅游有着很强烈的求知欲和好奇心，因此可能成为森林低碳旅游重要的主体之一。

（5）月收入。居民月收入水平直接关系到其在森林旅游过程中旅游行为方式的选择，及愿意付出的低碳旅游成本水平。调查结果显示，森林旅游者主要是中低收入者，其中，月收入在 1001～3001 元之间的旅游者占 31.1%，这主要是由于本次调查地点为福州国家森林公园，该森林公园自 2008 年 9 月 29 日起实行免门票进园，因此对旅游者的可支配收入水平要求不高。另外，本次调查结果中包含了接近 30% 的学生，拉低了收入水平。如果除去学生，其他职业的游客为中高收入者，其中 3000 元及以上的收入者占 46%。综合来看，月收入水平对森林旅游者的旅游消费有所影响，在其他因素相同的情况下，旅游者的收入越高，森林低碳旅游欲望也越强烈。

综上所述，从旅游者的人口统计特征来看，福州森林旅游者的男女比例趋于均衡；主要集中在中青年群体；高等学历的旅游者比例最大；企事业单位管理人员和学生的旅游欲望强烈；多数旅游者的月收入水平集中在 1001～3000 元之间，为中等收入水平。不同性别、年龄、文化程度、职业和月收入水平的旅游者在森林旅游过程中的旅游偏好和旅游行为方式不同。

9.2.3.2.2 森林旅游低碳化认知特征分析

（1）低碳旅游认知程度。游客对低碳旅游的认知程度将影响游客在森林旅游过程中的旅游交通、旅游住宿与餐饮、旅游购物与旅游活动项目选择，从而影响游客在森林旅游中的碳排放量。调查结果显示，仅有 16.0% 的游客对低碳旅游非常了解，大多数游客对低碳旅游仅有一定的了解，比重为 73.6%，仍有 10.4% 的游客对低碳旅游完全不了解。总体上看，福州森林旅游者对于低碳旅游的认知程度不高。

从与人口统计特征的交叉分析结果来看，文化程度越高，对低碳旅游的认知程度就越高，大学本科及以上学历的游客对低碳旅游非常了解的比例占对低碳旅游非常了解总人数的 88.3%；从职业来看，以企事业单位管理人员、学生、教师或公务员为职业的游客对低碳旅游的认知程度较高，这四种职业的游客对低碳旅游非常了解的共占 82.3%；从年龄来看，年龄在 16～40 岁之间的游客对低碳旅游非常了解的比例为 94.1%，这说明中青年旅游者对低碳旅游的了解较为深刻，这与该群体接收低碳旅游信息的渠道较广，对低碳旅游的接受程度大等原因有关。而不同性别、不同月收入水平的游客在低碳旅游认知程度上没有表现出明显的差异。

（2）低碳旅游认知渠道。加强对于低碳旅游认知渠道的调查，可以帮助森林旅游经营管理部门选择更为合理、有效的宣传方式和渠道。从表 9-2 的统计结果可以看出，60.4% 的游客是通过互联网了解低碳旅游的，这说明随着科学技术的发展、网络的普及，互联网已经成为游客了解低碳旅游的主要渠道。当然，环保公益活动、亲朋好友、电视广播和报刊杂志的宣传作用不容忽视。研究结果还显示，旅行社和教学课堂在宣传低碳旅游信息中尚未发挥出重要的作用，对团队游客和学生群体而言，旅行社和教学课堂的宣传方式显得更为重要，值得重视。

表 9-2　游客对低碳旅游的认知渠道

认知渠道	频数	频率（%）
互联网	64	60.4
环保公益活动	40	37.7
亲朋好友	37	34.9
电视广播	33	31.1
报刊	32	30.2
旅行社	18	17
教学课堂	18	17
其他	2	1.9

为了进一步分析不同性别、年龄、文化程度、职业、月收入水平的游客在低碳旅游信息获取过程中的渠道选择和特点，分别进行了交叉分析，并整理成表 9-3。从调查结果可以看出：

不同性别的游客对互联网、旅行社、教学课堂的利用程度没有极为显著的差异，但相比之下，女性更倾向于从报刊、电视广播和环保公益活动中获取低碳旅游信息，而男性比女性更多地从亲朋好友身上了解到低碳旅游信息，这与游客的日常生活习惯、交际情况等有一定的关系。

不同年龄段的游客获取低碳旅游信息的渠道因其生活经历、技能及交际范围的不同而有所差异。年龄在 16~40 岁之间的游客获取低碳旅游信息的渠道广泛，几乎所有渠道都有所涉及和利用，但随着信息技术的普及，其更主要地通过互联网了解低碳旅游相关信息；年龄在 41 岁及以上的游客主要通过亲朋好友获得低碳旅游信息；而年龄在 15 岁及以下的游客了解低碳旅游信息主要是通过课堂学习实现的。

从文化程度分析，高学历游客的信息渠道广泛，除了教学课堂及报刊外，互联网更是高学历游客获取低碳旅游信息的主要渠道，占 73.5%，其中大学本科或专科学历的游客占 78.1%。值得一提的是，环保公益活动对不同文化程度旅游者的影响均衡，说明环保公益活动在低碳旅游宣传和推广上起着一定的作用，对游客的影响也较深刻。

从职业来看，随着信息技术的提高和普及，互联网已经成为人们喜爱、方便、快捷的信息渠道，各有 75% 的教师、69.7% 的公司普通职员及 66.7% 的学生表示互联网为其了解低碳旅游提供了便捷的渠道；而通过亲朋好友获取信息的主要是公司的职员；通过教学课堂了解低碳旅游的旅游者主要是学生、教师和公司职员，各占 33.3%。

表 9-3　低碳旅游认知渠道在人口统计特征中的分布

特征	选项	互联网	亲朋好友	旅行社	报刊	电视广播	环保公益活动	教学课堂	其他
性别	男	51.6%	73.0%	44.4%	31.2%	27.3%	40.0%	44.4%	0%
	女	48.4%	27.0%	55.6%	68.8%	72.7%	60.0%	55.6%	100%
年龄	15 岁及以下	3.1%	0%	0%	0%	0%	5.0%	11.1%	0%
	16~25 岁	48.4%	29.7%	44.4%	50.0%	45.5%	55.0%	44.4%	100%
	26~40 岁	42.2%	37.8%	44.4%	50.0%	42.4%	40.0%	44.4%	0%
	41~55 岁	6.2%	16.2%	11.1%	0%	6.1%	0%	0%	0%
	56 岁及以上	0%	16.2%	0%	0%	6.1%	0%	0%	0%
文化程度	初中及以下	3.1%	0%	0%	0%	0%	5.0%	11.1%	0%
	高中或中专	6.2%	27.0%	11.1%	0%	18.2%	10.0%	11.1%	0%
	本科或专科	78.1%	56.8%	55.6%	75.0%	57.6%	65.0%	77.8%	0%
	硕士及以上	12.5%	16.2%	33.3%	25.0%	24.2%	20.0%	0%	100%
职业	公务员	6.2%	2.7%	11.1%	0%	6.1%	5.0%	0%	0%
	企事业单位管理人员	12.5%	16.2%	44.4%	12.5%	6.1%	10.0%	0%	0%
	个体私营企业主	1.6%	0%	0%	0%	0%	0%	0%	0%
	公司普通职员	35.9%	40.5%	11.1%	31.2%	33.3%	40.0%	33.3%	0%
	教师	9.4%	5.4%	11.1%	18.8%	18.2%	5.0%	33.3%	0%
	学生	51.2%	5.4%	22.2%	37.5%	30.3%	40%	33.3%	100%
	离退休人员	0%	16.2%	0%	0%	6.1%	0%	0%	0%
	其他	3.1%	13.5%	0%	0%	0%	0%	0%	0%
月收入	1000 元及以下	31.2%	21.6%	22.2%	31.2%	36.4%	40.0%	33.3%	100%
	1001~3000 元	29.7%	40.5%	33.3%	43.8%	51.5%	35.0%	44.4%	0%
	3001~5000 元	20.3%	21.6%	44.4%	18.8%	12.1%	20.0%	0%	0%
	5001 元及以上	18.8%	16.2%	0%	6.2%	0%	5.0%	22.2%	0%

离退休人员主要通过与亲朋好友的交流和收听、收看广播电视获得相关信息。

从月收入水平分析，分别有 85.7% 的收入水平在 5001 元以上游客和 56.5% 的收入在 3001~5000 元之间的游客表示，其低碳旅游信息主要来源于互联网；中低收入者的信息来源于亲朋好友、报刊、电视广播及环保公益活动。通过教学课堂获取信息的游客主要是高收入者和作为低收入者的学生群体，分别占 22.2% 和 77.7%；而中等收入者可能由于时间、精力和自我意识的原因，参加教学课堂的机会较少，因此很难通过教学课堂获取低碳旅游信息，而更多地通过电视、广播了解信息。

综上所述，在低碳旅游认知渠道选择上，不同性别、年龄、文化程度、职业和月收入水平的游客因条件、习惯、技能、社会角色等的不同，对各种信息传播方式有不同程度的偏好。对于森林旅游经营管理者来讲，应当掌握不同宣传方式的最大受众及其偏好，采取不同的方式和手段，提高森林低碳旅游宣传效果。

(3)对森林旅游低碳化影响旅游质量的态度。在回答低碳旅游是否会影响森林旅游质量的问题时，有 54.7% 的森林旅游者认为森林旅游低碳化并不会影响其在森林旅游中的旅游体验质量，有 49.6% 的游客表示对森林旅游低碳化的了解不够，因而不确定森林旅游低碳化是否会影响旅游者的旅游质量，只有 5.7% 的游客认为森林旅游低碳化会对其旅游质量产生影响。查看原始调查数据可以看出，这部分游客对于倡导森林旅游低碳化表示赞同，同时愿意向周围的人们宣传和推荐森林旅游低碳化，因此认为这部分游客可能认为森林旅游低碳化对旅游质量有正面的影响，或者即使有负面影响也认为应该服务于低碳化目标，促进森林旅游可持续发展。

从交叉分析来看，不同性别的森林旅游者对这个问题的回答没有明显的区别；年龄在 26~40 岁之间的游客对森林旅游低碳化不会影响旅游质量的回答更为坚定；受教育程度越高的游客更加确信森林旅游低碳化对于其旅游质量没有影响，甚至认为能提高其旅游体验质量；有 33.3% 的公务员和 13.3% 的学生认为森林旅游低碳化对旅游质量有所影响；中高收入者对这一问题持坚决的否定态度，而中低收入者则存在着较大的疑虑，持不确定回答的比重很大。

(4)对倡导森林旅游低碳化的态度。调查结果显示，绝大多数的森林旅游者认为倡导森林旅游低碳化很有必要，占 92.5%，仅有 7.5% 的旅游者表示无所谓，没有对倡导森林旅游低碳化持反对意见的旅游者。由此可见，在全球气候变暖、全社会环境意识增强的背景下，森林旅游低碳化受到了多数人的赞赏和接受。

从人口统计特征分析，倡导森林旅游低碳化的男性和女性的比例均衡，男性略高；不同年龄段的森林旅游者都表示应当倡导森林旅游低碳化，但仍有部分游客对此表示不确定，老年旅游者对于这个问题表现出最大程度的疑虑；文化程度在这个问题上没有显示出规律性；多数不同职业的旅游者赞成倡导森林旅游低碳化，但仍有部分的企事业单位管理人员、学生和离退休人员对此表示无所谓；而月收入在 3001 元以上的旅游者都赞成倡导森林旅游低碳化，认为无所谓的旅游者出现在月收入水平为 3000 元及以下的旅游者中。

(5)推荐森林低碳旅游的意愿。森林低碳旅游作为一种在特定背景下提出来的负责任的旅游，是一种新兴的旅游方式。多数旅游者愿意向周围的人们推荐森林低碳旅游，比重达 74.5%。由此可以看出人们对待森林低碳旅游的积极态度。但调查结果同样显示，分别有23.6%和1.9%的旅游者表示不确定甚至不愿意向周边的人们推荐森林低碳旅游，这也说明了未来需要进一步推广森林旅游低碳化的理念。

在与人口特征进行交叉分析的结果中显示，女性旅游者相比男性旅游者更愿意向周围的人推荐森林低碳旅游；年龄因素、文化程度因素、职业因素和月收入水平在这个问题上并没有表现出明显的作用和规律性，而明确表示不愿意推荐森林低碳旅游的旅游者集中出现于年龄在16～25岁之间的旅游者，及月收入水平在1000元以下的旅游者中。

9.2.3.2.3　旅游动机特征分析

（1）旅游动机分析。森林低碳化旅游动机是旅游者发生旅游行为的内在原动力，是引发和维持人们进行森林低碳旅游活动以满足旅游需要的心理倾向。调查森林旅游者的旅游动机有利于深入了解森林旅游者从事森林低碳化旅游的目的，为提出可行、有效的经营管理措施提供依据。

从调查结果来看，多数旅游者进行森林低碳旅游是为了追求环保、休闲娱乐和寻求精神价值。可以看出，森林旅游者通常具有较高的环保意识，渴望融入大自然，在森林旅游中获得精神放松，实现价值。此外，出于接受教育目的进行森林低碳旅游的游客比例仅为11.3%，说明为学习自然而出游的旅游者较少，科普教育市场还存在着较大的空缺。

结合人口统计学特征来看，追求环保的旅游动机在女性旅游者、年龄在16～40岁之间的旅游者身上表现得更为强烈，并随着文化程度的提高逐渐增强，但跟旅游者的职业、月收入水平没有显著的关系。男性旅游者更注重科普教育、精神价值和休闲娱乐需求的实现与满足；老年旅游者及离退休人员因为身体状况等各方面的影响而更看重森林旅游对其休闲娱乐和精神享受的满足，而学生相对其他职业的旅游者更重视环保动机的满足。

（2）旅游动机产生的原因分析。对旅游动机产生原因的调查能帮助旅游经营管理部门更好地了解旅游者的需求，更科学地规划和管理游客行为。从调查结果来看，多数旅游者主要是出于社会责任心和使命感，这与低碳旅游者强烈的低碳旅游意识相呼应，其次是受到低碳旅游独特性以及对低碳旅游好奇心的驱使。

从人口特征来看，社会责任心与使命感对女性旅游者、年龄在16～40岁之间的旅游者、高学历旅游者、公务员和学生、中高收入群体的作用最为明显。在学习和工作需要的推动下，男性旅游者、年龄在25岁及以下的旅游者、大学本科或专科学历的旅游者、学生和教师及高收入者更容易产生旅游动机。除了社会责任心与使命感外，中老年人、离退休人员还在乎身体健康，因此较多地受康体养生需求的推动产生森林低碳旅游欲望。职业为教师、硕士及以上学历的旅游者还对低碳旅游也表现出较为强烈的好奇心，且容易受好奇心推动进行森林低碳旅游。

9.2.3.2.4　旅游行为特征分析

（1）旅游交通工具选择。调查结果显示，森林旅游者更倾向于选择步行和公共交通进行森林旅游活动，分别占 37.7% 和 34.9%，选择自行车或电瓶车的森林旅游者占 18.9%。从各项交通工具的实际碳排放量来看，步行及自行车是实现低碳排放甚至零排放的首选交通工具，而公交车和火车相对于自驾车而言是较为低碳的旅游出行工具。尽管选择自驾车的旅游者仅占 6.6%，但随着私家车的增加、自驾游的盛行，自驾游这一出行方式对森林旅游低碳化的影响也不容忽视。

从人口统计特征分析来看，性别因素对旅游者在旅游交通工具的选择上没有太大的影响，但总体来说，男性旅游者在旅游交通工具选择上更偏爱自行车和自驾车，而女性步行和乘坐交通工具进行森林旅游的较多；从年龄因素看，中青年旅游者喜爱公共交通、步行，而老年人主要是步行游览；从学历因素看，大学本科或大专学历的旅游者较多选择公共交通工具；从职业上看，学生及离退休旅游者多选择步行，公司普通职员通常乘坐公共交通工具进行森林旅游，而公务员和企事业单位管理人员自驾车的比例较高；从月收入水平来看，中高收入者是自驾车旅游的大军，而低收入者主要以步行、乘坐自行车及公共交通工具为主。

（2）使用一次性用品的态度。在一次性用品的使用问题上，多数森林旅游者选择"尽量不使用"，占 66.6%，但只有 14.2% 的森林旅游者表示坚决拒绝使用一次性用品，有 5.7% 的被调查者认为一次性用品卫生方便而坚持使用。由此可以看出，多数旅游者在回答该问题的时候，能充分考虑到低碳、环保需要选择不使用的态度，但在实际的旅游过程中是否能保持言行一致尚不可知。

不同性别和月收入者在使用一次性用品的态度上没有显著区别，坚决使用一次性用品的旅游者集中在年龄为 16～40 岁之间的人群中，皆为大学本科或大专学历者，而坚决拒绝使用的旅游者为企事业管理人员、教师和学生群体，这与其强烈的低碳意识相关。

（3）旅游餐饮方式选择。虽然烧烤作为一种非低碳的烹调方式，会产生并排放出大量的油烟，降低空气质量，但多数旅游者在森林旅游过程中还是喜欢将烧烤作为主要的烹调方式，占 44.3%，这说明与旅游者强烈的低碳意识相比，旅游行为存在偏差。而蒸煮和涮汤这两种低碳且营养的烹调方式也受到了部分旅游者的欢迎，比例分别为 30.2% 和 14.2%，主要是女性和老年旅游者。

在性别上，相比男性旅游者，女性旅游者由于家庭角色需要，偏爱较能保存食物营养的蒸煮方式，老年人则因为养生的需要和自身的偏好而更多地选择了蒸煮方式；选择烧烤烹调方式的旅游者主要为年龄在 16～40 岁之间的群体；在文化程度上，相比烧烤，硕士学历的旅游者更愿意选择蒸煮；而职业、月收入水平因素对旅游者在旅游餐饮方式上的选择没有显著影响。

（4）旅游购物选择。随着"限塑令"的推行，人们能自觉地减少对塑料袋的使用量。调查显示，73.6% 的森林低碳旅游者能自觉地自备环保袋进行旅游购物，尽量减少对环境的污染。

从性别上看，女性旅游者在购物时会更自觉地准备环保购物袋，男性旅游者则选择尽量不使用购物袋。其他因素在这个问题的选择上没有显著差异，多数都选择自备购物袋，所有被调查者都表示拒绝使用商家提供的塑料购物袋。

（5）垃圾处理。在森林旅游过程中，多数旅游者能自觉将自己制造的垃圾丢进垃圾桶，并且愿意在找不到垃圾桶的情况下随身携带垃圾，但多数人不愿意制止他人乱丢垃圾的行为，只有 29.2% 的旅游者会制止这一行为，甚至有 5.7% 的旅游者可能跟随他人乱丢垃圾。这一调查结果说明森林旅游者对于其他旅游者的行为影响不足，森林旅游经营管理部门有必要对旅游者乱丢垃圾的行为进行有效管理。

人口统计特征对垃圾处理方式的影响不显著。但在调查结果中，有 6 名接受调查的男性旅游者表示可能随着其他旅游者乱丢垃圾，皆为年龄在 26 岁及以上，学历为本科及以下，月收入在 1001～5000 元之间的旅游者。表示会及时制止其他游客随意丢弃垃圾的是年龄在 16～25 岁之间的旅游者，职业以学生为主，说明这一年龄段旅游者相对于其他旅游者而言，低碳环保意识更为强烈，自制能力强，并能以身作则，制约和引导其他旅游者的旅游行为。

综上所述，首先，不同性别、年龄、学历、职业、月收入的游客对森林旅游低碳化的认知、接受低碳旅游的信息渠道、旅游动机、旅游消费行为等存在差异，森林旅游经营管理者及主管部门可以根据不同人口特征的游客开发个性化森林低碳旅游线路，并通过各种渠道及其受众特点，加大对森林低碳旅游的宣传力度。其次，游客的低碳意识与其旅游消费行为选择存在着一定的偏差，说明有必要加强对游客的监管，增强游客的自我约束能力。再次，加强游客在森林旅游低碳化游客管理过程中的参与，一方面增强游客采取低碳行为的自觉性，另一方面加强对其他游客的监督、引导与示范作用。

9.3　森林旅游低碳化游客管理

9.3.1　森林旅游低碳化游客管理的概念及特点

9.3.1.1　森林旅游低碳化游客管理的概念

森林旅游低碳化游客管理是指在森林旅游低碳化目标的指引下，旅游管理部门、旅游经营企业、社区居民运用科技、教育、经济、行政、法律等各种手段和方法，服务、组织和管理游客，游客通过自我管理约束自身行为并影响其他游客，控制旅游行为的碳排放量的动态行为过程。

9.3.1.2　森林旅游低碳化游客管理的特点

由于森林低碳旅游本身的特点及森林旅游低碳化发展目标的要求，森林旅游低碳游客管理具有一些区别于传统大众游客管理的特点。

（1）管理对象的特定性。从管理对象来看，传统大众旅游面对的是大众旅游者，而森林旅游低碳化游客管理的管理范围比较窄，主要是森林旅游者，尤其是一些潜在的森林低碳旅游者，这部分旅游者具有一定的低碳旅游意识、较高的文化程度，对低碳旅游有较强烈的好奇心，在森林旅游过程中注重高质量旅游体验，追求精神价值的提升与自我实现。

（2）管理者的高要求。相对传统大众旅游游客管理而言，在森林旅游低碳化的要求下，森林旅游低碳化游客管理要求管理者本身首先应具有强烈的低碳旅游意识，拥有更专业的低碳管理、低碳消费、低碳生产等方面的知识，有过硬的低碳相关技能，能为森林旅游者提供更全面、更专业、更优质的服务，同时更高效、更低耗地达到游客管理的目标。

（3）管理方法的软性化。由于森林旅游低碳旅游者及潜在的旅游者通常具有较高素质，追求更高质量的旅游体验，渴望在森林旅游活动中获得较高的精神价值，这就要求管理者采取软性的管理方法，通过教育、引导，提供优质服务，加强员工和社区居民的示范作用，尽量避免强制性管理方法，避免引起游客的不愉快甚至排斥心理。在游客的旅游过程中，加强与游客的深入交流与沟通，适时引导，重视听取游客的反馈意见，及时跟进并弥补管理中的漏洞和不足。

9.3.2　森林旅游低碳化游客管理的目标

森林旅游区作为一个完整的系统，其发展应能同时保障各个主体的利益，因此在控制游客行为碳排放量、不破坏森林旅游资源与环境质量的前提下，最大限度地满足游客需求，增强游客体验，同时应协调森林旅游区经济、社会和环境系统的利益，实现可持续发展。

9.3.2.1 控制游客行为的碳排放量

游客管理的首要目标是对游客进行调控，对游客破坏森林生态系统、高碳排放等行为进行限制，科学处理游客产生的污染物，将游客产生的碳排放量控制在可接受范围内，避免森林生态系统遭受无法恢复的破坏，保证森林旅游大气质量与生态环境。

9.3.2.2 保证游客满意度和体验质量

在控制游客环境影响的前提下，为游客提供优质的森林生态资源与环境，辅以低碳、环保、参与性强的旅游项目，为游客提供休闲、科普教育等丰富的活动项目，满足游客对高品质旅游体验的要求，不断提高游客体验质量。运用合理、科学的游客管理模式和措施协调环境与游客满意度之间的关系，实现良好的森林生态环境质量和游客体验高质量的双重目标。

9.3.2.3 兼顾社区居民的利益

森林旅游区周边社区居民尽管在自己的生活环境里，却必须与森林旅游者等外来人员共享资源，社区文化也会遭受不同程度入侵和破坏。超负荷的旅游者不断涌入，将产生大量的二氧化碳，严重损害生活环境。因此，兼顾社区居民利益成为森林旅游低碳化游客管理的重要目标之一。森林旅游低碳化游客管理应重视通过合理科学的游客管理引导旅游者自觉维护森林旅游环境，保证居民生存环境，维护社区居民利益。

9.3.3 森林旅游低碳化游客管理的原则

9.3.3.1 低碳环保原则

森林旅游低碳化游客管理的目标是在控制游客行为的碳排放量、不破坏森林生态系统的前提下，保证经济与社会效益，实现三大效益的统一。因此森林旅游低碳化的发展，首先应当保证低碳排放、符合生态环境保护的要求，在游客管理过程中，当生态效益与经济效益发生矛盾时，应该把生态效益放在第一位。

9.3.3.2 系统性原则

首先，游客管理要求与外部环境大系统相适应，森林旅游区应针对所处社会文化背景逐步完善符合实际的游客管理系统。其次，游客管理系统是森林旅游区日常管理系统中的一个子系统，在进行游客管理时应当充分考虑游客管理子系统与其他管理子系统之间的关系与衔接。再次，游客管理子系统包含着多种要素，处理子系统内部各要素之间的关系也是游客管理的重要内容。

9.3.3.3　以人为本原则

森林旅游低碳化游客管理应当遵循以人为本的原则。以森林旅游者为本，即本着尊重游客的思想，转变传统限制、控制游客的观念，树立尊重游客、服务游客的理念，不再把游客当成管理者的管理对象，而是作为与管理者站在森林旅游低碳化统一战线上的合作伙伴。在游客管理过程中，针对不同游客的类别、特征、旅游偏好和行为方式采用不同的管理方法和服务方式。同时以管理者、经营者和社区居民为本，在游客管理过程中注意协调各利益相关主体的利益，促进森林旅游低碳化良性发展。

9.3.3.4　公众参与原则

森林旅游低碳化游客管理涉及多个主体及其利益，应当充分调动各主体的积极性和参与性，同时保证低碳化的成果由多个主体分享。除了政府部门及森林旅游管理者外，在游客管理过程中，还应加强与游客的接触，听取游客的意见，在游客参与的过程中增强低碳旅游意识和责任感，降低游客自身行为碳排放量的同时充分监督和引导其他游客；鼓励社区居民与社会组织的参与，加强对森林旅游经营单位及游客行为的监督和管理，确实保证森林旅游低碳化发展。

9.3.4　森林旅游低碳化游客管理模式与方法

9.3.4.1　游客管理模式

9.3.4.1.1　游憩承载力（RCC：recreation carrying capacity）

20世纪60年代，随着大众旅游的快速发展，大量游客涌入导致部分旅游地超负荷运作，旅游环境遭受破坏，游客满意度下降。在这一背景下，美国学者 Wagar（1964）发表学术专著《具有游憩功能的荒野地的环境容量》，首次提出游憩承载力（RCC）概念，认为游憩承载力是一个游憩地区能够长期维持旅游产品品质的合理游憩使用量。游憩承载力的提出，标志着游客管理研究的真正开始。在 Wagar 研究的基础上，Lime 和 Stankey（1971）进一步提出了将游憩容量分为生物物理容量、社会文化容量、心理容量和管理容量。RCC 理论运用在森林旅游低碳化游客管理中，主要是确定合理的游客量，控制由大量游客涌入带来的二氧化碳增多甚至超负荷。但由于造成高碳排放的因素很多，除了游客因素外，还有其他因素，因此，关于合理容量的问题很难得到一个准确的回答。

9.3.4.1.2　游憩机会图谱（ROS：recreation opportunity spectrum）

20世纪60~70年代，美国为推动国家公园的发展，提出了游憩机会图谱理论（ROS）。该理论从影响游客体验的角度，综合考虑旅游地自然、社会、管理等特征和实际，将旅游地划分为原始区、半原始无机动车辆区、半原始有机动车辆区、通路的自然区、乡村区及城市区等不同等级的区域，并规定不同等级区域提供不同的游憩机会，一方面实现游客体验多样化，提高游客体验的满意度，另一方面，通过游客管理达到资源与环境保护的目的(张文，2008)。森林旅游低碳化游客管理可以根据森林旅游区资源状况和管理现状，划分为不同的功能区，如休闲度假区、娱乐区、集散区等，分析各功能区内碳排放量较大的活动项目和可能出现的行为方式，采取相应措施重点限制，加强监管，有针对性地规范、监督游客行为，限制碳排放量。

9. 3. 4. 1. 3   可接受改变的极限(LAC：limits of acceptable change)

20 世纪 80 年代中期，时任于美国林业部门的 Stankey 等(1985)系统地提出了 LAC 理论。LAC 理论认为：需要设立专门的目标以确定各种管理行动所保护的内容；在以自然为主体的系统中，总会存在一些环境变化；任何游憩利用都会不可避免地导致一些变化；管理的关键是确定可接受的变化范围；加强对管理结果的检测，保证行动的有效性。可见，LAC 方法的关键在于寻找并设定环境改变可容忍的极限，当旅游地资源环境状况接近这一极限值时，马上采取措施阻止资源环境进一步恶化。值得一提的是，LAC 方法相对于其他方法的最大优点之一是它引入了较为完善有效的公众参与机制；对于森林旅游区来讲，任何旅游活动都会排放二氧化碳，真正的零碳排放是很难实现的；对于森林旅游低碳化游客管理的启示是，可以运用科学的方法测算森林旅游区内生态环境可接受的碳排放量极限，结合该区域的游客量，科学计算出每位游客最多能被接受的温室气体排放量，并为游客提供"碳足迹计算器"，引导游客关注自身行为给森林生态环境留下的"碳足迹"，并有相应的碳补偿途径，鼓励游客减少碳足迹，通过使用再生能源和植树造林，实现碳中和。

9. 3. 4. 1. 4   游客活动管理过程(VAMP：visitor activity management process)

游客活动管理过程(VAMP)模式是 1985 年由加拿大国家公园局为实现消费者的需求，针对不同游客活动种类提出的，它强调管理者按照旅游者的需求，考虑相关利益者的作用，预先策划相应的旅游活动类型，并对即将发生的旅游活动进行管理，它强调对游客的教育解说等引导性和激发性的管理，降低各利益相关者之间的矛盾和冲突(张文，2008)。根据森林旅游者的旅游动机，策划符合市场需求的旅游活动项目，并预测各旅游活动项目可能产生的碳排放量及产生二氧化碳的关键因素，加以管理和控制，有效实现森林旅游低碳化游客管理目标。

9. 3. 4. 1. 5   游客影响管理(VIM：visitor impact management)

20 世纪 90 年代，美国国家公园和保护协会共同提出了游客影响管理理论(VIM)，旨在提出有效的方法实现对游客影响的管理。Graefe 等人(1990)认为该理论在实施应用过程中应该在收集、回顾调查数据的基础上，在管理目标的指导下，综合考虑生物影响指标、物理影响指标、社会影响指标等，选取关键指标，并确立各个指标的合理标准，在比较标准和现实差距的基础上，调查并确定可能引起差距的原因，由此制定、实施可行的管理策略。根据 VIM 理论，可以明确森林旅游低碳化游客影响管理的程序，如图 9-1。

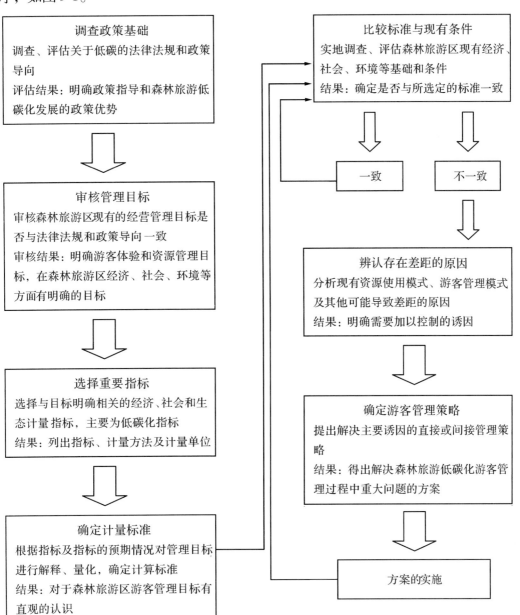

图9-1　游客影响管理(VIM)程序

（戴伦·J·蒂莫西，斯蒂芬·W·博伊德，2007）

9.3.4.1.6　游客体验和资源保护（VERP：visitor experience and resource protection）

　　VERP 体系是 LAC 体系的一种改进框架，是由美国国家公园管理局于 1992 年制订的，用于国家公园游客游憩和旅游环境容量测定。VERP 关注游客的行为、游憩类型、使用水平、游憩时间和游憩地点等，包含了建立框架、分析、操作、监测与管理四个步骤及九个要素，试图为国家公园的管理提供一个合理、理性管理容量的方法（林朋水和谢红彬，2007）。

　　在我国，VERP 体系的应用具有代表性的是周世强在四川卧龙自然保护区的生态旅游研究中提出的"时空差协调法"，该方法利用游客旅游行为的时空波动与旅游区的分区结构、生物多样性的空间分异规律，以及旅游区内农业生产的季节变化所形成的时间差和空间差来合理规划旅游景区，协调客源，适时安排农业生产活动，并根据游客的游憩需求，开发特色物产和旅游纪念品，建设旅游设施和开展让游客参与的旅游项目，既保护野生动植物资源、森林生态系统和自然景观的样貌，又达到旅游与自然保护、社区发展三者共同协调的要求（吴必虎，2013）。

　　森林旅游区应组织一支跨学科的森林旅游低碳化游客管理团队，制定公众参与机制，明确森林旅游低碳化游客管理目标和限制条件，对比目前森林旅游区的资源和游客活动现状，描述潜在发展区域的条件和适合的游客活动、管理种类，提出区域发展主题，并确定碳排放量计算指标和评价标准，重点监测较为敏感的分区，当超出标准时，及时采取管理措施，使碳排放量降低到标准水平许可的范围。

9.3.4.2　森林旅游低碳化游客管理方法
9.3.4.2.1　教育管理

　　教育管理即以增强游客低碳旅游意识和环境伦理意识为目的，有计划、有组织地对游客进行教育和培训，增强游客低碳旅游意识，提高游客的低碳旅游技能水平，从而影响游客的意识和行为，以期望游客在森林旅游过程中自觉降低旅游碳排放量。在实施教育管理过程中，旅游管理部门和经营单位起着主导的作用，应当在调查研究的基础上，确定教育管理活动的方向和目标，根据不同类型游客的特点，运用各种方式和媒介向森林旅游者传递符合其实际需要的信息，达到增强游客低碳旅游意识，进而培养游客低碳旅游习惯的目的。由于游客在接受教育管理的同时也是自觉接受森林旅游低碳化游客管理的过程，因此这种管理方法更容易被游客认可和接受。

　　美国最早开始实行以教育为主的间接管理模式，通过向公众开展不留痕迹（leave no trace，LNT）教育项目，宣传低影响旅游，对游客的消费价值观念进行教育（蔡君，2003）。美国阿拉斯加德那里国家公园则采取考试教育的方式，对游客进行入园考试，考核游客减少旅游行为负面影响的技巧，只有全部回答正确才能获得入园许可（Ralf Bukley，2002）。

9.3.4.2.2 引导管理

引导管理是通过合理的安排、巧妙的引导和因地制宜的设计，营造和谐的森林旅游区氛围，激发游客的自我约束能力，自觉减少自身行为对森林旅游区的破坏，实现森林旅游低碳化。在对游客的引导管理过程中，政府的宣传引导和其他游客、导游、工作人员、社区居民的示范能有效减少游客的抵触或排斥心理，从而产生较强的引导作用。

厄瓜多尔加拉帕哥斯群岛的游客引导管理主要由公园认证的专业导游担任，规定所有游客进入群岛必须至少安排一位专业导游。由导游对游客行为进行干预，一方面为游客讲解环境知识，影响游客；另一方面以自身行为引导游客，降低游客行为的负面影响（Ralf Bukley，2002）。另外，也可以利用经济方法来影响游客的消费，引导游客选择低碳排放量的旅游设施和旅游活动。

9.3.4.2.3 激励管理

在充分分析森林旅游者需求的基础上，予以旅游者不同程度的满足，从而激发、驱动和强化旅游者的正确、合理、低碳的旅游动机，调动旅游者的积极性和创造性，促进森林旅游行为低碳化。森林旅游区可通过建立完善的激励机制鼓励游客自觉减少旅游活动的碳排放量，促进森林旅游低碳化。

森林旅游景区的游客激励管理可借鉴峨眉山的做法。峨眉山实行"文明游客"推选，由随团多数游客提名推荐，16人以上的团队可提1~2名，由随团导游就被推荐游客的主要事迹填写推荐卡，经营单位汇总投票情况，管委会当场对评出的文明游客颁发精美的峨眉山旅游纪念品和证书，获推选的游客持此证在一年内第二次进入景区门票五折，三次或以上全免。重庆天坑地缝景区则出台"垃圾换礼品"措施，鼓励游客带走旅游垃圾，改善旅游区环境（张健华，2008）。

9.3.4.2.4 强制管理

为有效管理游客，监督和控制游客行为，减少游客行为碳排放量，有必要在特定条件和环境下实行强制性管理，即不理会游客的意愿，而以强制性的规则控制森林旅游者的行为，包括实行相关旅游政策及法规，建立旅游区游览规则，加强对游客行为监控，制定惩罚制度约束游客的不良行为等；运用定量方法，严格限制游客容量，限制停留时间和利用量，并结合定点保护，控制不同等级旅游区的旅游活动类型，实现对游客行为的监督与控制。

美国黄石公园采用抽签法，对游客人数进行了强硬的控制，以此保护公园的生态环境(张健华，2004)。在西班牙，有关部门对于游客不文明行为除了劝说制止外，对于较为严重的不文明行为予以报警，由警方出面处理，在成本较高的条件下，游客更自觉地约束自己的行为，不文明的行为成为一件有失尊严的事情(张文和李娜，2007)。意大利威尼斯市政府专门出台了"您不能"的行为规范手册，限制游客行为，设有专门的执法官员，对于游客的不文明行为给予高额罚款(张文和李娜，2007)。

在森林旅游低碳化游客管理的实际过程中，教育、引导、激励和强制管理方法是相辅相成的。强制管理需要和"软性"管理相结合，实施前做好宣传、解释和说明工作，能获得游客的理解和支持，使游客心悦诚服地接纳并遵守相应的措施。多种管理方法的结合能有效提高游客管理的效率，增强管理效果。

9.3.5 森林旅游低碳化游客管理措施

从游客管理的主体来看，森林旅游低碳化游客管理涉及政府、社会群体、森林旅游企业和游客本身四个主体，具体可以从游客个人态度、制度管理、群体规范、环境诱导的角度对游客行为进行管理，减少森林旅游碳排放，促进森林旅游低碳化发展。

9.3.5.1 个人态度

9.3.5.1.1 增强游客低碳意识

根据上述关于游客低碳旅游认知渠道的调查结果，政府部门、森林旅游企业和相关社会群体应当通过微博、微信、电视广播、报刊杂志等渠道针对不同受众宣传低碳旅游理念，积极开展具有广泛影响力的公益宣传活动，让游客进一步了解低碳旅游的内涵和意义，增强游客的低碳旅游意识。

9.3.5.1.2 树立低碳旅游消费观

政府部门应通过控制旅游交通、门票、商品等的价格，通过征收消费税、环保税等，极力倡导文化消费和精神消费，反对浪费性、炫耀性消费，鼓励低碳旅游消费，培养游客的森林低碳旅游消费偏好；森林旅游企业通过推出森林低碳旅游线路和产品，提高低碳旅游产品的市场占有量，影响游客的消费选择。

9.3.5.2 制度管理

9.3.5.2.1 健全低碳旅游法规

制定森林低碳旅游资源与环境保护方面的法律、法规，采取必要的行政手段，有效监督和管理游客的森林旅游消费行为，明确规定游客的义务和违法惩罚措施，约束游客的行为，协调各利益主体在森林旅游低碳化过程中的利益冲突，规范各方行为，为森林旅游低碳化发展提供一个稳定的环境。

9.3.5.2.2　制定低碳行为准则

森林旅游企业应制定游客低碳行为准则手册，明确规定游客在森林旅游区内的具体行为。建立表彰奖励制度，鼓励游客做一名低碳旅游者，发挥游客的环保意识和参与环保伦理学习的主动性，对于达到标准的游客，给予物质和精神奖励；建立惩罚制度，对于违反准则的游客进行较大强度的惩罚，有效控制游客的森林旅游高碳行为。

9.3.5.3　群体规范

9.3.5.3.1　加强导游引导

加强导游人员培训，增强导游的感染力，充分发挥导游作为低碳旅游活动的组织者和引导者的作用。首先要求导游本身具有很强的低碳旅游意识，包括自带旅行水杯、不使用一次性用品，在游览过程中尽量选择徒步、自行车等零排放的交通方式，从而影响游客行为；其次，提升导游的低碳旅游讲解能力，要求导游在讲解过程中，能将低碳旅游知识贯穿其中，重点介绍政府、森林旅游企业等的低碳政策和措施，强调自然和人文生态环境，展示节能减排范例，引导游客自觉采取低碳旅游行为。

9.3.5.3.2　建立社会组织

建立森林低碳旅游组织，发挥作为游客和森林旅游企业中间组织的中介作用，为游客和森林旅游企业服务，注重利益双方的良性沟通，维护森林低碳旅游者的合法权益，增强游客的低碳旅游消费信息。成立森林低碳旅游志愿者团队，鼓励游客用自身的行动维护森林旅游环境，监督其他游客和企业双方的行为。

9.3.5.3.3　发挥社区力量

在游客的森林旅游过程中，社区居民的态度和行为往往对游客产生重要的示范和榜样作用。因此应当建立良好的森林旅游社区关系，培养社区居民的低碳意识，自觉减少对森林旅游环境的污染和破坏，加强与游客之间的沟通和交流，在监督游客行为的同时，以自身行为引导游客。

9.3.5.3.4　增强游客影响

游客在森林旅游过程中容易受到其他游客的影响。从上述调查结果可以看出，学生游客，尤其是 16~25 岁之间的游客有着强烈的低碳旅游意识，并能付诸行动。在森林旅游游客管理过程中应该充分发挥这部分游客的自我约束力和对他人的影响力，限制其他游客的行为，营造和谐的森林低碳旅游的氛围，形成游客自我管理环境。

9.3.5.4　环境诱导

9.3.5.4.1　低碳旅游规划

森林旅游经营管理主体应通过科学的旅游规划（详见第 2 篇第 8 章），将森林旅游区划分为不同的功能区，确定每个功能区的旅游活动类型，并对可能产生高碳排放的功能区进行重点监管，提高森林旅游游客管理效率；创新森林低碳旅游产品，引导符合低碳经济要求的新型旅游消费方式发展；设计森林低碳游线，合理运用旅游设施，引导游客行为，减少游客拥挤现象和不良行为，有效抑制高耗能旅游行为。同时，森林旅游区应通过科学的低碳旅游规划，合理控制游客量，特别是在旅游旺季，可通过预约的方式来调控游客；旅游区内提供环保型内部交通工具，严格控制或禁止环保不达标的机动车进入旅游区。

9.3.5.4.2　创新解说系统

将低碳解说作为森林低碳旅游解说系统的主题，围绕低碳主题设计解说的内容、解说牌，综合考虑游客的视觉、听觉、嗅觉、触觉、味觉等五感体验设计体验性较强的解说项目，通过现代科学技术，结合传统的游览手册、宣传单页、解说牌和导游解说等方式，在提高游客管理效率的同时，为游客提供森林低碳旅游体验，让游客通过情景体验式的解说系统，改变对森林旅游环境的态度，增强游客的环境伦理，从而影响游客的行为。

9.3.5.4.3　转变服务理念

及时转变服务理念，以人为本，尊重自然。通过深入的调查了解游客的旅游动机和偏好，有针对性地向游客提供低碳旅游服务。在旅游者游览过程中，强调寓教于游、寓教于乐，提高游客选择低碳消费方式的自觉性。建立畅通的沟通平台，不断提高森林低碳旅游服务，积极听取游客的意见和建议，及时疏导游客的不良情绪。在经营管理过程中，重视对自然和人文生态环境的保护，降低能耗，尊重自然，顺从自然发展规律。以"以人为本、尊重自然"的旅游服务理念，营造一个和谐、自然、惬意的森林旅游氛围，影响游客的行为，促进森林旅游低碳化发展。

第 10 章　森林旅游低碳化资源与环境管理

10.1　森林旅游低碳化资源管理概述

10.1.1　森林旅游低碳化资源管理的概念

森林旅游资源管理，是指对森林旅游资源保护、培育、更新、利用等任务所进行的调查、组织、规划、控制、调节、检查及监督等方面做出的具有决策性和有组织的活动。目前，学术界还未形成明确的"森林旅游低碳化资源管理"的定义。但可从以下三个层面理解其含义。

10.1.1.1　碳基能源层面

"森林旅游低碳化资源管理"是指在对森林旅游资源的开发、经营、管理过程中，以碳基能源中的低碳能源为基础的森林旅游经济活动。其中，"低碳"主要指碳基能源中含 1~3 个碳原子的能源，如甲烷、一氧化碳、乙烷、乙醇、丙烷等，其他则属高碳能源。而"森林旅游经济"一词在经济学上是指森林旅游资源的生产和再生产的活动。所以，森林旅游低碳化资源管理就是指在森林旅游资源管理过程中，使用低碳能源、CO_2 的减排和绿色利用及其相关的一切生产和再生产的活动，即将以往高碳能耗、高排放、高污染的传统高碳发展模式，转变成为低能耗、低排放，实现低污染、无污染的一种低碳发展的森林旅游经济模式。

10.1.1.2　发展理念层面

森林旅游低碳化资源管理是一种社会发展的新理念，是实现人类生存与可持续发展理念框架下的一种经济形体，它具有广泛的社会性和前沿性，涉及广泛的社会领域和管理领域。

10.1.1.3　经济模式层面

森林旅游低碳化资源管理符合低碳经济的发展要求，是发展低碳旅游经济的一个重要环节。低碳经济通过能源和产业转型、制度和技术创新等手段，减少 CO_2 等温室气体排放，降低经济发展对生态系统碳循环的影响，维持生物圈的碳平衡，达到生态环境保护与经济增长、社会进步共赢。低碳经济的低碳（含无碳），要求生产、消费和废弃全过程除了实现低能耗、低排放、零排放、低污染、无污染外，还要做到废弃物资源化，综合利用和循环利用。

综上所述，森林旅游低碳化资源管理必须把握"低碳"这一重点，抓住能源和排碳这一根本问题，建立低碳能源系统、低碳技术体系、低碳产业结构和低碳评价方法，建立与低碳发展相适应的旅游生产、生活和消费方式，并最终实现森林旅游的低碳化和森林旅游经济的可持续发展。

10.1.2   森林旅游低碳化资源管理的理论基础和指导原则

10.1.2.1   森林旅游低碳化资源管理的理论基础

"绿色经济"最初是由经济学家皮尔斯在1989年出版的《绿色经济蓝皮书》中提出来的。它是以保护和完善生态环境为前提，以珍惜并充分利用自然资源为主要内容，以社会、经济、环境协调发展为增长方式，以可持续发展为目的的经济形态。目前倡导的低碳经济和循环经济，都归属于绿色经济的大范畴（吴晓青，2009）。

绿色经济理论不仅研究如何以最低的成本生产产品、提供服务，获取最大的经济效益，而且研究如何最有效地合理开发利用自然资源。追求自然资源综合利用率最大化与废弃物最小化，实现经济效益最大化，是绿色经济的本质特征（张象枢和张平，2001）。

绿色经济以高科技产业为手段，一方面通过科技力量的巨大作用使人们的社会生产、流通、分配、消费过程不损害环境与人的健康，使高科技的绿色产品极大地占有市场，成为经济生活中的主导部分。不仅使广大低收入者都能够买得起绿色产品，而且要保持人与自然之间的动态平衡，实现社会公平。另一方面，它要在自然资源的承载能力范围内，把技术进步限定在有利于人类、有利于人类与大自然相互关系的轨道上，即按照属于人类的生活或生存方式来求得人与自然之间的和谐（赵斌，2006a）。

10.1.2.2   森林旅游低碳化资源管理的指导原则

21世纪的森林旅游必须走可持续发展道路，创造绿色经济。按照绿色经济的内涵和要求，对森林旅游资源进行低碳化管理，应遵循以下指导原则。

（1）坚持以人为本。绿色经济的主旨是服务于人的需要和人的发展，偏离了这一目标来讨论绿色经济毫无意义。因为经济发展的动力来自于人们对经济利益不断增长的追求。一个社会只有当它能使大部分人的福利有所改善时，经济发展的目标才能够实现。

　　森林旅游低碳化资源管理，强调人类在森林旅游活动中要亲和自然、尊重自然，但不是像唯生态主义者那样，建立在唯保护环境和生物多样性的基础上来保持经济的持续发展，更不是要藉此牺牲经济发展和人们经济福利的改善与提高来换取生态环境的保护和改善，而是希望通过人与自然的和谐发展，来更好地实现人类自身的健康发展。这种发展兼顾了个人利益、当代人利益与全体人类的不同代人的利益，是一种更高层次的人类利己主义。正是从这种利益的角度，人类为了自己的生存和利己的目的，才有必要保护生态环境，保护动植物，最大限度地节约和利用自然资源，即从人的最大经济福利来实现资源的优化配置。当然，以人类的最大经济福利作为目的和动力的资源配置，是建立在效率优先基础上的。离开了效率优先，人类的净福利便无从谈起。所以，在森林旅游低碳化资源管理过程中，以人为本并不否定效率优先的原则，而恰恰是借助效率优先来实现的。

　　(2)强调经济发展的生态化。森林旅游低碳化资源管理始终把环境与森林生态因素作为旅游经济发展的基础，其经济持续发展的关键在于生态环境与森林资源的永续性。因此，按照绿色经济的发展理念，森林旅游低碳化资源管理追求的不是简单重视自然资源的价值，而是从动态上强调对生态环境和自然资源的永续利用、代际公平。健康的经济发展应该建立在生态化的基础上，建立在人与自然和谐的基础上，为了使经济发展生态化，必须把技术进步作为经济发展过程的内生因素，必须重视经济资本、人力资本和生态环境资本。因为其中任何一种形式的资本退化都会危及经济发展。为此，人类科学技术的发展必须以"绿色化"技术体系为基础，即科学技术的发展应服从于保护生态环境的需要，理智地使用自然资源。在绿色化技术体系的支撑和带动下，实现森林旅游资源的低碳化开发和利用，使森林旅游经济发展步入生态化的轨道。

　　(3)努力追求高质量的社会进步。森林旅游低碳化资源管理符合绿色经济的发展要求，不仅仅追求经济发展，而且追求人的发展和生态环境的进步。从绿色经济的发展观点来看，社会进步不仅包括生产和分配的体制改革，而且国民财富的分配除了要求公平，还要有益于教育、健康、就业。另外，环境保护应成为社会的自觉行为，其目的在于预防、恢复或补偿由于经济行为所造成的环境损失。因此，为了维护森林生态环境的进步，必须以"绿色GDP"来取代传统的GDP，作为衡量森林旅游经济进步与社会发展的指标。

　　(4)实现效率最大化。绿色经济不仅包含了"绿色"，即包含了生态文明和循环经济的内容，以及以人为本，以发展经济、全面提高人民生活福利水平为核心，保障人与自然、人与环境的和谐共存，人与人之间的社会公平最大化的可持续发展内容；而且包含了"经济"的内容，即以最小的资源耗费得到最大的经济效益，只不过与传统经济学不同，是建立在绿色、健康、更有效的基础上使自然资源和生态环境得到永续利用和保护的效率最大化、利润最大化的经济（赵斌，2006b）。

因此，以绿色经济为基础的森林旅游低碳化资源管理，不仅仅包括最大限度地实现生态系统的和谐、社会系统的"以人为本"，而且还要最为显著地实现经济系统的效率最大化。作为一种超越"唯生态主义"和唯社会公平的经济发展观，森林旅游低碳化资源管理更主要地体现在最小资源耗费与最大经济产出、清洁生产资源循环利用、用高新技术创新的生态系统（而不是满足于旧的生态和谐的要求）的特征。因为只有效率最大化才能保证生态系统在新的条件下实现和谐或在更高的层次上实现新的和谐，才能使社会系统的最大公平目标得以实现。

10.2   森林旅游低碳化资源管理的实现路径

10.2.1   做好森林资源保护与开发的基础工作

森林旅游产业之所以成为潜力最大的新兴林业产业，在于它是在融合第一产业、第二产业基础上发展起来的。在森林旅游的低碳建设中，森林培育与资源保护是最基本和最直接的低碳手段，在我国历来受到重视。由于森林具有两面性，在生长过程中能固碳储碳，但一旦焚烧又会产生大量二氧化碳。因此，要强调森林的灾害预防与应急控制，一方面通过形式多样的培训与宣传提高工作人员和游客的森林保护意识，另一方面加强防灾减灾硬件的建设。在森林保护的同时，可以适当开发。例如组织当地居民生产小件手工木饰品，不仅成本低，有新意，而且根据林木产品固有的储碳功能，可以把低碳作为营销新手段，打开游客市场，引导游客低碳消费，一举多得。此外，还可以组织居民对森林旅游区内的枝叶废料进行统一收集处理，条件允许的话可用于生物质能源的开发。

10.2.2   制定森林旅游低碳化资源管理标准体系

无规矩不成方圆。森林旅游的相关主管部门要相互协作，在《森林公园管理办法》《森林公园总体设计规范》等一系列法律法规基础上，结合低碳经济理论中低能耗、低污染、低排放的基本要求，根据科学的碳足迹计算方法，通过各项指标的选取、实际数据的调查、精确的演算，先定量，后定性，最终制订出适合森林旅游低碳发展的整套标准体系。

如森林资源质量保护标准，通过对林木的年度、季度抽样测量，计算单位时间内增长量和固碳量是否达标，代替单纯地进行森林面积、覆盖率的计算；又如林业管理部门、森林旅游企业的管理服务标准，通过职工工资、工时与业绩，办公用品管理费、使用寿命与功能，各类产品的碳转换系数等，推导出为单位时间、成本和效益下碳的投入产出模型，从而确定一般职员工作、物品使用的碳排放效率高低，建立森林旅游行业的管理服务标准；食宿场所、交通道路的建设与管理，游客游览与消费行为等方面的标准也同理。这实质是采用一种先聚类、后判别的多元统计分析思想，先通过制订以低碳为核心的标准体系，为后续的行为判断、方案选取奠定广阔而坚实的基础（严健标等，2011）。

10.2.3　研发森林碳汇及其监测计量技术板块

研发森林碳汇及其监测计量技术板块，维护、修复、扩展森林植被，为增加森林植被的固碳汇功能，为自然碳汇上固定 CO_2 提供技术保证。

测定森林植被对大气 CO_2 吸收率的碳汇计量监测技术，是估计陆地生态系统碳吸收能力的最基本方法，目前有生物量法、蓄积量法、箱式法等（何英，2005）。据统计，$1hm^2$ 森林植被通过光合作用日均吸收 CO_2 1000kg，相当于 $0.1kg/(m^2 \cdot 天)$，据此可以计量森林碳汇情况（闫志能，1999）。

可见，在森林旅游资源开发过程中，增加森林植被覆盖率，发挥森林植被的固碳功能，以生态环境直接吸收 CO_2，是增加自然碳汇、维持自然生态圈碳平衡、减少温室效益、降低气温的最好方法。

10.2.4　建立配种绿树制度，实施生态补偿和修复

对于以往森林旅游资源盲目地开发与利用已使生态环境遭受破坏的部分，必须给予补偿和修复。在现有的森林旅游区内建立人、车、楼宅配种绿树制度。对人、车、楼宅都要配种一定数量的绿树，以增加森林自然碳汇，吸收固定人为的碳源。因为一个人就是一个碳排放污染源，如汽车排放的尾气中除大量的 CO_2 外，还有铅、镉等重金属污染物；楼宅的修建占用了一定的林草绿地，使吸收 CO_2 和遮光挡日等生态功能减弱。通过配种绿树制度，增加的植被可以吸收人群、汽车产生的碳源，补偿楼宅所占林草绿地的碳汇，为生态补偿和修复提供制度保证。

10.3　森林旅游低碳化资源管理案例分析

　　森林，作为地球之肺，与生态、环保、净化等关键词有着千丝万缕的联系。在低碳经济如火如荼开展的今天，我们不妨一起来学习一下森林旅游低碳化资源管理过程中的经典案例——让森林旅游"低碳"起来(佚名，2010)。

【案例一】四川郫县——打造碳补偿林

　　所谓碳补偿林，指的是建议休假期间选择私家车或乘坐飞机出行的市民，计算出自己的"碳足迹"后，通过种植相应的绿树来补偿自己的碳排放。

　　在低碳经济发展的大背景下，四川郫县决定打造国内第一片碳补偿林(图10-1)。此举一出便得到社会各界人士的积极响应。当地人员表示，郫县是成都市饮用水水源保护区，作为首个碳补偿林，在这里种植树木不

图10-1　成都市首个"碳补偿林"基地

仅可以涵养水源、调节气候，还可以提高更多市民的环境保护意识。

　　四川郫县以打造碳补偿林的方式，充分调动市民的主观能动性，让市民参与到森林资源管理当中，有效地控制了旅游的碳排放量，保护了当地的森林旅游资源。

【案例二】海南儋州——引入新兴能源

　　海南成片的热带雨林是国内为数不多的奇景。当雨林为游客带来旅游快乐的同时，以低碳的方式保护它们也成了重要的话题。

　　海南儋州与中电国际合作筹建低碳生活小镇，以完全低碳无污染的生活环境吸引游客。通过推广使用已经或正在开发利用的生物质能、太阳能、风能，还有未来可以开发利用的潮汐能、波浪能、海流能、温差能和盐差能的方式，为游客建设一个洁净的海岛，一个阳光明媚、海水湛蓝、空气清新、原始热带雨林气息浓郁的旅游目的地。

森林旅游低碳化资源管理可以借鉴海南儋州筹建生态小镇的做法，在森林旅游资源的开发利用过程中，引入清洁能源，推广使用低碳、健康的生产生活方式，降低旅游的碳排放量。

【案例三】　云南普洱——发展非木植被

普洱的植被覆盖率很高，但由于当地人缺乏环境保护意识，长期依靠木材制品深加工，打造高档家具"云南制造"品牌的经济发展模式，对当地森林资源造成了一定程度的破坏。

现如今，为响应低碳经济的发展要求，当地人转变发展思路，提出发展非木植被，在继续打造推广茶叶品牌形象的基础上，深加工松香、松节油，开发各种非木植被旅游纪念品。

云南普洱发展非木植被的方式对保护当地植被起到重要的作用，稳定了森林植被的固碳功能，为森林旅游低碳化资源管理奠定了坚实的基础。

【案例四】　浙江临安——开发生态旅游

浙江省临安市土地总面积 3126.8km²，其中山地面积占 86%，是个典型的山区县级市，森林资源极为丰富。临安市政府十分重视生态旅游业开发与环境保护的关系，在森林资源的开发利用中，坚持贯彻环境保护基本国策，发展以生态旅游业为主的第三产业。随着生态旅游业的迅速崛起，临安的城市建设也更趋完善，初步形成了以旅游业等第三产业为重要支柱的经济发展格局（郑四渭，2003）。

浙江临安森林旅游资源的成功开发，关键在于遵循森林旅游低碳化资源管理的理念，始终把环境与森林生态因素作为旅游经济发展的基础，保证了生态环境与森林资源的永续性，实现了森林生态效益与经济效益的统一与协调，并最终构成了森林旅游资源管理"双赢"的模式。

10.4　森林旅游低碳化环境管理的概念及基本思路

旅游业迅速发展的事实说明了旅游与环境具有极其微妙的关系，尤其对于森林旅游而言，旅游活动和旅游经营活动主要在森林自然生态系统这一空间范围内展开，森林环境的物质范畴与旅游者体验的人类意识领域不断发生相互作用。近年来，随着人类生态环境保护意识的提高，低碳化可持续发展的要求渗透到社会经济发展的各个领域。与此同时，森林旅游低碳化环境管理逐步提上日程。

10.4.1   森林旅游低碳化环境管理的概念

所谓森林旅游环境，是指以森林旅游系统为中心，影响其产生与发展的各种自然因素和社会因素的综合总体。它从属性上可以分为自然环境和社会环境，共同构建了森林旅游环境系统。

森林旅游低碳化环境管理，就是指运用法律、经济、行政、规划、科技、教育等手段，对一切可能损害森林旅游目的地环境的高碳行为和活动施加影响，协调旅游发展同环境保护之间的关系，处理国民经济中与旅游相关的各部门、社会集团、企事业单位及个人与环境之间的关系，使旅游发展既满足游客的需求，又保护旅游资源，防治环境污染和破坏，实现经济效益、社会效益和环境效益的有机统一（林越英，1999）。

10.4.2   森林旅游低碳化环境管理的基本思路

从森林旅游发展中的环境问题看来，旅游环境管理与旅游自然生态环境之间具有非常强的正相关性，完善的旅游环境管理往往能够获得良好的森林生态环境。而不顾旅游社会效益和环境效益的旅游管理，最终会遭到自然生态环境的报复。所以，在森林旅游环境管理的过程中，要求通过采用促进森林旅游与自然环境良性互动的旅游环境管理理念和管理方法，实现森林旅游与自然生态环境的良性互动。

在森林中开展旅游活动必然会对森林旅游地环境产生影响，但环境对人类活动的承载能力是有限的。要实现森林旅游与自然生态环境的良性互动，关键在于把握森林旅游环境承载力这一核心问题。森林旅游低碳化环境管理的基本思路，即是运用环境科学技术测定森林旅游环境容量，通过法律、经济、行政、科技、教育等管理手段将人类活动控制在森林旅游环境可承受的范围内，尽量减少人类生态足迹对森林环境的负面影响，使人类具有良好旅游环境的同时，森林经济也得到长期稳定的增长。

10.5   森林旅游环境管理体系

10.5.1   环境监测体系

环境监测是环境管理的基础，是客观判定旅游区环境质量、制定相应管理措施的基础。

　　森林旅游环境管理主要是旅游对开发的环境影响监控，通过现场调查，采得原始数据后进行分析。随着森林旅游区开发的深入，长时间的数据采集和分析就需要大量的人力、物力。运用地理信息系统（GIS）技术，构建森林旅游环境信息系统，可以很好地对整个森林旅游地的环境质量进行动态监控。

　　森林旅游环境信息系统监控的主要内容包括游客的动态分布和环境本底数据。通过对游客分布的监控，可以直观地分析该时刻森林旅游环境事件的高发地区。环境本底数据的监控则是为森林旅游环境管理后期进行的旅游环境质量评价和旅游活动对环境的影响提供真实、有效的数据，构建森林旅游分布模型和旅游环境质量动态模型（高峻和刘世栋，2007）。

10.5.2　环境质量评价体系

　　环境质量评价体系主要是从时间的尺度，利用环境质量评价这一平台，对旅游地的环境质量变化进行评价，其意义在于对开发过程中的旅游环境质量进行描述，为整个旅游环境管理提供数据支持。

　　森林旅游环境管理要以森林旅游环境质量评价为依据，通过研究旅游活动对森林环境产生的影响，为旅游开发过程提供理性的分析，为森林旅游环境管理提供针对性目标，维护现有森林旅游地的环境质量（刘世栋，2007）。

10.5.3　ISO14000 环境管理体系

　　ISO 14000 认证系列标准是由 ISO/TC 207（国际环境管理技术委员会）负责制定的一个国际通行的环境管理体系标准。它包括环境管理体系、环境审核、环境标志、生命周期分析等国际环境管理领域内的许多焦点问题。其目的是指导各类组织（企业、公司）取得正确的环境行为。该标准不仅适用于制造业和加工业，而且适用于建筑、运输、废弃物管理、维修及咨询等服务业。

　　森林旅游对环境依赖性很强，旅游业与环境保护结合起来才能获得持续发展，环境管理是可持续发展的关键。目前全世界施行的环境管理标准是 ISO 14000 环境管理体系国际标准。

10.6　森林旅游低碳化环境管理策略

10.6.1　发展旅游低碳产业，创造良好外部环境

　　森林旅游低碳化环境管理，必须要有低碳产业的支撑。目前，由于生产低碳型旅游产品的企业很少，可供旅游者选择的低碳旅游产品有限。森林旅游主管部门应尽快制订符合森林旅游低碳化发展要求的旅游产品质量标准、森林旅游标准与森林旅游管理标准，使森林旅游低碳化开发、经营、消费和管理制度化、标准化、规范化；推行森林旅游低碳政策，鼓励森林旅游企业研发"低碳旅游"产品、服务及项目，督促森林旅游企业尽量控制温室气体的排放；协调旅游、环保、能源、交通、财政等相关部门，共同为森林旅游业的低碳化经营服务；实施"旅游信息化"工程，积极推进旅游管理部门无纸化办公，充分利用旅游信息网络进行营销，为森林旅游低碳化环境管理创造良好的外部环境。

10.6.2　测评旅游环境容量，实施碳补偿措施

　　作为森林旅游低碳化环境管理的主要内容，环境容量应该受到重视。根据木桶原理去判断森林旅游地限制旅游发展的因子，以自然环境本底报告和社会环境本底报告为基础，测算森林旅游地不同空间和时间尺度下的环境容量，全面描述森林旅游环境现状，为森林旅游低碳化环境管理提供保障。

　　对于待开发的森林旅游区，要运用环境质量评价体系对森林旅游环境进行调查与评价、预测环境容量，并制定环境保护与建设规划，将环境规划纳入总体规划之中。对于已开发运营的森林旅游区，根据日旅游环境容量的测评结果，将旅游活动严格控制在环境可承受的范围之内，实施低碳补偿措施，减少森林旅游的碳排放量。例如，当旅游人数超过森林环境容量时应谢绝游客进入；森林旅游经营管理者根据游客的数量计算碳排放量，从旅游收益中拿出一部分资金来补偿旅游活动对森林环境的"损害"；开展"低碳旅游证书"考评活动，以激励和督促森林旅游企业尽量控制温室气体的排放；为减少森林旅游的环境代价，可考虑征收"生态税"用以资助环境保护工作等（柳敏和张文政，2011）。

10.6.3　加强环境承载力管理，提供低碳项目发展空间

　　森林旅游是一项带有风险性的活动，它的发展是建立在优美的、具有特色的环境质

量的基础上，是否持续进行并从中获益，要有健康的森林生态循环系统作为后盾。依据森林旅游环境承载力管理理论与实践经验，制定森林旅游环境质量警戒线，构建一套森林旅游环境预警系统，在旅游目的地环境出现重大问题，如游客数量激增、出现重大环境污染事件影响景区环境时，可以根据提前制定的旅游环境预警措施，对森林旅游活动或旅游环境进行调整与修复，以确保在最短时间内将森林旅游环境恢复原状。

加强环境承载力管理，可以为森林旅游低碳化环境管理提供保障，为森林旅游低碳项目的发展提供更为广阔的空间。综合运用法律、经济、技术及必要的行政手段，以长效机制持续推动森林旅游环境承载力管理，全面开展森林旅游污染减排工作。将污染减排任务的指标细化，并落实到每一个管理单位，明确具体责任人。从森林环境功能的改善与提升方面，加快森林旅游环境低碳工程建设的步伐，提高旅游废气、废水、废物的集中处理率，把污染减排与解决突出环境问题、改善旅游环境质量相结合。

10.6.4　加大环保科技投入，提高环境管理水平

在森林旅游低碳化环境管理过程中，离不开现代科学技术。森林旅游区开发的立项阶段、施工阶段、营运阶段的环境管理的内容、方法不同，所需要的技术也不同。在立项阶段，应加大科技投入，做好环境影响评价方法管理，进行森林旅游对自然环境和资源的影响、生态承载力和游客容量的评估分析、生态保护和恢复技术方案及管理措施评价、环境污染治理工程的评价、生态影响的损益分析等（和沁，2005）。在施工阶段和营运阶段，要按照 ISO14000 标准，提倡清洁生产，定期测量环境标准，对环境表现行为进行动态管理，尽可能开发利用风力、水力、太阳能、沼气等绿色能源，使用绿色照明，采用绿色建材，推广绿色包装（陈筱，1999）。

管理者要充分借助这些现代技术，提高森林旅游环境管理水平。如利用现代数学手段表示旅游自然环境的现状、被污染和破坏的状况，计算旅游环境容量或旅游环境承载力；用物理手段进行污水处理和野生动植物的保护；用生物方法进行环境的保护和环境污染的防治；利用旅游环境容量的预测值，针对旅游淡、旺季的客流量进行管理，采取内部分流或外部分流等方法进行有效控制游客过多造成的环境破坏等（和沁，2006）。

10.6.5　营造低碳旅游环境，引导低碳旅游行为

森林，作为拥有天然碳汇体的地区，需充分利用森林中的碳汇体来实现碳中和或碳平衡。森林旅游应力争建设二氧化碳"零排放"旅游地。在构建低碳旅游吸引物、建设低碳旅游设施的基础上，进一步营造低碳旅游环境。不断增强森林旅游区的碳汇能

力，消除碳排放的消极影响，培育高品质的森林碳汇旅游环境。

　　由于不同的旅游方式对环境造成的影响以及个人"碳足迹"是不同的，因此，在营造低碳旅游环境的基础上，还需要积极引导旅游者的低碳旅游行为，减少个人"碳足迹"，开展"碳补偿"活动，尽量减少旅游活动对森林环境造成的影响。例如，在森林旅游区的游客服务中心，免费向游客提供低碳旅游咨询，鼓励游客采用低消耗的电瓶车、自行车等低排放的交通工具；在旅游景区内设立低碳标志，配备低碳解说系统，在旅游者的游览过程中讲解低碳的知识等（王辉等，2010）。通过营造低碳旅游环境，引导森林旅游者的低碳旅游行为，保护森林旅游环境。

　　总之，森林旅游低碳化环境管理的核心是要把握森林环境容量，通过法律、经济、行政、科技、教育等管理手段将旅游活动控制在森林环境可承受的范围之内，环境承载力是森林旅游低碳化环境管理的重要决策因素。在森林旅游低碳化环境管理的过程中，要贯彻经济与环境相协调的原则，深入挖掘森林旅游低碳经济，以预防为主，防治结合，全面规划，综合治理，尽量减少人类碳足迹对森林环境的负面影响，做到环境保护与森林旅游经营的同步发展，实现环境效益、社会效益和经济效益的统一。

第 11 章　森林旅游景区低碳质量管理

11.1　森林旅游景区低碳质量管理的概念

11.1.1　质量管理的发展

质量管理的发展大致可分为三个阶段：20 世纪初至 40 年代质量检验阶段；40～60 年代的统计质量控制阶段和 60 年代至今的全面质量管理阶段。

随着科学技术的进一步发展，质量管理的思想和内容也在不断地发展和充实。例如，北京工业大学韩福荣教授(2000)系统地进行了质量生态学的研究，提出生态质量管理的概念；张长元(2000)认为可以将"绿色"意识注入全面质量管理活动之中，提出了绿色质量管理的理论。

因全球气候变化，中国经济同世界经济一样，必然转向资源高效配置和利用的低碳发展模式，低碳经济已成为全球低碳发展的必然趋势。向低碳经济转型是企业生存发展的必然选择，质量管理是企业管理的核心，必须在低碳环境下进行创新发展，低碳质量管理由此提出。

11.1.2　低碳质量管理的概念

传统的质量管理是把满足顾客的需求放在第一位，而本章的低碳质量管理的概念，是在可持续发展理论指导下，把低碳理念注入企业的全面质量管理中去，在优先考虑资源节约、环境保护和生命尊重的前提下，来满足顾客的各种需求。可以从以下几个方面来理解：

(1)传统的质量管理是以顾客为关注焦点，满足顾客需求，并争取超越顾客期望达到顾客满意。低碳质量管理是在优先考虑节约能源、履行社会、行业责任的前提下，达到顾客满意。

(2)低碳质量管理是系统综合的质量管理，要求企业对预期产品(正产品)和预期产品(负产品)都要进行质量管理(包括节能、减排、环保、循环经济和综合利用)，一直延伸到顾客的使用(消费)环节。低碳质量管理还应对供应商提供的产品进行延伸，保持低碳质量管理的完整性。

(3)低碳质量管理更加注重技术创新。低碳质量管理是建立在对低碳经济规律全面认识的基础上与质量管理相结合的管理，将质量管理手段渗透到低碳经济的所有过程，真正做到技术与质量管理相结合。

11.1.3　森林旅游景区低碳质量管理的概念

森林旅游景区低碳质量管理就是低碳质量管理理念在森林旅游景区经营管理中的充分应用，在充分考虑节约能源、履行社会和行业责任的前提下，利用先进的低碳技术，提供游客满意的低碳产品和服务。

11.2　森林旅游景区低碳质量管理的内容

11.2.1　组织准备

建立低碳质量管理组织机构，确立组织最高管理者的职责和权限是森林旅游景区低碳质量管理的基础工作，同时对景区全体员工包括低碳质量管理小组人员进行质量培训也是必不可少的工作。

11.2.1.1　建立低碳质量组织机构

景区低碳质量组织机构的设置，应根据森林旅游景区产品的特点，考虑景区质量职能的实施和监督两个方面。建立强有力的景区质量管理部门，以负责景区质量活动的计划、组织、协调、指导、监督和检查。一般情况应包括质量体系总负责人、质量体系所涉及的部门负责人、质量体系的日常执行人员和监护与协调体系运转的工作人员等四类人员。

作为质量管理组织体系的一大要素，低碳质量管理职责主要工作有以下三个方面：①管理承诺：应包括组织应对全球天气变化向低碳经济转变应尽的社会责任的承诺，体现在质量方针、目标中，确保管理评审和资源的提供。②以顾客为关注焦点：最高管理者应以履行社会、行业责任为前提，满足顾客要求，增进顾客满意度。③质量方针：应体现低碳经济、履行社会责任的要求。

11.2.1.2　建立低碳质量培训机制

低碳质量培训机制除了对经营管理人员和一线服务人员的常规培训外，重点要突出下面几个方面知识的培训：

（1）对"低碳"态度的培训。低碳旅游从本质上来讲是一种旅游发展理念，这种理念贯穿到旅游景区的建设中，则形成了旅游景区的可持续发展理念。因此，景区员工对低碳的态度将直接决定这种理念是否会长久地指导着旅游景区的发展。经过对员工"低碳"态度的培训，建立自上而下的低碳旅游理念，形成一种低碳型旅游景区发展的动态机制。

（2）对"低碳"知识的培训。通过培训，使景区从业人员了解并掌握关于"低碳"的基本知识，如低碳经济的概念、背景与发展历史，低碳旅游、低碳景区的概念、在进行低碳型旅游景区建设中所要注意的问题，低碳生活的相关知识点以及了解国际上对于低碳技术的研发与进展等。

（3）对"低碳"技能的培训。对景区员工进行"低碳"技能的培训，目的是使员工掌握从事本职工作时减少温室气体排放的必备技能，进一步影响员工的日常行为，并将其扩展到每一位游客身上。让员工不仅有"低碳"的意识，更要有做到"低碳"的能力。

对旅游景区从业人员进行节能减排教育，培养他们的"低碳"意识，并积极贯彻各项低碳措施。景区应采取各项措施鼓励员工加入低碳行业，参与节能减排活动，并对表现积极、有成绩的员工进行奖励。

11.2.2　质量策划

11.2.2.1　确立低碳质量方针与目标

由最高管理者正式发布低碳质量方针，并对能源节约、环境保护、减少排放等内容进行量化，补充到现有的质量目标中去，动员全体员工贯彻落实。

11.2.2.2　低碳产品的设计

森林旅游景区的景点景物应该是保存较好的自然景观和人文景观，在开发中应避免景观污染；旅游项目能使游客在旅游活动中不仅获得身心的自然回归，更能从中受到环境教育，提高环境意识和素质；旅游设施建设不应破坏当地的自然环境和文化氛围，防止"城市化"和"现代化"等不和谐现象出现。

（1）道路与交通工具。森林旅游景区的道路设计应该尽可能利用原有斜坡、树木、小山等自然地形，要和地形、地貌一致，要有利于水土保持。游路只应在某些景点靠近河流，但不宜长段沿河修路。游路也不宜在山脊上，应修在较低的山坡上，否则会严重影响风景。车行道要尽可能地远离生态景区和生态脆弱区。在交通工具方面，保护区内最佳的交通方式是采用非机动的、自然的交通工具，提倡使用各种以生物能、太阳能、风能、水能等自然能源驱动的交通工具。

（2）房屋。

结合自然设计。结合自然设计是指结合建筑场地的太阳辐射、热、光、影、风、水文、降水、植物、地形等自然条件，在建筑生命周期的全过程与自然合作，充分利用自然提供的潜力（包括限制条件）促进、适应自然过程，使建筑融入自然，与周围环境协同发展。某一特定场地的自然地理特征暗示了其"固有适应性"。

体现"以人为本"的思想。建筑风格与当地人文环境相一致，符合当地的文化背景、历史文脉和传统风貌，尊重当地居民的审美观点，体现本土特色。

结合"3R"设计。根据节约（reduce）、重新使用（reuse）和循环（recycle）原则，在建筑生命周期的全过程，减少物质和能源的消耗，提高资源利用率，减少废物排放，减轻对环境的污染，使建筑从纯消费型向可循环利用型转变。

选择合适的技术和材料。可采用其所在地域的建筑材料和传统技术，体现地域和本土特色；为节约能源，也可采用高科技含量的建筑材料和技术，如隔热材料、太阳能发电技术等。

（3）低碳旅游商品。低碳旅游商品设计与开发应综合考虑可能给森林旅游景区带来的经济、生态、社会、文化等方面的影响，除注重地方性和民族性外，应突出其生态性、环保性和可持续性。

（4）能源与通信系统。在景区内不应安装高压电缆和架空电线，景区内不应布置大型供电设施，主要供电设施布置于城镇附近，建议埋设地下电缆，室内走暗线；给排水布局应尽量将设施布置在景区以外，避免破坏景观；在景区内不应安排架空的通信线路穿过，宜采用隐蔽工程。应尽量利用可再生能源，节约不可再生能源的使用量，如使用生物燃料；从减少污染的角度，应尽可能利用干净的能源，如太阳能、电能、小水电和风能等，少用有污染的能源，如煤、石油等。

11.2.3 质量控制

11.2.3.1 前馈控制

前馈控制是事前进行全面的信息分析，准备好解决问题的各种方案，做到防患于未然。做好前馈控制需要景区管理人员努力获取各种最新信息，对信息进行仔细分析，预测各种可能出现的情况，并预备各种纠错方案，使实际服务质量与既定标准相一致。旅游旺季出现的诸多问题与没有很好实施前馈控制有关。管理者事先缺少信息，无法预测可能出现的各种问题及预备纠错方案，碰到问题只能听其自然，导致一到旅游旺季，游客体验水平下降，投诉增多。

11.2.3.2　关键点控制

关键点控制强调控制必须分清主次，抓住与控制目标最为密切的要点，对其进行严格控制，并以点带面，达到全面控制的目的。李欠强(2006)提出森林旅游景区关键点选择要考虑以下几个因素：

(1)服务界面。是服务人员与游客的接触点，森林旅游景区提供面对面服务的平台，最能给游客留下深刻印象，是体现森林旅游景区服务质量好坏的关键。营销学家将这种接触点称为"真实瞬间"，最能演绎出一系列的质量问题。

(2)集散中心。在集散中心，人员集中且流动性大，最容易产生各种问题和矛盾。

(3)特色景点(资源)。即最能反映或代表森林旅游景区特色的景点(资源)，是森林旅游景区质量的核心所在。

(4)危险地段。森林旅游景区内较危险、容易出事故的地段。

根据以上分析，森林旅游景区低碳质量控制关键点主要包括：停车场，门票出售处，检票处，游客服务中心，景区导游服务，景区内个体摊点，景区内茶室，景区内游乐设施玩点，景区内演出场所，景区内广场，景区内道路枢纽，易出事故地段，景区核心资源所在地，景区内码头、机房、车站，景区厕所等(图 11-1)。

我国大多数森林旅游景区的旅游活动具有季节性，关键点控制可以进一步引申为关键时点的控制，即旅游旺季的低碳质量控制。旅游旺季，游客大量涌入景区，容易导致旅游设施与资源过度使用，服务人员应接不暇，服务质量下降。实践证明，游客投诉集中发生在旅游旺季，因此，关键时点的控制是森林旅游景区质量控制的难点。

11.2.3.3　加强游客行为管理

加强游客行为管理的目的，是帮助游客正确地享用服务，使他们获得更多的消费利益和更大的消费价值，从而提高游客感觉中的整体服务质量。在服务过程中，森林旅游景区对游客行为管理应从引导、防止、杜绝三个层面入手。首先，森林旅游景区应引导游客正确扮演自己的角色。通过语言、示范、图片展示、标识、说明书等服务引导手段"教育"游客认识自己在"生产"服务中的职责，鼓励和支持游客参与服务的生产过程，帮助游客掌握必要的服务知识，提高他们配合服务人员的能力，促进服务的生产和消费过程的和谐进行，使游客获得完美的服务体验，进而对景区产生由衷的兴趣和信心。其次，由于游客对某一服务的满意程度不仅受景区和服务人员的影响，而且受背景游客的影响。因此，森林旅游景区加强对游客的行为管理，还必须防止游客之间相互的不良影响。例如，在服务过程中，某一游客的某种行为可能导致其他游客的反感。第三，对于极个别行为特别恶劣的顾客，应予以坚决制止，为了大多数游客的利益，森林旅游景区应对这些极个别的游客说"不"。

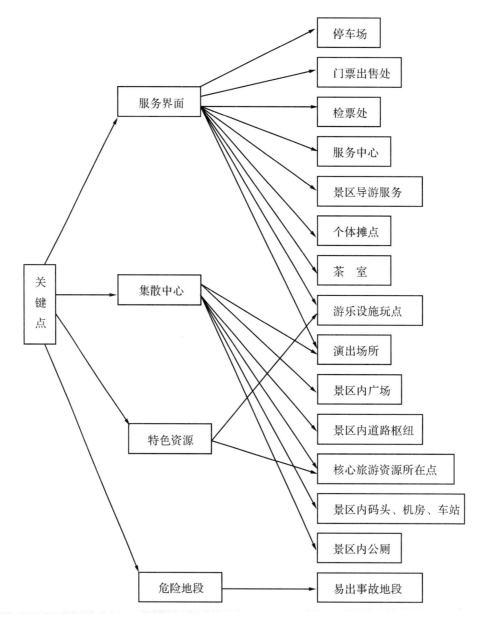

图 11-1　森林旅游景区服务质量控制关键点

11.2.3.4　实时信息控制

　　实时信息指事态一发生就出现的信息。实时信息控制要求管理者能及时了解出现的信息，并迅速作出反应，对发展中的事态实施有效控制，提高服务的速度与效率。黄山景区中的"迎客松"就有专人对其进行24h的监控管理，监测病虫情况、冬季雪压情况以及游客对"迎客松"的影响情况，一旦出现不良先兆，立即采取措施加以防范。

森林旅游景区的广域性、复杂性的特点，使实时信息控制具有更重要的意义。分析目前森林旅游景区发生的一些意外事故，有些之所以会产生严重后果，在一定程度上与管理部门无法得到实时信息、及时展开救援活动有一定的关系。

对森林旅游景区旅游容量情况，游客在景区内的空间位移情况，资源、环境状态、安全防范等实时信息的监控，对于森林旅游景区维持正常的游览秩序，提供快速的应急服务，对于保护旅游与环境都起着十分重要的作用。从目前影响森林旅游景区旅游质量的因素中，很多游客是因为景区内游人太多，超过其旅游心理容量而感到不满。因此，可以根据景区内不同景点特征，制定合理的容量，并将进出景点的人数输入电脑，管理者就能及时掌握景区内各景点旅游人数的变化情况。一旦某一景点人数达到极限容量，便采取措施，劝阻游客暂时不要进入，或引导其先去其他景点游玩，以分散旅游客流，保证已在景点内的游客的体验水平不下降。实时信息对于旅游资源（环境）质量的保护同样也起着重要作用。利用各种环境监测设备，对资源与环境进行实地监控，及时掌握游览活动中每一个时段的环境质量状况，并根据监测到的数据，即资源环境的质量变换状况来调整旅游活动。如莫高窟景区中有的洞窟价值特别高，管理者对其进行窟内环境监测，一旦发现环境异常，就关闭洞窟，劝说游客去其他洞窟，达到保护洞窟资源与环境质量的目的，保持与提高景区内旅游产品质量。

现代信息技术的发展和计算机的广泛使用，在技术上为获取实时信息提供了保证。生态旅游景区在应用信息技术实行实时监控，提升旅游质量方面有着巨大的潜力。一些著名的旅游景区，如黄山、武夷山、峨眉山等都在加快信息化的步伐，特别是峨眉山在景区信息化、智能化建设上先行一步，早在 2001 年就通过《峨眉山风景区信息化、智能化建设》项目规划的论证。该项目规划结合实际，引入了国际、国内先进的信息技术、通信技术和管理技术，被认为可以在峨眉山旅游景区管理上发挥巨大作用，并对我国旅游景区的信息化建设具有示范意义。该项目引进了 ERP 系统，并将ERP 的理念、方法、技术与景区管理的具体实践相结合，提出了 T - ERP 的新概念。具体包括旅游咨询系统、网上订票系统、门禁系统、智能办公管理系统、景区内旅游车辆定位管理系统、景区酒店管理系统、旅行社管理系统等，对于实时控制，提高服务效率起到重要作用。

通过计算机的网络管理，使景区的职能部门能全面、及时、准确地掌握整个景区的运营情况，以便于资源地合理调度和分配，便于及时发现和处理各种安全性事件，进一步提高景区现代化管理水平，为游客提供高质量的服务。

11. 2. 3. 5　建立森林旅游景区安全预警机制

森林旅游景区由于地域广，环境条件复杂，服务内容多，人员流动性大，客观上给质量控制带来很大难度，造成管理上的死角。如一些山岳类的景区，景点分散，地形险峻，遇到灾害性的气候很容易出现险情。我国一些著名山岳如华山、崂山、九寨沟、张家界、庐山等均发生过洪水、泥石流等灾害，给景区环境、资源、服务设施带来破坏，影响了游客的旅游质量，有的甚至造成生命危险。因此，在森林旅游景区的质量控制中，要建立森林旅游景区的安全预警机制。

11.2.4　质量保证

11.2.4.1　ISO 质量与环境一体化管理体系

ISO 质量管理体系是一个负责而又严格的过程，通过这一过程对旅游景区的管理进行一次全面的检查和优化，会对员工的服务理念产生深刻的影响，景区要长期不懈地严格要求自己，为游客提供最佳的服务。

ISO 环境质量管理体系是国际标准组织继 ISO 9000 系列标准之后推出的一套环境管理系列标准。ISO 环境质量管理体系是一项旨在规范各类组织和行业的环境行为，促进资源保护，节约能源，提高防灾能力，减少和预防污染，提高环境管理水平，改善环境质量，促进经济持续健康发展的系列综合管理型国际标准。

全面深入地比较质量与环境标准，可以发现两者之间明显的共性与关联性。主要表现在：

（1）运行模式相似。两个标准都采用"以过程为基础"的 PDCA 循环的管理体系运行模式，都在标准中用图解的形式加以描述；都强调管理体系的方针和目标的性质是属于组织的自我声明和自我证实；强调文件化，强调管理体系存在于体系文件，体现于体系文件；都是通过建立管理体系，策划、确定和实施方针和目标，来改善相关项目的管理，以提高组织的质量绩效或环境绩效。

（2）理论基础相同。两个标准都是基于系统论、控制论、全面质量管理以及阐明管理理论的"PDCA 循环"等重要基础理论的。

（3）指导思想相同。两者都主张预防为主，防重于治，防治结合；都规定了"纠正与预防措施"这个要素；都坚持八项质量管理原则，特别是"持续改进"的思想。

（4）内容结构兼容。从两个标准的内容和结构看，其体例、章节形式和要素设置，以及文件要求和层次结构等方面都作了兼容性考虑。

质量与环境一体化管理体系通用标准可以由以下几个部分构成：

（1）标准的适用范围。通用标准适用于质量与环境一体化管理体系，为构建一体化管理体系规定了要求。通过组织应用，可建立、实施和持续改进一体化管理体系，达到顾客、社会及其他相关方的满意。

(2)引用标准。

　·ISO 9000：2000　质量管理体系——基础和术语；

　·ISO 9001：2000　质量管理体系——要求；

　·ISO 14001：1996　环境管理体系——规范和使用指南；

　·ISO 14001：1996　环境管理体系——原则、体系和支持技术通用指南。

(3)术语和定义。

(4)基于 PDCA 过程方法的一体化管理体系模式。

(5)策划控制。

(6)实施控制。

(7)检查控制。

(8)改进控制。

11.2.4.2　生态旅游体系认证

森林旅游景区开展的主要是生态旅游，为游客提供低碳产品和服务，可以应用生态旅游的相关体系认证，比如绿色环球 21(Green Globe 21)、澳大利亚 NEAP 等认证，切实加强低碳质量的保证。

11.2.5　质量评价与改进

森林旅游景区的低碳质量评价主要包括森林旅游低碳化各项指标的评价和游客满意度的评价这两部分内容，低碳化评价在本书第 7 章有专门论述，此处不再重复。本节对游客满意度的评价进行论述。

11.2.5.1　森林旅游景区游客满意度测评指标体系的构建

游客满意度评价指标体系主要是根据游客的分类需求结构及其在景区的活动内容建立起来的(Atila，2000)，由以下三个层次项目构成：第一层次即游客总体满意度指标；第二层次是项目层指标，包括心理体验、交通、娱乐、购物、餐饮、住宿、旅游设施及环境、旅游景点与其他管理与服务等其九类指标；第三层次为评价因子层指标，是第二层次分解后的满意度指标，具体如图 11-2(陈秋华和李欠强，2006)。

通过各种方法(如专家评分法、层次分析法、模糊评价法等)来确定各个评价项目与评价因子的权重，再通过对游客进行问卷调查的方式得到各个指标的值，根据它们的权重进行加总就可以得到该景区的游客总体满意度。

11.2.5.2　对评价指标进行分类及相应改进措施

对游客总体满意度进行测评仅仅是评价该景区的质量管理水平高低，并不能为进一步改进森林旅游景区质量管理水平提供更多的借鉴作用。根据满意度指数的高低、

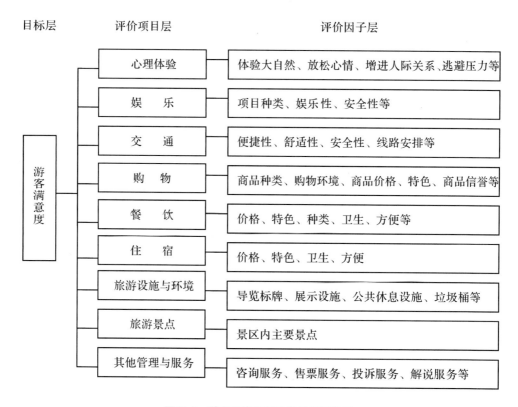

目标层   评价项目层   评价因子层

游客满意度

心理体验	体验大自然、放松心情、增进人际关系、逃避压力等
娱乐	项目种类、娱乐性、安全性等
交通	便捷性、舒适性、安全性、线路安排等
购物	商品种类、购物环境、商品价格、特色、商品信誉等
餐饮	价格、特色、种类、卫生、方便等
住宿	价格、特色、卫生、方便
旅游设施与环境	导览标牌、展示设施、公共休息设施、垃圾桶等
旅游景点	景区内主要景点
其他管理与服务	咨询服务、售票服务、投诉服务、解说服务等

图 11-2   游客满意度层次结构指标体系

游前期望与平均值的比较，对评价因子层项目进行分类，对各个类别的指标采取相应的管理措施，针对不同的类别采用不同的管理措施。

11.2.5.3   质量改进方法 ——PDCA 循环

PDCA 循环是 Plan – Do—Check – Action(计划 – 执行 – 检查 – 总结处理)4 个词首字母的组合(赵黎民和黄安民，2003)。PDCA 循环就是按照四个阶段的顺序来进行质量改进工作。PDCA 循环最早由美国质量管理专家戴明博士提出，因而也被称为戴明环。

PDCA 方法需要遵循以下四个阶段，八个步骤(李欠强，2006)：

(1)计划阶段。

第一步：分析景区质量现状，找出景区存在的质量问题；

第二步：分析影响景点质量和景区服务的因素；

第三步：从影响景区质量的各种因素中找出主要原因，解决主要矛盾；

第四步：针对影响质量的主要原因，拟订管理、技术和组织等方面的措施，提出景区质量改进活动的计划和要达到的预期效果。

（2）执行阶段。按照所制订景区质量改进的计划、目标和措施去具体实施。

（3）检查阶段。根据计划和目标，检查计划的执行情况和实施效果，及时发现和总结计划执行过程中的经验和教训。

（4）处理阶段。

第一步：总结经验教训，修正原有的制度和标准；

第二步：将本次 PDCA 循环没有解决的问题转入下一循环，为景区质量改进提供资料和依据。

第 12 章　森林旅游低碳化消费与营销

12.1　森林旅游低碳化消费

12.1.1　森林旅游低碳化消费的界定

森林旅游低碳化消费是发展低碳经济在森林旅游消费领域的新要求，是一种全新的旅游消费理念。目前国内外对森林旅游低碳化消费的研究尚处于起步阶段，学术界对森林旅游低碳化消费没有形成统一的定义。本书认为，在森林旅游活动中，应以旅游行为的碳零排放或低排放为标准，选择碳排放量最低的出行方式和消费方式，主动承担旅游业节能减排的社会责任。森林旅游低碳化消费是以降低碳排放量为特征的消费理念，游客对各种森林旅游产品及服务进行消费时，以森林环境的保护及资源的节约为宗旨，以减少碳的排放量来促进全球碳良性循环的一种消费观，是人类可持续发展的新型消费理念。

森林旅游低碳化消费具有广义和狭义之分。广义的森林旅游低碳化消费包括四个层次：一是"消费的经济化"，即对森林旅游资源和能源的消耗量达到最小化；二是"消费的安全性"，即森林旅游消费结束后对游客身心健康和森林景区环境危害最小化；三是"消费的可持续性"，把对整个森林环境的危害降到最小；四是"消费的新领域"，森林旅游项目转向应用新的低碳技术，拓展新的森林旅游领域。狭义的森林旅游低碳化消费则是专门针对碳的排放额度而言的，它要求在整个森林旅游过程中碳排放量要低至一定标准，从而有利于全球碳的良性循环，缓解全球气候变暖危机。

12.1.2　森林旅游低碳化消费的特征

12.1.2.1　森林旅游低碳化消费与传统旅游消费的比较

森林旅游低碳化消费与传统旅游消费在旅游目的地选择、旅游目的、消费准则、旅游形式、旅游参与、自身素质等要求上存在着很大的差异性，见表 12-1。森林旅游低碳化消费对游客的要求高于传统旅游消费。

表 12-1　森林旅游低碳化消费与传统旅游消费的比较

	森林旅游低碳化消费	传统旅游消费
旅游目的地	森林旅游区，包括森林自然、人文和生态景观等	吸引游客的自然景观、人文景观等
旅游目的	体验与感悟森林旅游低碳带来的乐趣	对旅游目的地自然、文化的认识与享用
消费准则	效用最大化融合碳排放量最小化	实现效用最大化，而忽略碳排放量
旅游形式	感悟与体验森林旅游项目为主	以观光游玩为主，形式单一
旅游参与	主动参与低碳旅游，感受森林生态与人文环境，获得低碳旅游知识	被动，一般不参与低碳旅游活动，跟随旅游团队行动，感受不深
自身素质	具备低碳消费理念，保护森林环境	对游客的消费理念没有什么要求

12.1.2.2　森林旅游低碳化消费的特征

　　根据对森林旅游低碳化消费的界定，结合森林旅游低碳化消费与传统旅游消费的比较结果，概括出森林旅游低碳化消费的特征：低碳性、尊重自然环境、参与性、全面性、时空性。

　　(1)低碳性。森林旅游低碳化消费与以往的森林旅游差别主要体现在"低碳性"方面。这种"低碳性"特征具体可以从下列几个方面理解：①森林旅游设施的低碳化设计。以往森林旅游设施是按照一般的旅游设施进行设计，而森林旅游低碳设施是以低碳为目的进行设计的。如森林酒店的节能设计以减少酒店的能耗，森林景区交通使用畜力、人力等以减少碳排量。②森林旅游项目设计的低碳化。在开发森林旅游产品时，尽量减少碳排放量大的项目，开发自助与"零排放量"森林旅游低碳化产品。③树立游客低碳化理念。在进行森林低碳旅游时，游客具有低碳化主体与客体双重身份；而以往的森林旅游，游客基本上只是主体身份。

　　(2)尊重自然环境。森林低碳旅游者注重通过亲身体验来认识和理解自然。他们倾向使用简单、原始、低碳排放的旅游住宿、餐饮设施及交通工具，选择对自然和文化影响较小的旅游活动，减少对森林旅游区的影响；低碳旅游者入乡随俗，适应性强，充分尊重当地自然与文化生态，热衷于接触原始大自然和原汁原味的特色文化，并在感受自然与文化之美中体验人与自然的和谐，渴望通过旅游活动获得森林生态知识，认识社区文化，感受到其中的美学、科学、哲学等价值，由此激发对低碳旅游的热爱。

　　(3)参与性。游客在整个森林旅游低碳化消费过程中承担着重要的角色，他们既是森林旅游低碳化消费产生的动因，又是森林旅游低碳化消费的承载者，还是保护森林旅游环境的主体。森林旅游低碳化消费的参与是区别于一般消费的主要特征，低碳化消费的实施主要包括两个方面的内容：首先，游客是森林旅游低碳化消费的主要实践者，各种森林旅游低碳活动都需要游客参与；其次，游客又是实施森林旅游低碳化消费的客体（或者说是被约束对象），游客的活动是增加碳排量的主要来源。因此，游客参与森林旅游低碳化消费的行为性特征体现了他们主体与客体的统一性。

（4）全面性。全面性是指森林旅游低碳化消费是一种包含人的多方面消费行为的消费模式，或者说森林旅游低碳化消费能满足游客多方面的需求，如热爱森林的需求、感受大自然的需求、森林旅游低碳的体验需求等。而森林旅游低碳的体验是通过参与到低碳森林旅游当中，感受森林低碳化环境，体验森林低碳设施带来的旅游活动变化，游客获得一种特殊的体验。这种体验是一般森林旅游所没有的。这正是森林旅游低碳化与传统森林旅游主要差别点所在，也是森林旅游低碳化吸引游客的主要动力因素（罗明春等，2005）。

（5）时空性。森林旅游低碳化消费行为区别于一般消费行为的重要特征是时间上的选择性与空间上的特定性。从空间维度来看，森林旅游低碳化消费行为都发生在特定的空间区域，即旅游低碳行为发生在森林区域范围，也就是经过低碳设计后的森林旅游区域，这恰恰体现了低碳森林旅游与一般的森林旅游目的地的差异性，也是低碳化消费的一个重要特征。从时间维度来看，国内森林旅游低碳游客的出游时间受季节气候等因素的影响。

12.1.3 影响森林旅游低碳化消费的因素

游客在选择森林旅游低碳化产品与服务时受到各种因素的影响，这些因素大体上可以分为五大类，其中有些因素又可进一步分解为一些子因素。

12.1.3.1 人口统计变量

人口统计变量主要包括学历、性别、收入、职业、年龄、家庭成员数量、居住地等变量。如国际上公开的一项研究结果表明，低碳购买者主要是城市居民、中产阶层和已婚人群等。按照中国社会科院社会学研究所提供的《2007年全国公众环境意识调查报告》表明：34岁以下的城市人口对全球变暖问题、全球气候环境恶化的认知程度以及为改善全球气候环境恶化做出的努力程度都要高于农村人口，这是因为目前环境保护的宣传教育更多还是以城市为基础，暂时缺少适合农村生活的宣教主题、宣教内容和宣教渠道。此外，男女性别差异对森林旅游低碳化消费也有一定影响，大多数研究者认同女性比男性更加关注气候环境的变化与低碳产业的发展；而这一结论的理论依据是，社会发展和性别地位差异导致女性更在乎别人对自己行为的反应，因而，女性地位的改变使得她们产生了通过低碳化生活方式表达女性观点的愿望（鞠波，

2004）。

12.1.3.2　社会因素

研究表明，森林旅游低碳化消费群体通常比其他群体具有更高层次的社会责任感。个人的社会责任是指：即使没有报酬，也愿意帮助他人，通过自己的帮助，希望别人生活得更好。原因在于，有社会责任感的游客更加倾向接受社会前沿价值观，同时拥有较高社会责任感的游客，相比较而言，往往会积极参与各种对环境有帮助的社区或社会活动。因此，那些具有社会责任感并能积极参与有益于自然环境活动的人具有更高的低碳消费倾向，并认为这样的行为应该成为新的社会行为规范。

12.1.3.3　游客可支配收入

可支配收入是游客在进行实际森林旅游产品与服务选择时考虑的重要制约因素之一。由于森林旅游低碳化产品与服务在定价时会把减少碳排放量所支出的成本纳入其中，或者采用新技术、新原料，所以价格相对较高。多数游客不是不关心碳排放量带来的气候问题，而是受到自身收入限制，虽然关心碳排放造成的环境问题，但在实际选择森林旅游产品与服务时，价格与实用就会占上风。芝加哥大学最新一项研究成果表明；在影响人们低碳消费的诸多因素中，游客的收入是最主要的因素。只要游客人均月收入达到5000美元以上，游客就愿意为保护环境而花费更多。国内的研究也得到相同的结论，在国内几个沿海发达城市的调查结果显示，家庭月可支配收入在1000元以下的家庭成员对低碳产品一般不接受；而家庭月可支配收入在8000元以上的家庭成员80%购买过低碳产品，其消费行为表现出低碳消费的特征。

12.1.3.4　游客个人心理因素

游客个人心理因素是决定游客最终选择森林旅游低碳消费的主要动机。与其他因素相比，游客个人心理因素能够更好地辨别游客低碳化倾向，可以把森林旅游低碳游客心理特征划分为外在控制型和自我控制型。外在控制型的游客通常把自己的命运归结于外部因素，如运气、神灵等；自我控制型的游客通常认为自己可以掌握自己的命运，不把命运归结于外部因素。通过考察森林旅游低碳游客的心理特征和消费倾向的关系发现，自我控制型的森林旅游低碳游客与低碳消费倾向之间存在正相关性。自我控制型的森林旅游低碳游客认为通过自己的努力可以慢慢改善全球气候变暖的压力，因此自我控制型的森林旅游低碳游客会更加积极地追求低碳生活方式，也会更加乐意购买森林旅游低碳化产品与服务。与之相反，外在控制型的森林旅游低碳游客面对全球气候变暖的压力时，通常感觉自己对解决环境问题无能为力，认为自己在森林旅游中实行与不实行低碳行为对整个气候环境的改善没有影响，正是这种认识误区使得部分游客对低碳旅游没有起到积极发展的作用。森林旅游低碳游客个人心理因素又可以进一步分为以下子因素。

(1)动机(motivation)。动机是人们进行各种行为的内在原动力与驱动力，也是激励游客行为的主要原因。森林旅游低碳游客的购买动机是指驱使森林旅游低碳游客产生购买森林旅游低碳化产品与服务的内在驱动力。这种驱动力与原动力是森林旅游游客追求低碳生活方式的主要动机。因为按照马斯洛的"需要层次理论"，当游客基本生理需求满足后，便开始追求更高层次的需求，即渐渐开始追求超越"物质"的生活，向往现代文明的生活方式，在关注人类赖以生存的地球环境的同时，更加有效地协调了人类与自然的可持续发展。

(2)学习(learning)。游客森林旅游低碳化消费意识的产生和低碳消费实践行为，产生于以下三个方面：一是日益恶化的全球变暖问题已经引起人类的关注，尤其是气候环境的变化问题；二是低碳知识推广与普及，整个社会对低碳化运动的推动，提高了游客在低碳方面的认识；三是游客的个人低碳消费经验的积累，使其更深刻地感受到低碳消费益处。

(3)态度(attitude)。态度是人们在自身道德观和价值观基础上对事物的评价和行为倾向。巴德加的研究表明，"一个游客对环境问题的认识程度会影响他对环保问题的态度，以及对生态生活方式认识的态度，从而影响他是否积极参与环保活动，和购买、消费环保产品"。但是积极的态度并不等于积极的行动，国外学者 Hines 把游客对环境态度分为两大类：一般态度和具体态度(也称为"环境消费态度"，指针对环境责任行为的态度)，这两种环境态度和人的环境责任行为都息息相关，但具体环境态度更具有预测效力。环境消费的具体态度无论是对一般低碳产品与服务购买，还是对具体低碳购买行为都有很强的解释力。可见，游客对于森林旅游低碳化消费态度是比较复杂的一项个性心理因素，这就要求森林旅游企业和营销人员在宣传、沟通中更应注重为游客提供森林旅游低碳的详细信息，以推动游客选择森林旅游低碳行为。

(4)知识(knowledge)。在研究游客购买行为中，许多学者认为知识一直影响着游客购买决策。知识是决定游客收集和运用信息的一个关键因素，而信息最终影响到游客对产品购买的选择。同时，游客还运用知识去评价产品和服务的全过程。在森林旅游低碳化产品与服务购买过程中，游客对森林旅游低碳化产品的属性和低碳产品特征的理解，都依靠其固有的知识进行理解与判断，因此游客拥有的知识对其购买低碳产品有很大影响。一般来说，游客拥有的低碳知识越多，对气候变暖等问题理解得越深刻，越能促使游客在森林旅游中采取低碳化行为。

12.1.3.5　其他因素

游客购买森林旅游低碳化产品与服务的决策还受到其他多种因素的影响，例如游客对森林旅游低碳理念的认可、以往从事森林旅游低碳的体验、各种媒体对森林旅游低碳的宣传以及森林旅游低碳本身的趣味性等，这些因素好的方面有利于促进游客选择森林旅游低碳化产品，不利方面将阻碍游客选择森林旅游低碳化产品与服务。因此，游客对森林旅游低碳化消费态度与游客选择森林旅游低碳化产品之间有较强的相关性。此外，社会风尚也是影响游客选择森林旅游低碳化产品与服务的一个因素。

12.1.4　森林旅游低碳化游客购买行为分析

森林旅游低碳化游客购买森林旅游产品与服务时，跟传统大众游客购买行为基本相同。传统大众游客购买行为模式大致可分为 6 个阶段，即动机产生、需要产生、信息收集、物品选择、购买决策与售后评价（图 12-1）。

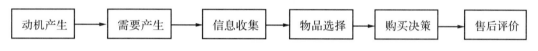

图 12-1　传统大众游客购买行为模式

在吸收传统大众游客购买行为模式的基础上，结合森林旅游低碳化消费的特征，我们提出较为详细的森林旅游低碳化游客购买行为模式（图 12-2），并对其进行简要分析。

12.1.4.1　"刺激动机"阶段

游客选择森林旅游低碳化产品与服务都起源于游客的动机。刺激游客动机包括外部刺激与内部刺激两个方面。外部刺激是指游客以外的因素对游客产生的刺激，如：森林旅游低碳化广告宣传、社会低碳化潮流、森林旅游低碳化产品的丰富程度、森林旅游低碳化产品的价格、游客经济状况等。其中主要因素有：森林旅游低碳化本身的属性特点、社会低碳化潮流方向、游客可支配收入。内部刺激是指由游客自身内部因素产生的刺激，包括游客的生理需求、心理需求、态度、性格、观点、个性、情绪、情感等。其中主要因素有：森林旅游低碳化对游客产生的吸引、向往、好奇、情感等。

12.1.4.2　"需要产生"阶段

"需要产生"指游客在动机受到刺激之后，产生了缺少什么并由此需要此物（即森林旅游低碳化产品或服务）的感觉。此时，游客动机转化为森林旅游低碳化消费需要。

12.1.4.3　"购买愿望"阶段

"购买愿望"是游客在产生了对森林旅游低碳化产品与服务的需要后，内心产生需要满足和弥补此不足的愿望，也萌发了购买森林旅游低碳化产品与服务的动力，迫切

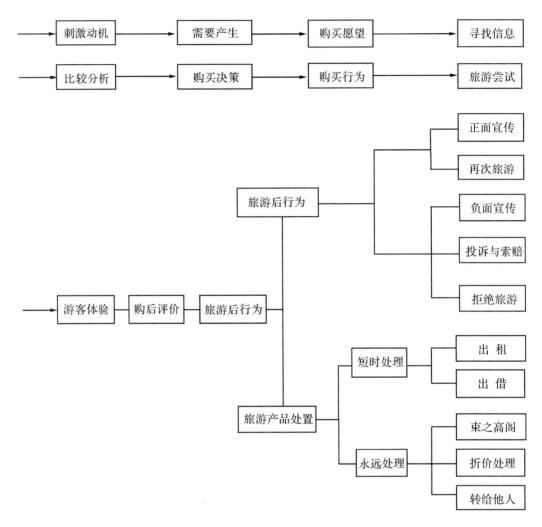

图 12-2　森林旅游低碳化游客购买行为模式

希望通过购买森林旅游低碳化产品满足游客自身的需要。

12. 1. 4. 4　"寻找信息"阶段

　　游客在产生了购买森林旅游低碳化产品与服务的需要之后，便开始通过各种方式与手段着手了解和搜集森林旅游低碳化产品与服务信息，为后面的分析评价和购买决策提供信息依据。此阶段，森林旅游企业可以通过了解游客的特征，选择合适的媒体传播森林旅游低碳化理念以及产品特色，提高广告的针对性。同时，也能节省游客寻找信息的时间成本，提高游客的综合满意度。

12. 1. 4. 5　"比较分析"阶段

　　游客在寻找信息的过程中搜集到很多自己需要的信息后，会根据自身的情况对可供选择的几家森林旅游低碳景区进行综合比较、分析、判断，得出对几家森林旅游低碳景区的综合结论，为最终决策提供依据。

12.1.4.6　"购买决策"阶段

游客在经过上述各个阶段后，就进入购买决策阶段。购买决策阶段主要包括的内容为 5W1H 和决策两个部分。其中 5W1H 是指购买目标（why）、购买对象（what）、购买地点（where）、购买时间（when）、由谁购买（who）、购买方式（how）等内容。购买决策的方式主要是指：个人独断决策方式、家庭民主决策方式和社会协商决策方式（有多人参加决策如朋友、父母、同学等）。影响游客购买决策的因素有宏观因素和微观因素两大类，宏观因素有游客所处的外部环境、政策法规、文化氛围、宗教信仰以及社会主流文化方向等；微观因素主要是个人的爱好、受教育程度、性别、婚姻状况、个人以往的消费经验等。在此阶段，任何一个因素都很可能导致游客做出不选择森林旅游低碳化消费决策。因此，要深入研究影响游客购买决策的宏观与微观因素，有针对性地开展森林旅游低碳化消费理念的宣传工作，使游客更加倾向选择森林旅游低碳化消费。

12.1.4.7　"购买行为"阶段

游客购买行为被认为是人类社会中最具有普遍性的一种行为方式。游客购买行为可分为三种类型：探究性购买、选择性购买和经常性购买。应当指出，在这个阶段即使游客做出购买决定，但仍然不一定有实际的购买行为。由于购买会受到一些因素（如钱、时间等）影响，最终可能不会购买。这个阶段森林旅游低碳景区应该通过实施适当的优惠促销活动，让游客产生购买的坚定决心，促进游客最终购买森林旅游低碳化产品与服务。

12.1.4.8　"旅游尝试"阶段

游客对森林旅游低碳化产品与服务消费大致可以分为没有尝试、一次尝试、重复尝试三种情况。在该阶段森林旅游低碳景区应研究游客对森林旅游低碳化产品与服务的满意程度、投诉原因调查、要求改善森林旅游低碳化服务质量的建议等情况。对首次尝试森林旅游低碳化产品的游客，进行有偿跟踪调研，让游客及时提出改进的意见，促使这种类型的游客变为重复尝试游客。对于重复尝试的游客，让其参与到森林旅游低碳化产品的设计中去，提高他们对森林旅游低碳化行为的忠诚度与满意度。而对于没有尝试的游客，可以进行媒体宣传与示范带动，让他们有机会接触到森林旅游低碳化活动。

12.1.4.9　"游客体验"阶段

由于不同游客对森林旅游低碳化活动的期望要求不同，加之每个森林旅游低碳化游客心理与个性方面的差异，森林旅游低碳化游客在感受和消费森林旅游低碳化产品与服务的过程中，其所得到的游客体验也各不相同。从游客对森林旅游低碳化的期望程度看，一般而言，森林旅游低碳化产品与服务的特性与游客的期望越接近，游客就越容易满意，对森林旅游低碳化的体验就越深刻；反之，游客不满的体验就越深刻。游客购后评价和下一次购买森林旅游低碳化产品与服务行为，直接影响到森林旅游低碳景区的效益，因此森林旅游低碳景区必须高度重视游客的体验。

12.1.4.10 "购后评价"阶段

游客的购后评价是多方面的，但主要包括以下两个方面内容。

（1）对森林旅游低碳化产品与服务质量做出评价。游客根据通过各种渠道获得的他人评价结论和自己的判断标准来评价森林旅游低碳化产品与服务的质量。同时，游客也根据森林旅游低碳化产品功能和使用效果等方面综合起来对其质量做出评价，得出物非所值、物有所值和物超所值等不同评价结论。

（2）对森林旅游企业、营销人员、服务人员、旅游硬件设施等综合评价。如森林旅游低碳景区的交通设施便利、环境优美、服务人员服务热情周到，游客一般会对此给出良好的评价。此外，森林旅游低碳景区对森林旅游低碳化产品和服务的宣传和承诺与游客的消费体验较一致，游客也会对森林旅游低碳景区给予较高的评价。目前，越来越多的旅游企业都开始重视游客的购后评价阶段，因为他们知道购后评价不仅会影响其本人的购买行为，甚至很大可能会影响其他游客的购买行为，并最终影响到森林旅游低碳景区长远市场效果。森林旅游低碳景区在这一阶段，可以向森林旅游低碳化目标游客发放调查问卷或购后评价表，及时收集评价意见与处理游客在森林旅游低碳化消费过程中所遇到一系列问题，努力获得游客好的购后评价，促进森林旅游低碳化消费成为一种新的时尚旅游方式。

12.1.4.11 "旅游后行为"阶段

旅游后行为是指在获得森林旅游低碳体验和进行消费评价后所采取的各种行为。游客如果获得较好的旅游体验和较高的消费后评价，则会采取有助于森林旅游低碳景区的行动。如为森林旅游低碳化产品与服务做出正面的宣传，下次旅游时再次选择森林旅游低碳活动等；反之，则会采取不利于森林旅游低碳景区的反面宣传，劝说他人不要选择森林旅游低碳化活动等。该阶段森林旅游低碳景区应对森林旅游低碳游客的良好购后行为表示感谢与奖励，并设法使之成为森林旅游低碳景区有力的宣传与促销材料；反之，便要有危机公关意识，设法与游客取得联系共商解决问题的措施，快速清理不良影响，设法变不利为有利，重新树立或恢复森林旅游低碳景区形象。

12. 1. 4. 12 "旅游产品处置"阶段

这里对"旅游产品处置"限定为游客不再使用该森林旅游低碳化产品而对其进行处置。处置方式一般有以下几种方式：①租赁给他人；②转借给他人；③暂不使用让物品束之高阁；④折价把物品卖掉；⑤对不能卖掉的物品送给他人；⑥对既不能卖也不能送的物品丢弃等。游客对产品的处置也折射出游客对森林旅游低碳化产品的满意程度。因此，了解游客对森林旅游低碳化产品的处置情况，能帮助森林旅游低碳景区掌握游客对森林旅游低碳化产品的满意程度。

12. 1. 5　森林旅游低碳化消费的实现途径

森林旅游低碳化消费的实现途径必须包含政府、旅游企业、游客和旅游业各利益相关者的观点，围绕旅游景点、旅游设施、旅游体验环境以及旅游消费方式等旅游发展的过程要素，创造一个低碳的森林旅游景点，建设森林旅游低碳化设施，倡导森林旅游低碳化消费模式，培育森林旅游低碳化体验环境(图 12-3)。

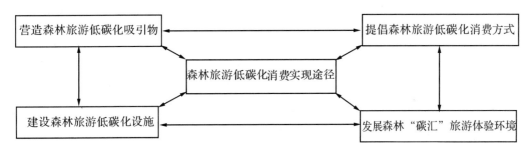

图 12-3　森林旅游低碳化消费的实现途径

12. 1. 5. 1　营造森林旅游低碳化吸引物

森林旅游低碳化吸引物是用来吸引游客进行旅游的所有有形的、无形的、物质和非物质元素，包括自然和人工的森林旅游低碳化吸引物，如森林、山地、气候和其他自然旅游资源，也可以人为创造森林旅游低碳化景观，如森林旅游低碳建筑物，森林旅游低碳产业示范园区，还可以是多样化的森林旅游低碳化活动产品，如森林低碳健身运动、森林低碳探险、康体活动等。营造森林旅游低碳化吸引物的主要途径：①通过科学的旅游开发规划(建设森林低碳标签地，如建设国家低碳森林公园、国家低碳湿地公园、国家低碳风景名胜区、国家森林旅游低碳区等)，充分挖掘森林、湿地、山地等资源的旅游价值，提升自然旅游吸引物的质量(图 12-4)。②策划以低能耗、低耗损为主的森林旅游低碳活动。③通过环保、生态、低碳等技术手段，打造自然与人工结合的综合型森林旅游低碳化吸引物(黄文胜，2009)。

图12-4 福建红豆杉生态园

12.1.5.2 建设森林旅游低碳化设施

森林旅游低碳化设施是运用低碳技术或直接使用低碳技术产品所建设的森林旅游设施，包括森林旅游低碳化公共基础设施和森林旅游低碳化服务设施。其中森林旅游低碳化基础设施是指森林旅游的道路建设低碳化、能源供给低碳化、环境卫生低碳化以及通讯方式低碳化等等。森林旅游低碳化服务设施主要包括森林旅游餐饮低碳化、住宿低碳化、购物与观光低碳化以及娱乐方式低碳化。实施森林旅游设施低碳化的思路有：①森林旅游低碳交通方面，应使用清洁与环保能源交通工具，如电瓶车、太阳能观光车等。在森林旅游线路设计上，应尽量设计人行栈道，减少游客因使用交通工具而导致碳排放量增加。②在森林旅游景区的建设上，使用可循环能源如太阳能、风能等，景区内的厕所、酒店用水尽量使用循环水，减少水的污染排放。③在森林旅游景区的住宿设施里装置新的能源供给设施，如照明与烹饪用沼气能，提倡游客使用自带生活用品，减少使用一次性生活用品。④森林旅游景区的购物中心、停车场、客房、会议室等大型设施使用可回收无污染材料进行建造（图12-5）。

12.1.5.3 提倡森林旅游低碳化消费方式

森林旅游低碳化消费方式是指旅游者在旅游消费的过程中，通过各种方式和途径来减少旅游者的个人旅游碳足迹。在同一旅游过程中，不同的旅游消费方式导致的旅游者个人的旅游碳足迹差异明显。引导游客选择森林旅游低碳化消费方式，如在景区提供自行车，减少游客乘坐交通工具；做好森林景区酒店低碳

图12-5 竹质装修材料会议室

标识，让游客方便选择低碳住宿；安排各种低碳、康体、娱乐项目；在各种媒体上宣传森林旅游低碳化消费方式，使游客树立森林旅游低碳化消费理念。

12.1.5.4　发展森林"碳汇"旅游体验环境

"森林碳汇"旅游体验环境应该是基于自然"碳汇"机理所形成的一种和谐、高质的森林旅游体验环境。旅游者以及社区居民是重要的碳排放体，这些排放的碳通过景区或目的地的"碳汇"机制予以吸收和储备，实现碳中和或碳平衡，不仅成为"零排放量"的森林旅游景区，还是区域性的碳汇地(蔡萌和汪宇明，2010)。森林碳汇旅游体验环境综合了各种形成和影响低碳旅游体验的自然和人文社会因素。其主导作用是森林景区自然碳汇机制的强化、弱化或者最大程度降低森林旅游活动过程中的碳排放强度。营造森林碳汇旅游体验环境是低碳旅游发展的最基本层面，培育森林碳汇旅游体验环境需通过政府、旅游企业、旅游社区以及游客的共同努力才能实现。

12.2　森林旅游低碳化营销

12.2.1　森林旅游低碳化营销相关概念

12.2.1.1　森林旅游低碳化营销界定

森林旅游低碳化营销是指森林旅游低碳景区在生产经营过程中，始终以降低碳排放量为经营指导思想，以低碳文化为价值观念，以培养并让游客接受森林旅游低碳化理念为中心和出发点的营销观念、营销方法和营销策略。具体来讲，就是森林旅游低碳景区根据游客的特点进行分析，采用有针对性的多种营销手段，让游客接受森林旅游低碳化消费理念并愿意购买森林旅游低碳化产品，最终实现森林旅游低碳景区的经济效益、社会效益与环境效益的最大化。

12.2.1.2　森林旅游低碳化营销的宗旨

(1)减少碳排放量，保护森林景区生态环境。

(2)森林旅游产品与服务的供给，以"三低"(低排放、低污染、低能耗)为基础。

(3)积极引导游客森林旅游低碳消费，培养游客森林旅游低碳意识，优化森林景区环境。

(4)森林旅游低碳营销方案必须建立在对游客需求、特征与购买行为的分析之上，提高营销方案的可行性与针对性。

12.2.2 森林旅游低碳化营销策略

12.2.2.1 森林旅游低碳化营销的中心任务

根据对森林旅游低碳化消费部分的分析，结合森林旅游低碳化营销的宗旨，概括出现阶段森林旅游低碳化营销的中心任务，就是让游客接受森林旅游低碳化消费理念，产生森林旅游低碳化消费需求，体验森林旅游低碳化的良好服务，并积极推广森林旅游低碳化消费理念。因此，为了提高森林旅游低碳化营销策略的可行性、有效性与针对性，在应用营销学 4p［产品（product）、价格（price）、渠道（place）、促销（promotion）］理论时，应始终围绕着森林旅游低碳化营销的中心任务进行。

12.2.2.2 森林旅游低碳化产品策略

森林旅游低碳化产品的开发思路以满足游客的需要为出发点。目前森林旅游低碳化产品对游客来说还处于较陌生阶段，游客选择森林旅游低碳化产品主要是体验森林旅游低碳化景区的自然美，感受森林旅游低碳化服务产品的差异性以及满足消费者的好奇心等。因此，当前森林旅游低碳化产品开发的重点是构建森林旅游低碳化体验场景，开发本土化元素的旅游产品，树立森林旅游低碳化产品的品牌化形象及消费者的认证。具体从以下几个方面展开：

（1）构建森林旅游低碳化体验场景。对于低碳旅游而言，吸引游客参与森林低碳旅游的关键在于让他们获得特殊的旅游体验，而这种特殊的旅游体验要以森林旅游场景为载体。因此，打造森林旅游低碳场景是森林旅游低碳化产品营销的基础工作。游客通过对森林旅游低碳场景了解森林旅游低碳化消费，并形成自己的"首因效应"。森林旅游低碳化产品销售的完成也要依靠其场景，通过森林旅游低碳化场景，游客对森林旅游低碳化产品进行体验并购买。

森林旅游低碳化场景的构建是以森林旅游低碳资源为载体，清洁能源供给系统为基础，创意的景观效果为特色，再配合宜人的森林气候环境和人为的旅游文化氛围，使旅游者获得全新的体验。森林旅游低碳化场景是吸引并激发旅游者参与低碳旅游的关键因素所在，它能使旅游者在游览参观的过程中受到感染，融入场景，让旅游者在愉悦的体验环境中放松身心并接受森林旅游低碳化理念。

（2）开发本土化元素的旅游产品。在森林旅游低碳化产品开发过程中，要融入森林景区本土化元素。在森林旅游产品设计上，体现低碳化理念，产品用料方面尽量使用本地原生态材料。如森林生态系统中独特的植物资源、动物资源、矿产资源、药材资源等，再结合当地独特的民俗风情，推出含有本土元素的物质和非物质的森林旅游低碳化产品系列，让游客感觉到产品的唯一性。

(3)树立森林旅游低碳化产品形象。森林旅游低碳化产品要时时刻刻体现"三低"特色。让游客进入森林旅游低碳景区后深刻体会到森林旅游全程低碳化，感受到别具特色的低碳文化，领略森林旅游低碳化内涵。例如，让游客感受到旅游"六大要素"的低碳化：吃的方面，主要以森林自有的特色食物为主；住的方面，主要应用可回收的生活用品；行的方面，主要是靠畜力或者电力；游的方面，主要是原生态景点；购的方面，主要是森林景区内可再生物品；娱的方面，主要是森林景区内互动性活动。

(4)进行森林旅游低碳化品牌认证。森林旅游低碳化品牌认证关键是争取绿色标准、低排放量认证、树立品牌形象。森林旅游低碳化产品需通过国际认可的绿色标准认证。通过这种方式吸引游客眼球，也能免除游客对购买森林旅游低碳化产品的安全顾虑。

12.2.2.3　森林旅游低碳化价格策略

从人口特征角度来看，社会责任心与使命感对女性游客、年龄在 16～40 岁之间的游客、高学历游客、公务员和学生、中高收入群体中的作用最为明显。在学习和工作需要的推动下，男性游客、年龄在 25 岁及以下的游客、大学本科或专科学历的游客、学生和教师及高收入者更容易产生森林旅游低碳动机(本书的数据来源于研究团队在福州国家森林公园和旗山国家森林公园的问卷调查)。除了社会责任心与使命感外，中老年人、离退休人员还因更在乎身体健康，较多地受康体养生需求的推动产生森林低碳旅游欲望。教师、硕士及以上学历的游客还对低碳旅游也表现出较为强烈的好奇心，且容易受好奇心推动产生森林低碳旅游的动机，但学生、中老年群体与教师、企业职员收入水平差距巨大，因此在价格策略上要以低价为主，分类定价为辅。

根据森林旅游低碳游客的人口统计学分布特点，结合森林旅游低碳化消费的时空性特征，森林旅游低碳化的价格需要及时调整。国内森林旅游低碳游客的出游时间由于受到国家的节假日政策的影响，呈现"周期性"变化，即一年内三个高峰(春节、"五·一"、国庆)、五十个小高潮(双休日)，此时价格稍微提高，减少景区的游客量，保护森林环境，同时能增加森林旅游企业的利润。而在淡季，如 7～9 月暑假期间，学生客流较为集中，老年人一般也会避开客流量比较大的旺季。此时为补充漫长淡季市场的人气，可以针对市场潜力比较大的老年人与学生群体，推出旅游产品。如可以以中低档消费层次为主来开发老年人森林旅游低碳消费市场。老年人旅游基本上都有亲人陪伴，因此他们旅游基本形成一个小团体。对这样的"团体"可给予价格折扣，如一般群体的门票采取正常价格，而对其结伴而行的老年人实行免票或半票。此外，学生客源市场的开发也有很大的潜力。针对学生市场，也可以实行中、低档的价格定位和适当优惠的价格策略。学生作为一个纯消费群体，没有自己的收入来源，其旅游开支源于父母，都想以最少的开支来获得最大的旅游消费效用。所以，应该以低价策略来促进其森林旅游低碳化消费需求。

12. 2. 2. 4 森林旅游低碳化渠道策略

森林旅游低碳化渠道策略牵涉的面较多，本书重点探讨渠道模式选择与市场渠道网络化两个方面。在渠道选择方面，按照产品"生命周期理论"，当前森林旅游低碳化产品还处于"导入期"阶段，而客源市场主要集中在景区周围城市，因此，根据客源市场与产品生命周期特点选择渠道模式；在渠道网络建设方面，主要依据游客对低碳旅游的认知渠道，建立市场化网络系统。

（1）根据客源市场与产品生命周期选择渠道模式。目前森林旅游低碳化产品在发展阶段上还处于"导入期"阶段，游客对森林旅游低碳化消费理念的理解还比较浅薄，市场成熟度较低，客源地主要依赖于景区周边的城市。此类市场可以划分为一级客源市场，要继续大力引导和巩固。对于逐步在一些经济发达区打出了一定的知名度，游客总量次于周边城市的中心区游客，以散客市场为重点，团队市场为辅，此类市场可划分为二级市场。由于二级市场游客总量不大，将作为一级市场的支撑市场，循序渐进地进行开发和维护，进行不同程度的营销和开发工作。对于起步较晚的森林旅游低碳化景区，要加强同知名度较高的旅行社合作。要建立森林旅游低碳化景区与各大旅行社、公司的联谊机制，主动与客源市场、有实力的旅行社联系，建立稳固的关系，形成前店后景区的合作方式。根据游客市场规律，推进市场开发与促销，争取更多的市场占有率，提高森林景区的经济效益。此外，对市场增长率较快的经济发达城市，也可设立办事处，但不直接组团，主要协助中间商开辟市场。

（2）建立市场化网络系统。从图12-6中可以看出，低碳旅游的游客中，有60.4%的游客是通过网络了解低碳旅游，而且游客主要来自城市。所以，森林旅游低碳景区要以中心城市为主，形成区域化中心旅游市场，进行网络渠道管理，建立高效、便捷

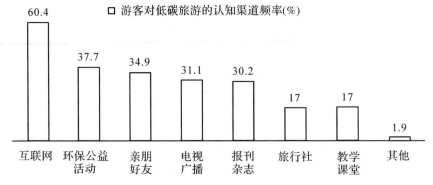

图 12-6 游客对低碳旅游的认知渠道

的森林旅游低碳化网络体系，与游客点击率高的网络媒介建立联系渠道（数据来源于研究团队在福州国家森林公园和旗山国家森林公园的问卷调查）。

12.2.2.5　森林旅游低碳化促销策略

根据游客对森林旅游低碳化消费理念的认知程度与游客购买行为过程分析，森林旅游低碳促销策略的任务就是让游客了解并愿意购买森林旅游低碳化服务产品。在游客了解阶段主要开展全方位宣传；在游客接受阶段主要开展事件传播、选择恰当媒体宣传；在购买阶段主要开展各种折扣促销。具体实施可以从以下几个方面进行。

（1）开展全方位、多形式的森林旅游低碳化宣传工作。如积极参与全国性或区域性的旅游促销会议，通过展览宣传促销；编印旅游手册、森林旅游低碳景区简介、导游图等宣传；制作森林旅游低碳景区特有的旅游纪念品，如森林旅游低碳景区独有的动植物标本与工艺品等；同各个旅行社进行联系，制定合理的促销奖励制度，依靠他们帮助完成森林旅游低碳景区的销售目标；制作森林旅游低碳化景区旅游标识牌、门票等。此外，还应维护森林旅游低碳化服务产品的整体形象，保护森林旅游低碳景区生态环境，让游客体验到森林旅游景区的低碳化。

（2）事件传播。积极参与"低碳"有关的主题活动，借此传播森林旅游低碳化消费理念；在森林旅游低碳景区内举办各种大型庆典活动，让与会人员亲自体验森林旅游低碳服务产品的魅力。

（3）选择合适的媒体进行宣传。根据图 12-6 也可以看出，低碳旅游的认知渠道除了互联网之外，主要集中在环保公益活动、朋友介绍、电视广告、报刊四个方面。因此，森林旅游低碳景区在公共关系活动方面重点是多参加环保公益活动，让潜在游客通过这些环保公益活动了解森林旅游低碳景区，进而了解森林旅游低碳化服务产品；在选择媒体方面，尽量选择电视广播与报刊，要进一步了解游客喜欢哪些节目与期刊，以提高森林旅游低碳景区广告宣传的效益；注重游客的口碑传播，及时处理游客对森林旅游低碳化消费提出的意见，提高森林旅游低碳景区的服务水平，不断增强游客的满意度，让游客的口碑传播始终朝着有利于森林旅游低碳景区的方向发展。

（4）进行各种折扣促销。根据森林旅游低碳景区的淡季与旺季，进行淡季折扣促销或者免门票吸引游客进入景区消费；对重游游客实行会员卡制度或者赠送礼品，提高他们的重游率；对学生、老人群体减免旅行费用；非节假日森林旅游低碳景区进行优惠促销活动等。

参考文献

[1]蔡君. 对美国 LNT(Leave No Trace)游客教育项目的探讨[J]. 旅游学刊, 2003, 18(6): 90~94.

[2]蔡萌, 汪宇明. 低碳经济、低碳旅游与旅游发展新方式[J]. 中国城市研究, 2009, 4(2): 40~46.

[3]蔡萌, 汪宇明. 低碳旅游: 一种新的旅游发展方式[J]. 旅游学刊, 2010(1): 13~18.

[4]陈贵松, 陈小琴, 陈秋华. 低碳经济下森林旅游业发展探讨[J]. 林业经济问题, 2010(1): 58.

[5]陈贵松, 黄秀娟. 森林旅游产品的分类、特征及开发研究[J]. 林业经济问题, 2003(3): 153.

[6]陈洪波. 低碳城市规划: 目标选择与关键领域[J]. 华中科技大学学报(社会科学版), 2011(02): 82~86.

[7]陈秋华, 李欠强. 生态旅游景区质量管理体系框架构建研究[J]. 林业经济, 2006(5): 37~40.

[8]陈秋华, 郑小敏. 森林旅游低碳化评价指标体系构建研究[J]. 福建论坛·人文社会科学版, 2013(1): 38~41.

[9]陈筱. ISO14000 国际标准与旅游企业的环境管理——以神农架为例[J]. 资源开发与市场. 1999, 15(2): 121~122.

[10]戴伦·J. 蒂莫西, 斯蒂芬·W. 博伊德. 遗产旅游[M]. 程尽能, 主译. 北京: 旅游教育出版社, 2007: 158~182.

[11]董观志, 杨凤影. 旅游景区游客满意度测评体系研究[J]. 旅游学刊. 2005(01): 27~30.

[12]董智勇. 中国森林旅游学[M]. 北京: 石油工业出版社, 2002.

[13]窦文章, 赵玲玲. 低碳化与商业模式创新[C]. 第四届中部地区商业经济论坛论文集, 2010.

[14]杜丽丽. 我国旅游业的低碳发展及对策研究[D]. 石家庄: 河北师范大学, 2010.

[15]杜宗斌. 乡村低碳旅游发展路径分析——以浙江湖州为例[J]. 安徽农业科学, 2011, 39(1): 375~376, 379.

[16]伏淑礼. 长沙市旅游娱乐市场及其开拓研究[D]. 硕博优秀论文全文数据库, 湖南师范大学, 2008.

[17]富筱琦. 时尚出游少制造一点"碳"[N]. 华商报, 2009-07-15(5).

[18]高俊. 生态旅游学[M]. 高等教育出版社, 2010.

[19]高峻, 刘世栋. 可持续旅游与环境管理[J]. 生态经济. 2007(10): 114~121.

[20]戈双剑. 低碳景区: 从理念到实践[N]. 中国旅游报, 2010-01-18(007).

[21]古新仁. 森林公园规划建设刍议[J]. 江西林业科技, 1995(2): 40~43.

[22]国家旅游局. 中国旅游年鉴[M]. 北京: 中国旅游出版社, 2010.

[23]国家旅游局. 中国旅游年鉴[M]. 北京: 中国旅游出版社, 1991.

[24]韩福荣. 论生态质量管理[J]. 世界标准化与质量管理. 2000(11): 7~12.

[25]何英. 森林固碳估算方法综述[J]. 世界林业研究, 2005, 18(1): 18.

[26]和沁. 加强旅游环境管理, 促进旅游与自然生态环境的良性互动[J]. 经济问题探索, 2006(11)：103~108.

[27]和沁. 旅游业发展中的自然生态环境问题研究——以丽江为例[D]. 云南大学学位论文, 2005.

[28]侯文亮. 低碳旅游及碳减排对策研究[D]. 开封：河南大学. 2010.

[29]黄文胜. 论低碳旅游与低碳旅游景区的创建[J]. 生态经济, 2009 (11)：100~102.

[30]贾治邦. 在关注森林活动总结表彰大会上的讲话[EB/OL] (2007 – 09 – 29) [2012 – 07 – 05]. http：//www.
jdorestry. gov. cn/jsly/showinfo.

[31]鞠波. 黑龙江森工集团森林旅游营销策略研究[D]. 哈尔滨：东北林业大学, 2004.

[32]李皇照. 消费者驱动低碳农业发展——食品配销与消费策略之探讨[J]. 台湾农业探索, 2010(4)：12~18.

[33]李鹏, 黄继华, 莫延芬, 等. 昆明市四星级酒店住宿产品碳足迹计算与分析[J]. 旅游学刊, 2010(3)：
27~34.

[34]李欠强. 生态旅游景区质量管理研究(D). 福州：福建农林大学, 2006

[35]李文苗. 低碳旅游城市发展评价指标体系研究[D]. 上海：上海师范大学, 2011.

[36]李晓琴, 银元. 低碳旅游景区概念模型及评价指标体系构建[J]. 旅游学刊, 2012, 27(3)：84~89.

[37]梁琴. 低碳旅游城市评价体系研究——以青岛市为例[D]. 青岛：中国海洋大学, 2012.

[38]廖晓静. "教"——应当明晰和追加的旅游要素[J]. 旅游经纬, 2002(6)：86.

[39]林明水, 谢红彬. VERP 对我国风景名胜区旅游环境容量研究的启示[J]. 人文地理, 2007(4)：64~67.

[40]林越英. 浅论旅游环境管理[J]. 北京第二外国语学院学报, 1999(4)：64~67.

[41]刘世栋. 崇明岛旅游环境承载力与旅游目的地环境管理研究[D]. 上海师范大学硕士论文, 2007.

[42]刘啸. 低碳旅游——北京郊区旅游, 未来发展的新模式[J]. 北京社会科学, 2010(1)：46.

[43]刘啸. 论低碳经济与低碳旅游[J]. 中国集体经济, 2009, 5(11)：154~155.

[44]柳敏, 张文政. 关于发展长岛低碳旅游的思考[J]. 经济论坛. 2011, 9(09)：101~104.

[45]陆林. 旅游规划原理[M]. 北京：高等教育出版社, 2005.

[46]吕跃进. 指数标度判断矩阵的一致性检验方法[J]. 统计与决策, 2006(9)：31~32.

[47]罗明春, 罗军, 钟永德, 等. 不同类型森林公园游客的特征比较[J]. 中南林学院学报, 2005(12)：111~113.

[48]马聪玲, 张金山. 对我国旅游规划现状的反思与评价[J]. 北京工商大学学报(社会科学版). 2007. 22(2)：
88~92.

[49]马丰敏. 中国社科院蓝皮书呼吁建立低碳城市评价标准[N]. 中国高新技术产业导报, 2009 – 06 – 29(A02).

[50]马勇, 颜琪, 陈小连. 低碳旅游目的地综合评价指标体系构建研究[J]. 经济地理, 2011, 31(4)：686~689.

[51]明庆忠, 陈英, 李庆雷. 低碳旅游：旅游产业生态化的战略选择[J]. 人文地理, 2010(5)：26.

[52]潘家华, 庄贵阳, 郑艳, 等. 低碳经济的概念辨析及核心要素分析[J]. 国际经济评价, 2010(4)：88~102.

[53]潘福林, 王奇. 论低碳经济下旅游要素的变迁[J]. 社会科学战线, 2011 (9)：54.

[54]彭波, 汪志球, 何聪, 等. 黄金周：游客览风景"乐不可支", 环卫清垃圾"苦不堪言"[N]. 人民日报,
2006 – 10 – 10(13).

[55]彭维纳. 普达措国家公园生态旅游区游客管理研究[D]. 昆明：西南林学院, 2008.

[56]彭翔. 武陵源风景名胜环境问题的现状、成因及对策[J]. 旅游学刊, 2000(1)：43~46.

[57]秦波涛,李增华.改进层次分析法用于矿井安全性综合评价[J].西安科技学院学报,2002(2):126~129.

[58]饶雪梅.低碳时代餐饮企业实施绿色管理与清洁生产研究[J].改革与战略,2011,27(2):30~32.

[59]石培华,冯凌,吴普.旅游业节能减排与低碳发展[M].北京:中国旅游出版社,2010.

[60]石培华,吴普.发展低碳旅游的基本思路与重点举措[N].中国旅游报,2010-01-18.

[61]石培华,吴普.中国旅游业能源消耗与CO_2排放量的初步估算[J].地理学报,2011,66(2):235~243.

[62]史云.关于低碳旅游与绿色旅游的辨析[J].旅游论坛,2010,3(6):652~655.

[63]世界粮农组织.世界粮农组织统计年鉴[M].罗马:世界粮农组织,2009.

[64]谭锦.旅游景区低碳评价指标体系研究[D].杭州:浙江工商大学,2010.

[65]唐承财,钟林生,成升魁.我国低碳旅游的内涵及可持续发展策略研究[J].经济地理,2011,31(5):862~867.

[66]唐丽.我国森林生态旅游发展刍议[J].湖南林业科技,1999,26(1):41~45.

[67]腾月.旅游与气候互相伤害[J].知识就是力量,2007(8):73.

[68]田培."低碳餐饮"成时尚[EB/OL](2010-06-15)[2012-07-05].http://blog.cntv.cn/14286465-1758707.html.

[69]铁铮.高度重视森林在低碳经济中的作用[N].中国绿色时报,2009-09-15(02).

[70]涂绪谋.论旅游的第七要素"思"[J].四川师范大学学报(社会科学版),2009(3):107.

[71]汪宇明.倡导低碳旅游,推进发展方式转型[J].旅游学刊,2010(2):12.

[72]王辉,宋丽,郭玲玲.海岛地区发展低碳旅游的必要性与途径分析——以大连市大长山岛为例[J].旅游论坛.2010,12(3):692~695.

[73]王润,刘家明,田大江.基于低碳理念的旅游规划设计研究——以福建省平潭岛为例[J].旅游论坛,2010,3(2):168~172.

[74]王兴国,王建军.森林公园与生态旅游[J].旅游学刊,1998(2):16~19.

[75]王衍用.低碳旅游:旅游业发展的必然选择[N].中国旅游报,2010-04-14(11).

[76]王莹.旅游区服务质量管理[M].中国旅游出版社,2003(第一版):115.

[77]王子辉.中国饮食文化发展趋势探析[J].中国烹饪研究,1999(4):1~6.

[78]魏卫,雷鹏,张琼.饭店低碳化水平评价指标的构建及实证研究[J].旅游科学,2012,26(1):72~81.

[79]吴必虎.北京市环境发展总体规划研究[J].联合大学学报,2000(1):131~134.

[80]吴必虎.区域旅游规划原理[M].北京:中国旅游出版社.2001:134~503.

[81]吴必虎,俞曦.旅游规划原理[M].北京:中国旅游出版社,2010.

[82]吴楚材.国外森林旅游的发展历程[N].中国绿色时报,2010-03-23.

[83]吴楚材,吴章文.发达国家的森林旅游[J].森林与人类,2010(3):12~13.

[84]吴晓青.加快发展绿色经济的几点思考[N].中国财经报,2009-11-25(003).

[85]吴章文,吴楚材.森林旅游学[M].北京:中国旅游出版社,2008.

[86]谢桂敏.我国低碳旅游发展模式及运行体系研究——以河北野三坡为例[D].北京:北京交通大学,2011.

[87]闫志能.CO_2排放导致的地球升温问题及基本技术对策[J].环境科学进展,1999,7(6):176.

[88]严健标，于晓聪，毛成龙，等. 低碳经济下城市森林公园发展的新探究[J]. 生态经济，2011(8)：138～141.

[89]杨俊平. 基于 AHP 法的陪都文化旅游资源评价与开发探讨——以歌乐山山洞片区为例[J]. 科协论坛，2009 (1)：118～119.

[90]佚名. 让森林旅游"低碳"起来[J]. 湖南林业，2010，5：36.

[91]尤文锦，冯四清，周江宁. 论风景区停车场设计的关键点[J]. 合肥工业大学学报(社会科学版)，2011(4)： 83～86.

[92]翟辅东. 旅游六要素的理论属性探讨[J]. 旅游学刊，2006(4)：18.

[93]张长元. 可持续发展对全面质量管理的挑战. 世界标准化与质量管理. 2000(4)：10～11.

[94]张健华. 森林公园游客违章行为及其管理策略研究[D]. 福州：福建农林大学，2008.

[95]张健华. 生态旅游区游客管理研究[D]. 福州：福建农林大学，2004.

[96]张京祥. 西方城市规划思想史纲[M]. 南京：东南大学出版社，2005：228～230.

[97]张明，刘曦，刘鸿翔. 基于经济学视角下的低碳旅游概念体系研究[J]. 价值工程，2011(8)：151～152.

[98]张文，李娜. 国外游客管理经验及其实[J]. 商业时代，2007(27)：89～91.

[99]张文. 旅游景区游客管理初探——以北京欢乐谷的游客管理模式为例[D]. 北京：北京第二外国语学 院，2008.

[100]张西林，付蓉，汪斌. RFID 技术在风景区精确游客管理中的应用[J]. 国土资源科技管理，2009，26(2)： 89～93.

[101]张象枢，张平. 试析绿色经济的理论基础——再论人口、资源、环境经济学[J]. 生态经济，2001(11)： 75～77.

[102]张雪松. 低碳旅游——旅游业发展方式的新思路[J]. 中国商贸，2011(6)：157～158.

[103]赵斌. 关于绿色经济理论的新思维[J]. 生产力研究，2006a(5)：5～6.

[104]赵斌. 关于绿色经济理论与实践的思考[J]. 社会科学研究，2006b(2)：44～47.

[105]赵黎民，黄安民，等. 旅游景区管理学[M]. 天津：南开大学出版社，2003.

[106]赵琪. 国际商贸流通企业低碳化发展经验之比较[C]. 第四届中部地区商业经济论坛论文集，2010.

[107]郑海燕. 如何发展低碳旅游[J]. 经济导刊，2011(1)：80～81.

[108]郑四渭. 森林资源管理"双赢"模式的案例分析[J]. 生态经济. 2003(10)：218～221.

[109]郑岩，黄素华. 国内游客低碳旅游感知与消费调查研究——以大连市为例[J]. 经济研究导刊，2011(3)： 163～164.

[110]周连斌. 低碳旅游发展动力机制系统研究[J]. 西南民族大学学报(人文社会科学版)，2011(2)：149～154.

[111]周梅. 我国低碳旅游及其发展对策研究[J]. 现代商贸工业，2010(7)：124～125.

[112]祝合良，李晓慧. 中国商业低碳化发展模式与有效路径[J]. 现代财经，2011(2)：16～20.

[113]ISO 14000 标准释疑[J]. 印刷质量与标准化. 2002(4)：37.

[114]Atial Yu Ksel, Fisun Yuksel. Measurement of Tourist Satisfaction with Restaurant Services：A Segmen-based Ap- proach[J]. Journal Vacation Marketing, 2002, 9(1)：52～68.

[115]Clark T. Alternative modes of Co－operative production[J]. Economic and Industrial Democracy, 1984, 5(1)：

97 ~ 129.

[116] Freeman R Edward. Strategic Management: A Stakeholder Approach[M]. Boston: Pitman Publishing, 1984: 46.

[117] Lime D, Stankey G. Carrying Capacity: Maintaining Outdoor Recreation Quality[A]. USDA Forest Service. Recreation Symposium Proceedings[C]. New York: College of Forest, 1971: 174 ~ 184.

[118] Ralf Bukley. Case Studies in Ecotourism[M]. Sydney: CAB International, 2002.

[119] Richard S J Tol. The impact of a carbon tax on international tourism[J]. Transportation Research Part D, 2007, 12(2): 129 ~ 142.

[120] Stankey G, Cole D, Lucas R, et al. The Limits of Acceptable Change (LAC) System for Wilderness Planning [A]. General Technical Report INT – 176 [C]. Ogden, UT: United States Department of Agriculture, Forest Service, Intermountain Forest and Range Experiment Station, 1985.

[121] Susanne B, David G, Chris F. Energy use associated with different travel choices[J]. Tourism Management, 2003, 24(3): 267 ~ 277.

[122] Tzu – Ping Lin. Carbon dioxide emissions from transport in Taiwan's national parks[J]. Tourism Management, 2010, 31(2): 285 ~ 290.

[123] UNWTO. Climate Change and Tourism: Proceedings of the First International Conference on Climate[C]. Change and Tourism, Djerba, Tunisia. 2003.

[124] Wagar A J. The Carrying Capacity of Wild Lands for Recreation[M]. Washington D. C. : Society of American Foresters, 1964.